AHÍ
HEMOS MATADO
A UN PERRO

AHÍ
EL ASESINATO
DE PRUDENCIO MÉNDEZ
HEMOS MATADO
A UN PERRO
LUIS ASENCIO CAMACHO

pien fu

ISBN: 978-0-578-86781-6
ISBN-10: 0-578-86781-8

Foto de portada: Ejecución de reos en el barrio Canas (Ponce), 7 de abril de 1900 (Anónimo en dominio público).

Fotos en la Galería con crédito a *Western Reserve Historical Society* se usan bajo licencia de la Western Reserve Historical Society, Cleveland, Ohio: Orrel A. Parker Photographs, Serie III, Puerto Rico, 1900, Caja 1 (expedientes 25 al 29), PG 277.

Foto del autor: NCL.

蝙蝠
pien fu
Ediciones Pien Fu
Cabo Rojo, Puerto Rico

A la memoria de para quien
la historia fue segunda religión:

FERNANDO PICÓ, S. J.

Contenido

Ilustraciones

Durante el cambio de gobierno, poco después de 1898, mataron a don Jacinto Santamaría por el sur de la isla. Era en tiempos de las partidas sediciosas, gente fuera de ley que se dedicaba a la depredación y al incendio. Condenaron a dos jíbaros al garrote, como responsables del asesinato.

—Enrique Laguerre
El fuego y su aire

¡Miserable! ¡Qué crimen cometí, y qué crimen hago cometer a la sociedad!

—Víctor Hugo
«Último día de un condenado a muerte»

Los crímenes y los criminales son producto de la sociedad, y a la vez, instrumentos y víctimas de la misma sociedad.

—Ashley Montagu
El hombre observado

Introducción

La noche del 28 de octubre de 1898 una partida de tiznados invadió la casa de un caficultor en Yauco, lo asesinó frente a su familia y se marchó al son de una sinfonía. La muerte de Prudencio Méndez fue la segunda atribuida a la misma partida en menos de un mes y el detonante de uno de los juicios más comentados bajo el recién implantado régimen estadounidense. Puso también a prueba el sentir puertorriqueño en cuanto a la pena de muerte en la isla de cara al futuro.

«No es nuestro propósito interferir con las leyes existentes y costumbres que son saludables y beneficiales a su pueblo siempre que se conformen a las reglas de la administración militar del orden y la justicia».[i]

---

i. Proclama del 28 de julio de 1898. Véase en contexto en *Annual Report of the Major-General Commanding the Army to the Secretary of War*, 1898 (Wash.: Govt. Print. Off., 1898), 31–32; Nelson A. Miles, *Serving the Republic* (Nueva York: Harper & Bros., 1911), 299–301; Cayetano Coll y Toste, «Documentos», *Boletín Histórico de Puerto Rico* 6 (1918), 56–57, 66; y/o Ángel Rivero, *Crónica de la guerra hispanoamericana en Puerto Rico* (Madrid: Sucesores de Rivadeneyra, 1922), 232. Hay quienes le atribuyen la redacción de la proclama a Hostos; mas hasta que aparezcan pruebas, lo refutamos. No solo Hostos estaba fuera de la isla en el momento del desembarco, sino que el contexto del documento luce más como una improvisada adaptación de la proclama que se circuló en las Filipinas en abril.* Miles, en todo caso, usó la proclama para responder la misiva de Félix Matos Bernier (*Serving the Republic*, 301–2; *Crónica*, 208–11).»»»

. . .

Demagógicas o no, esas palabras de Nelson Appleton Miles resultaron ser por un tiempo ciertas, ya bien sea porque el generalísimo desconociera que Puerto Rico se regía por un código penal que apoyaba la pena de muerte por el garrote vil o porque pensó que el nuevo régimen despejaría la mera idea de llevarla a efecto. No que necesariamente fuera dato conocido por él, pero el hecho de que la última condena a muerte y ejecución confirmada datara de 1891 ofrecía algo de plausibilidad a la promesa vertida en aquel singular documento.

Después de todo, Miles solo seguía las órdenes de su presidente y comandante en jefe y este había dejado claro con motivo de la capitulación de Santiago de Cuba que el gobierno estadounidense no venía a interferir con los estatutos establecidos.[ii] El sucesor de Miles y primer gobernador militar de Puerto Rico, John Rutter Brooke, repitió la fórmula al asumir el cargo el 18 de octubre.[iii]

El aparente vacío político hasta entonces y después permitió la proliferación de elementos que, lejos de haber seguido el llamado de un anciano apóstol que agonizaba en el destierro de aprovechar el desembarco estadounidense para levantar el país en armas y copar cualquier esfuerzo español, vertieron su furia sobre civiles representativos del españolismo. Más fácil les

---

* Véase versión filipina en Brad K. Berner, ed., *The Spanish-American War: A Documentary History with Commentaries* (Madison, N. J.: Fairleigh Dickinson University Press, 2014), 159.

ii. Véase Orden General 101 del 18 de julio de 1898, en War Department, Adjutant-General's Office, *General Orders, 1898* (Wash.: Govt. Print. Off., 1898), 247–48.

iii. Específicamente en el párrafo IX de la Orden General 1, Cuartel General, Departamento de Puerto Rico, 18 de octubre de 1898; la Orden General 8 del 14 de noviembre de 1898 continuó la política. Véanse ambas en *Report of Brig. Gen. Geo. W. Davis, U. S. V., on Civil Affairs of Puerto Rico, 1899* (Wash.: Govt. Print. Off., 1900), 89–90. Véase también Carmelo Rosario Natal, «Del 98 inédito: primer retrato de la colonia (documentos)», *Boletín de la Academia Puertorriqueña de la Historia* 13, n.º 44 (1992), 153–69.

resultó tiznarse la cara y atacar negocios y haciendas al filo de la noche mientras que en San Juan españoles y estadounidenses discutían los tecnicismos del cambio de mando. Las ruralías desprovistas de seguridad se convirtieron en centros de predilección de las partidas.[iv]

El gobernador y capitán general de la isla, Manuel Macías y Casado, no perdió tiempo para advertirle a Miles[v] y emitir un bando dirigido a coartar y/o castigar la nueva amenaza:

HAGO SABER:
Que habiéndose levantado algunas agrupaciones o partidas, que sin bandera conocida unas, y titulándose otras auxiliares de las tropas invasoras, merodean por los campos y pueblos desguarnecidos, sembrando la alarma y el desasosiego entre los habitantes pacíficos, y decidido como estoy a ser inflexible con los que en las presentes circunstancias atenten o puedan atentar a la seguridad de cosas y personas,

ORDENO Y MANDO:
ARTÍCULO 1.º —Todo el que tenga en su poder armas de fuego, municiones y armas blancas, que por su forma y condiciones no deban considerarse como de trabajo y no pertenezca al Ejército o a sus batallones o compañías de voluntarios que conservan aún su organización, las entregarán en el término de tres días, a contar

---

iv. Se conocen casos de partidas sediciosas o *tiznados** desde 1891, mas en lo que respecta a 1898, la actividad surgió en la primavera y se recrudeció durante la mencionada tramitación de acuerdos, toda vez que el anuncio de España de no esperar hasta el tratado de paz para abandonar la isla tuvo un efecto epidémico en las autoridades de la ley y el orden. *Cfr.* Rivero, *Crónica*, 421; Paul G. Miller, *Historia de Puerto Rico* (Nueva York: Rand McNally, 1946), 405–6.

* Mariano Negrón Portillo prefiere llamarlas «revueltas campesinas», un calificativo más a tono con la realidad y libre de dicotomías (*Cuadrillas anexionistas y revueltas campesinas en Puerto Rico, 1898–1899* [Río Piedras: CIS, UPR], 1987; «Comentarios sobre el libro *1898: la guerra después de la guerra*, de Fernando Picó», *Revista de Ciencias Sociales* 27, n.º 3–4 [1988], 173, 175). Más sobre ellas abajo, nota vii.

v. Véase reproducción del telegrama del 14 de agosto de 1898 en Rivero, *Crónica*, 651–52.

desde la publicación de este bando, en cada pueblo, a la autoridad militar del punto de su residencia, y de no haberla, al alcalde de la jurisdicción, en la inteligencia de que el que no lo haga, será tratado como reo de delito contra el orden público y juzgado con todo el rigor de la ley.

ARTÍCULO 2.º —Las partidas o grupos armados que sin la competente autorización se levanten en el distrito, serán disueltas con las armas por la fuerza pública, y los que las formen serán juzgados en procedimiento sumarísimo y considerados como reos de los delitos de traición, rebelión, contra el derecho de gentes, devastación o saqueo, según los casos, aplicándoles el Código de justicia militar, cualquiera que sea su condición, sin que les sirva de disculpa ni pretexto el haber sido obligados a formar parte de dichos grupos y sin perjuicio de las responsabilidades en que puedan incurrir por los demás delitos de carácter común o militar que cometan.

ARTÍCULO 3.º —Los que aisladamente violen tregua, armisticio, capitulación y otro convenio celebrado con el enemigo; los que maltraten a los prisioneros, los que ataquen hospitales, los que destruyan templos, bibliotecas, archivos, acueductos y vías de comunicación; los que ofendan a un parlamentario; los que destruyan, inutilicen o substraigan libros, registros y otros documentos de interés que pertenezcan a las Autoridades, Cuerpos o dependencias del Estado y los que despojen a los heridos o prisioneros de sus efectos, serán también juzgados por el mismo procedimiento sumarísimo, aplicándoles el Código militar aunque no pertenezcan al Ejército.

Puerto Rico, 15 de agosto de 1898.

MACÍAS.[vi]

De nada sirvió; continuaron las partidas sus actividades.[vii]

---

vi. *Gaceta de Puerto Rico*, 16 de agosto de 1898, 1; Rivero, *Crónica*, 425.

vii. Basta decir que el tema de las partidas y sus razones de ser y operar es mucho más complejo de lo que se pueda discutir aquí. «Los sediciosos de Juana Díaz, de San Germán y de Ciales, ¿qué se proponen?, ¿qué buscan?, ¿qué persiguen?, ¿bajo qué bandera luchan?», preguntaba un importante rotativo de la época («Las partidas sediciosas», *La Correspondencia de Puerto Rico*, 16 de agosto de 1898, 1). Nos limitaremos, por ende y en aras de la simplicidad, a los tres principales motivos: políticos, revanchistas y por necesidad. En la primera categoría destacaron las partidas afiliadas a las tropas norteamericanas en calidad de escuchas y guías que, una vez acabada la guerra, se disolvieron; siempre hubo la que se reorganizó y continuó por cuenta propia para incidir en el revanchismo o el llano bandidaje.* La segunda categoría la conformaron aquellas facciones motivadas por la oportunidad de vengarse de terratenientes y comerciantes —inescrupulosos o empáticos por igual— mediante la quema de propiedades, el robo, las vejaciones y el homicidio.† En la tercera y última categoría, por eso de que no todas las partidas fueron belicosas, los grupúsculos de campesinos que invadían propiedades sin ánimos de dañar, sino en busca de alimento.‡ El otro lado de la moneda presenta casos de soldados norteamericanos que, con abusos de poder, invadían o requisaban propiedades en el supuesto nombre de su nación. Véase un resumen de esto en Mariano Negrón Portillo, *Las turbas republicanas, 1900–1904* (Río Piedras: Ed. Huracán, 1990), 31–41.

* Al margen de estas operaron también partidas movidas por arengas pseudopolíticas, como la banda del notorio «Águila Blanca», José Maldonado Román (1874–1932), que, a los ojos de un escritor y corresponsal de guerra californiano, fueron «la única oposición seria al gobierno estadounidense».

La tiranía española —nos informa— los había llevado al bandolerismo, y cuando llegaron los estadounidenses, Águila Blanca ondeó una bandera similar al pabellón de Cuba y proclamó la República de Puerto Rico, pero él y sus hombres eran esencialmente forajidos, su objetivo el robo en lugar de una lucha por la libertad. (José de Olivares, en *Our Islands and Their People as Seen with Camera and Pencil*, ed. por William S. Bryan [San Luis: N. D. Thompson Pub., 1899], 1:361)

Así muchos hayan sido los esfuerzos por vindicar la imagen de Maldonado Román como se ha hecho con Cofresí (1791–1825) y otros héroes proscritos, la historiografía es en esencia negativa (véanse, p. ej., «Juzgado Militar», *Gaceta de Puerto Rico*, 18 de mayo de 1897, 2; «Estafeta de Ponce», *La Democracia*, 8 de junio de 1897, 2–3; «Cédula de citación», *Gaceta de Puerto Rico*, 9 de junio de 1897, 5; «Porto Rico's Brigands», *Sun*, 5 de marzo de 1899, 7; «Los sucesos de ayer», *La Democracia*, 17 de mayo de 1899, 2; «El "Águila Blanca"», ídem, 19 de octubre de 1899, 2–3; «Noticias», *Boletín Mercantil de Puerto Rico*, 31 de enero de 1903, 3; y Fernando Picó, *1898: la guerra después de la guerra* [San Juan: Ed. Huracán, 1987], 155–60).

† Esta modalidad, la más generalizada, está ampliamente documentada tanto por los expedientes españoles y estadounidenses como por la prensa de la época. Véanse, p. ej., Archivo General Militar de Madrid: Capitanía General de Puerto Rico, documentos 5182.08 («Partidas sediciosas en la

Corría septiembre cuando, en medio de las conversaciones, un frustrado Macías le planteó su preocupación a Brooke:

> Mi Gobierno me ha ordenado velar por los americanos, y así lo efectúo, no permitiendo el más pequeño desmán contra ellos. En justa reciprocidad, yo espero de V. E. que se servirá dictar sus órdenes para que las personas y bienes españoles en territorio ocupado por las tropas de su digno mando se hallen protegidos cual corresponde, toda vez que ya han sido objeto de abusos y tropelías en algunos pueblos.[viii]

Brooke, aunque a la sazón solo representaba a su gobierno durante las conversaciones, de inmediato dispuso que todos los jefes del ejército de ocupación reprimieran, con mano fuerte, aquellas ocurrencias. No obstante, recordó a sus congé-

---

jurisdicción de Lares», 6 de septiembre de 1898), 5182.09 («Partidas sediciosas en Hatillo y Camuy», 14 de septiembre de 1898), 5182.10 («Partidas sediciosas en Florida», 21 septiembre de 1898) y 5182.11 («Partidas sediciosas en Quebradillas», 21 de septiembre de 1898); declaración del mayor de caballería, Charles Lawrence Cooper (1845–1919), en Henry K. Carroll, *Report on the Island of Porto Rico, Its Population, Civil Government, Commerce, Industries, Productions, Roads, Tariff, and Currency* (Wash.: Govt. Print. Off., 1899), 302–3; y los partes en *La Correspondencia de Puerto Rico*, ediciones del 9 y 16 de agosto y 22 de septiembre de 1898. Rivero cita hasta cinco incidencias al cierre de su diario: 2 y 4 de agosto, 22 de septiembre y 9 y 16 de octubre. Al principio —refiere el historiador utuadeño Pedro Honorio Hernández Paraliticci (1925–2002)—, «estas partidas facciosas se componían de hijos respetables del pueblo, que solo los impulsaba un deseo de venganza. Pero luego estas se convirtieron en bandas de ladrones que se aprovechaban de la situación para robar las haciendas de los acomodados españoles» (*Álbum de Utuado* [Utuado: Impr. Modelo, 1967], 34; *cfr.* Picó, *1898*, 100, 152, 154). Casos como los que denuncia el alcalde de Quebradillas en que los sediciosos en su jurisdicción eran en su mayoría desertores del Ejército español (*cfr.* Carroll, *Report*, 602, 603) solo aportan a la complejidad del asunto.

‡ Véanse, p. ej., *La Correspondencia de Puerto Rico*, 8 de agosto de 1898, 1; «Las partidas sediciosas», ídem, 16 de agosto de 1898, 1; Carroll, *Report*, 603; Picó, *1898*, 96; y Carmelo Rosario Natal, *Los pobres del 98 puertorriqueño* (San Juan: Prod. Históricas, 1998), 40–43.

viii. Rivero, *Crónica*, 422.

neres españoles, se trataba de un esfuerzo compartido y advirtió que asumiría jurisdicción donde las autoridades civiles no actuaran,[ix] como fue el caso de Ciales:[x]

> [N]o puedo entender por qué la Guardia civil de Ciales no intervino, cuando estaba más cerca que nuestras tropas. Puede que haya alguna línea jurisdiccional que limite las funciones de cada puesto, aunque creo que en estos tiempos deben desaparecer tales barreras. El general Miles me dijo que el terreno neutral, entre las avanzadas de ambos ejércitos, debía ser vigilado de común acuerdo, y, por tanto, cuando él dejó el mando y yo lo tomé a mi cargo, siempre tuve presente aquella advertencia y siempre pensé que la Guardia civil española tomaría acción sobre cualquier ofensa que llegase a su noticia, aun cuando para ello necesitase atravesar nuestras líneas, toda vez que ellos podían tener conocimiento de los sucesos antes que nosotros.[xi]

Habría sido interesante conocer y contrastar el significado de «mano fuerte» para cada bando. No cabe duda de que para el pensilvano lo era perseguir, capturar y ajusticiar a los *banditti*

---

ix. La división de responsabilidades llevó a una demarcación de jurisdicciones mediante una imaginaria línea neutral, solo que dicha línea comprendía una franja de ocho millas que permaneció sin vigilancia la mayoría del tiempo. El desfase alentó las operaciones de partidas sediciosas como la llamada *Mano Negra* (detalles abajo, nota xv).

x. Entiéndase el enfrentamiento *post bellum* entre partidas criollas proamericanos y voluntarios proespañoles donde la población cialeña fue la gran perdedora. Véase la historia en contexto en B. Vélez, «Los sucesos de Ciales», *Boletín Histórico de Puerto Rico* 6 (1919), 80–85; o en Picó, *1898*, 90–93. Una tercera obra digna de mención es *El levantamiento de Ciales* (s. l.: Edit. Guasábara, 1980), de Juan Manuel Delgado, que pretende ser el recuento de la única gesta libertaria de la guerra del 98 en la isla. Si bien destaca como una obra de sumo interés, su falta de fundación documental —por basarse en historia oral— le resta credibilidad ante el juicio crítico; la validez de la tradición oral como fuente de historia siempre tendrá más desventajas que ventajas por sus inherentes riesgos de sujeción a exageraciones, a la creatividad y/o al favor o disfavor que goce el asunto de quien o quién lo relata.

xi. Rivero, *Crónica*, 424.

sin alterar el Código de Justicia español; la pregunta es si sabía o no que el Código preveía la pena capital del mismo modo que las leyes de guerra del Ejército estadounidense las preveía para crímenes de robo, violaciones, mutilaciones y asesinatos.[xii]

A partir de ese trascendental 18 de octubre, la caballería estadounidense, con la ayuda de Policía Insular, persiguió sin tregua a los sediciosos hasta restablecer el orden en todas las jurisdicciones a tiempo para la Ley Orgánica de 1900. Todo lo ocurrido antes de la proclamación del Tratado de París el 10 de abril de 1899, sin embargo, se anegó en grises.[xiii]

· · ·

La idea de este libro surgió mientras consultaba el 1898 de Fernando Picó en aras de revisar una nota alusiva a los tiznados para otro proyecto que me ocupaba y me hallé absorto en las singularidades que relata el historiador en torno al infortunado Prudencio Méndez.

Entonces Eugenio Rodríguez, que le apuntaba a la cabeza con un revólver, disparó. Méndez cayó muerto y varios de los atacantes

---

xii. *Cfr.* Biblioteca Judicial, *Código penal vigente en las islas de Cuba y Puerto Rico* (Madrid: Establ. tip. de P. Núñez, 1886), *Apéndices al Código Penal vigente en las islas de Cuba y Puerto Rico* (Madrid: Centro Edit. de Góngora, 1887) y Ministerio de Ultramar, *Ley de enjuiciamiento criminal para las islas de Cuba y Puerto Rico* (Madrid: Impr. de R. Moreno y R. Rojas, 1888) *vs.* E. D. Townsend, *Instructions for the Government of Armies of the United States in the Field, Prepared by Francis Lieber, LL. D. Originally Issued as General Orders No. 100, Adjutant General's Office, 1863* (Wash.: Govt. Print. Off., 1898).

xiii. La catedrática María E. Estades Font ofrece un excelente recuento de esto en *La presencia militar de Estados Unidos en Puerto Rico 1898–1918: intereses estratégicos y dominación colonial* (Río Piedras: Ed. Huracán, 1999), págs. 86 al 94. Para consultar cada etapa en contexto, véase informe del general Davis (Davis, *Report*): pág. 93 (creación de comisiones militares); pág. 102 (recompensas por captura de bandidos); págs. 19, 20 y 302 (retos en el cumplimiento de la misión de suprimir el bandidaje); pág. 98 (creación de la Policía Insular); y pág. 109 (distribución y uso de la Policía Insular). Más abajo, nota xxii.

machetearon su cadáver. Amarraron a sus dos hijos y desvalijaron la casa. Luego Nicolás Feliciano le ordenó a la viuda, Prudencia Mattei, que le disparase un tiro al cadáver de su marido. Ella se negó y fue abofeteada. Sus dos hijas... fueron traídas y obligadas a bailar alrededor del cadáver al son de una armónica...[xiv]

Lo insólito del caso me llevó a indagar más sobre el crimen, lejos de sospechar que los datos estaban errados. Pude simpatizar con el honesto desacierto del padre Fernando de valerse de apenas tres referencias (una sacada de proporción y las otras incompletas) y entender los gajes de oficio de la época en que realizó su proceso investigativo, sin mencionar que, después de todo, el propósito de su 1898 era reseñar los acontecimientos después de la guerra y no hacer un estudio profundo de las partidas.

Sentí que mi obligación debía ser rectificar tanto al historiador como a la historia con el respeto y la humildad de un admirador y guiado por las ventajas de esta época en la que Google y Ctrl+F ponen el mundo entero a nuestro alcance en segundos.

Caí de inmediato en la cuenta de que sucesos como el de Prudencio Méndez dejaron un huella imborrable en la memoria regional y que la mejor muestra de ello la brinda Laguerre en el «testimonio» de María Luisa Taveras que sirve de epígrafe a este trabajo: elementos como el nombre de la víctima, lugar de la isla, época y el desenlace son calcos de la realidad o auras de un recuerdo.[xv]

---

xiv. Picó, 1898, 129–30.

xv. Puede que las generaciones de mediados de siglo pasado al toque del milenio «recuerden» por fe de tradición de bisabuelos y abuelos lo que para nuestros hijos y nietos es mito; pero aquellas a que pertenecieron individuos como Ramón Juliá Marín (noventayochistas) y Enrique Laguerre (treintistas) pudieron heredar las cicatrices de sus padres, si bien en el caso del primero por vivencia. El utuadeño Juliá Marín, nacido en 1878, fue testigo del cambio de soberanía y cuidado si víctima de las depredaciones de las mismas partidas a quienes puso como antagonistas —o simbiontes— en su primera novela, *Tierra adentro* (1911). Voy más lejos al proponer que pudo haber atestiguado alguno de los últimos garroteos en Ponce. Laguerre, en cambio, nacido en

1906, heredó las cicatrices de la generación transculturada* y las convirtió en aguijón en el costado de algunos de sus personajes literarios: en *La llamarada* (1935), Juan Antonio Borrás; en *Solar Montoya* (1941), Gonzalo Mora; en *La resaca* (1949), Dolorito Montojo; en *La resentida* (1944), don Esteban; y en *El fuego y su aire* (1970), María Luisa Taveras.†

    * «Nací en la frontera, entre dos épocas... Remotamente recuerdo los comentarios de los mayores, aún después de 1910, sobre la guerra de la revolución en Cuba y el gobierno de Lilís en la República Dominicana. Ya no se hablaba, sin embargo, de las "partidas sediciosas"...» (Enrique Laguerre, «Autobiografía», *Revista del ICP* 1, n.º 1 [2.ª serie] [2000], 5). Ese fue el caso con el mocano cuya infancia transcurrió más cerca de Aguadilla e Isabela, áreas relativamente exentas de asaltos de tiznados por lo inaccesibles que resultaban ser incluso para el bandidaje (*cfr.* Álvaro M. Rivera Ruiz, *Aguadilla: el pueblo que le dio la espalda al mar*, 2.ª ed. [San Juan: Isla Negra Eds., 2007], 64–67). En las regiones más céntricas, sin embargo, proliferaron relatos de partidas como *La Mano Negra*, una célula que el historiador Carlos López Dzur define como formada por campesinos locales, en los días de la invasión, «quizás arbitrariamente, para dar ajusticiamientos ilícitos a los súbditos españoles que, de uno u otro modo, habían sido cómplices de la tiranía y el empobrecimiento tan grave que padecía el campesinado en tal década» («El marco del resentimiento», *Comevacas y tiznaos*, http://carloslopezdzur-carlos. blogspot.com/2014/06/g_16.html). No en vano testigos estadounidenses de la época la compararon con una versión local del Ku Klux Klan (*cfr.* Frank E. Edwards, *The '98 Campaign of the 6th Massachusetts, U. S. V.* [Boston: Little & Brown, 1899], 235). El nombre, calcado de una sociedad secreta anarquista andaluza, tiene una manera curiosa de evadir nuestra historiografía para (salvo por Picó, 1898, 105) rebosar en la tradición oral, como consta López Dzur durante una serie de entrevistas que realizó entre residentes de San Sebastián a finales de los 1970. (Su *Comevacas y tiznaos: las partidas sediciosas en el Pepino de 1898* [2005] destaca como un admirable esfuerzo de recopilación de historia oral empañado por las ya mencionadas desventajas del subgénero.) No obstante, es recurrente en los testimonios de norteños como el corresponsal del *Harper's Weekly*, John Hamilton Thacher (1872–1960), el soldado y poeta George Glenn King (1875–1935) y el novelista e historiador George Waldo Browne (1851–1930), entre otros.

    † Juan Antonio y Gonzalo cargan con los traumas e inseguridades que un encuentro con las partidas sediciosas puede imprimir en un niño; Dolorito, el justiciero rebelde, acaba uniéndose a una; el señorón Esteban se desvela «preocupado con el demonio de las partidas»; y la antipática María Luisa descubre que está casada con el descendiente del tiznado que le asesinó a su abuelo. Comparados con los personajes de Juliá Marín, los laguerrianos

En los días inmediatamente posteriores al suceso todavía había algo de confusión en cuanto a lo acaecido, como demuestra la siguiente declaración del comisionado especial Carroll:

En Yauco, en la parte sur de la isla, una turba visitó una finca cafetalera propiedad de un español de las Islas Baleares. Encontraron al hombre en la sala y lo mataron en presencia de su esposa e hijas, a quienes, sin embargo, no ofrecieron insultos ni injurias. Más tarde se encontraron con su mayordomo, le cortaron la oreja y la clavaron a un árbol.[xvi]

La primera mención del caso de Prudencio Méndez en contexto histórico se consigna en el recuento crítico de 1938 del senador Moisés Echevarría, *La pena de muerte*,[xvii] con datos que parecen sacados de las originales partidas de defunción de los ajusticiados. En adelante el suceso vuelve a eludir la atención pública, incluso la de un consumado periodista como Jacobo Córdoba Chirino, quien toma el ajusticiamiento de un cuarteto de sediciosos en 1902 como el primero bajo régimen estadounidense.[xviii]

---

tuvieron «mejores» destinos. Para un resumen, invito a ver el Comentario crítico en la edición de *Tierra adentro* al haber de Fernando Feliú Matilla.

xvi. (Carroll) *Report*, 603. Claro que se puede tratar de otro caso menos conocido, incluso de una mezcla con el homicidio de un español en Adjuntas un mes antes del de Prudencio Méndez y en el que hubo mutilaciones cual las señaladas. En otras versiones de la noticia, la esposa e hijas figuran como víctimas de vejámenes. La falta de evidencia nos niega la certeza de ello.

xvii. Originalmente un artículo escrito poco después de la absolución del socialista ponceño de una acusación de asesinato en Ponce (abajo, apénd. VI, nota 15). Sobre el tema, véanse, p. ej., «Senator Held in Slaying», *Hartford Courant*, 5 de febrero de 1937, 6; «Señalóse para el mes de mayo el juicio por asesinato contra un senador en P. R.», *La Prensa*, 7 de abril de 1937, 25; «Archivado el caso contra el senador Echevarría», *El Mundo*, 27 de mayo de 1937, 1+.

xviii. El aguasbonense Córdoba Chirino (1900–1955), por entonces reportero de *El Imparcial*, reseñó entre 1948 y 1949 unos catorce casos de condenados a la pena de muerte. En 1954 los publicó en un solo tomo: *Los que murieron en la horca*. Cito de su sexta edición (2007) a la cura de la Editorial Cordillera.

Lo más cercano a una alusión la ofrece el veterinario yabucoeño y en su momento subcomisionado de Agricultura, Jaime Bagué Ramírez, en algún punto antes de los años sesenta. Conocemos sus palabras por tercería del discurso de Salvador Arana Soto ante el Ateneo, en septiembre de 1975, con ocasión de un homenaje a médicos del pasado y de entonces:

> Fue una época casi de guerra civil. Asolaron el país cometiendo mil actos de violencia no solo contra españoles, que fueron el pretexto, sino también contra puertorriqueños, las llamadas «partidas sediciosas», «cuyo epílogo», según D. Jaime Bagué, «consistió en el ajusticiamiento de varios de sus secuaces por vía del garrote vil, en el patio del Castillo en Ponce en 22 de febrero de 1902, después de haberse cansado de atemorizar, incendiar y asesinar a mansalva en nuestros campos a todo el que le plugó».[xix]

Tengamos en cuenta que ese ajusticiamiento al que se refiere Bagués[xx] atañe al de los asesinos de un septuagenario de Adjuntas.[xxi] Como dije: no podemos culpar a Picó por terminar

---

xix. S. Arana Soto, «Unos médicos ilustres y una época terrible», *Revista del ICP* 81 (1978), 34 (más en nota xxi abajo). «En los sectores populares —añade Picó en otro lugar— el nivel de violencia había ascendido; había pandillas organizadas, asesinatos pagos, y ni siquiera las ejecuciones con garrote vil bastaban para desalentar los homicidios» («Alcaldes, militares, "tiznaos" y periodistas: desencuentros en el Ponce de 1898», en *Cien años de sociedad: los 98 del Gran Caribe*, ed. por Antonio Gaztambide, Juan González Mendoza y Mario R. Cancel, 86–95 [San Juan: Ed. Callejón, 2000], 87).

xx. Antes que él, Rivero; a saber: «Meses después murieron en garrote vil, en Ponce, cuatro forajidos, que así pagaron sus crímenes...» (*Crónica*, 421).

xxi. Córdoba Chirino, *Los que murieron*, 43–54; Picó, 1898, 130. Podemos excusar el olvido de Rivero; incluso en su tiempo Prudencio Méndez fue rápidamente olvidado —basta mirar que un periódico de 1902 lo cita como «un tal Prudencio Méndez» para constatar. Amparo mi coartada para Bagués en la edad que tendría en 1898 y en las despreocupaciones de un niño de ocho años nacido y criado en la burguesía. En todo caso, de haber tenido una noción por entonces, habría sido mínima y esquemática, *vox populi*, y los detalles los habría obtenido más adelante de los artículos de Córdoba Chirino, así confunda algunas fechas.

siendo descaminado.

Para retomar la investigación del asesinato de Prudencio Méndez, diré que la mía reveló mucho más. Confieso que incluso consideré usar lo hallado como plantilla para una historieta antes de optar por poner en relieve un suceso tan trágico que no tuvo razón de ser y que demuestra cómo un momento de estupidez puede traer inimaginables consecuencias.

El proceso de los implicados debió darse a principios de 1899 a cargo del Tribunal ordinario, pero las autoridades militares intervinieron por entender que les competía en virtud de la misión que tenía cada una de las cuatro comisiones establecidas en la isla (San Juan, Arecibo, Mayagüez y Ponce) de servir como consejo de guerra para civiles en territorios donde prevalecía un estado de guerra.[xxii] Sin explicación alguna, toda documentación se extravió en manos de la Comisión Militar de Ponce. Tal vez más para reparar la vergüenza que intentar compensar la indignación de los perjudicados, la Comisión no objetó cuando el Tribunal ordinario retomó el proceso y lo llevó a función en diciembre del referido año.[xxiii]

No obstante la pérdida de las pruebas principales de convicción, el Tribunal trabajó con singular interés en aras de reconstruir la causa con pruebas y datos suficientes para exponer

---

xxii. La Orden General 27 del 8 de diciembre de 1898, con la firma del sucesor de Brooke, Guy Vernor Henry (1861–1899), instauró las comisiones militares (Davis, *Report*, 93), lo cual, en aspectos legales, contravenía las leyes de guerra en lo que a Puerto Rico se refiere, toda vez que la isla ni estaba bajo ley marcial ni desprovista de un sistema judicial. Henry, que seguramente habría sido asesorado por su división legal, actuó bajo pragmatismo político frente a la inutilidad e ineficacia de las cortes locales de cara a una amenaza que crecía a diario. Encima de la falta de jurisdicción, algunas cortes, así hubieran tenido el poder, no tenían la voluntad (*cfr.* Cooper, en Carroll, *Report*, 302–3).

xxiii. La Orden General 67 del 24 de mayo de 1899 (Davis, *Report*, 111; abajo, apénd. III) mandaba la devolución de los casos pendientes de juicio por comisión militar a los tribunales locales. El caso que nos ocupa no fue uno aislado, como ilustra Picó en su reseña de los desafíos de combatir partidas sediciosas en el distrito judicial utuadeño (1898, 100–7).

a los criminales. Cabe destacar que antes, durante y después del fiasco por la jurisdicción del caso, la mayoría de los sospechosos permaneció en prisión. Al menos uno murió antes del nuevo proceso. Otro, reconocido como el cabecilla, nunca fue aprehendido.

Claro que el desenlace, año y medio después de empezado, llamó la atención de Washington, D. C., y generó resquemores, máxime cuando el pueblo de Puerto Rico recriminó la inacción del nuevo régimen. Medió otro par de años —sin mencionar otro caso similar— antes de un cambio.

Ya en otro lugar hablé sobre esa extraña manera que tienen los libros de cobrar vida y voluntad propias. Este, por ejemplo, empezó con la intención de ser uno conciso y de fácil lectura, basado esencialmente en registros de prensa de la época,[xxiv] una estrategia para evitar los prohibitivos esfuerzos y horas de investigación que conllevaría procurar documentos originales y oficiales. Una vez reuní y revisé el material base, lo juzgué suficiente como para proveer una idea clara y además asequible al lector promedio que solo desea constatar lo expuesto sin la perentoriedad de recurrir a los rigores y tedio inherentes a la búsqueda de compleción. Terminé, sin embargo, con una obra tres veces la extensión ideada y deseada; con todo, me disculpo con quienes hubieran deseado más. Confío, aun así, en que lo ofrecido pueda servir de base o punto de partida para estudios más profundos.

El núcleo del caso, como adelanté, lo recojo del seguimiento de la prensa local ante la triste realidad de constatar la ausencia de cualquier documentación original en bibliotecas y archivos históricos que visité.[xxv] Para los antecedentes históricos y esta-

xxiv. Parte de mi decisión obedeció además al hecho de que una porción significativa del material original no existe. Más en UNA ADVERTENCIA DE RIGOR, abajo.

xxv. Aprovecho de paso para reconocer y agradecer las atenciones recibidas de, en Yauco, las señoras Jelissa Caraballo y Alba Gutiérrez, respectivamente, directora de Educación Municipal y bibliotecaria de la Biblioteca

xvi

do general del país me remití a imprescindibles como la *Crónica de la guerra hispanoamericana en Puerto Rico*, de Ángel Rivero, y *1898: la guerra después de la guerra*, de Fernando Picó, entre otros.

Visto que la mayor parte del proceso investigativo coincidió con las secuelas del terremoto de Guayanilla de enero de 2020 —súmesele la pandemia—, opté de mala gana por un trabajo de escritorio, sin búsquedas *in situ*. Supuse que, después de todo, los descendientes de Prudencio Méndez y otros residirán en las zonas afectadas por los remezones y no quise importunarlos más, cuando sus enfoques y prioridades no estarían en responder preguntas acerca de alguien de quien tal vez no habrían oído hablar y que tampoco mejorarían su situación. Con todo, tuve la suerte y el privilegio de dar con José David Roig Méndez, quien, con lo poco que reconocía saber acerca de su primo décimo, me brindó un dato relevante que de algún modo pasé por alto durante la investigación. Como bono, descubrimos que nos une un primazgo, si bien no entre Prudencio y yo. Aprovecho para aclarar que el título de este libro de ninguna manera pretende faltarle el respeto a la memoria de Prudencio Méndez, sino ilustrar una triste realidad de la época.

La documentación fotográfica tocante al ajusticiamiento es historia aparte. La existente se limita a una serie de fotos en dominio público, por lo general desconocida, con la que di gracias al amigo Andy Rivera, de la Puerto Rico Historic Building Drawing Society. Complemento la galería con otras fotos que obtuve mediante licencia del patrimonio de Orrel A. Parker,[xxvi] en la Western Reserve Historical Society (WRHS), en Cleveland. Agradezco las atenciones de la señora Ann Sindelar, coordinadora de

---

Municipal; y en Ponce, la encantadora doña Gladys (la licenciada Gladys Tormes González), historiadora y archivera del Archivo Histórico y Municipal. Lamento no poder decir que la visita al Archivo General de Puerto Rico me produjera los resultados buscados; pero confío en que un esfuerzo futuro lo haga.

xxvi. Orrel Ardrey Parker (1873–1965) fue un abogado, ingeniero y empresario ohioano que sirvió en Puerto Rico como corresponsal y fotógrafo de la Prensa Asociada en los años de posguerra. Fue testigo de las ejecuciones.

referencia, a la hora de trámites de permisos y licencias de uso.

Por último agradezco a mi amada Blanca Iris Vargas González por su singular entusiasmo con este proyecto.

LUIS ASENCIO CAMACHO
Cabo Rojo, Puerto Rico
Día de las Madres, 2021

Historiæ personæ

LAS VÍCTIMAS

Prudencio Méndez	*caficultor; de robo con homicidio*
Manuel San Martín	*mayordomo; de robo con homicidio*
Juan Francisco Quirós	*mayordomo; de robo*

LOS PROCESADOS

Juan del Carmen Feliciano	*labrador*
Juan Manuel Feliciano	*padre del anterior*
Carlos Pacheco	*albañil*
Hermógenes Pacheco	*hermano del anterior; albañil*
Eugenio (*La Bruja*) Rodríguez	*labrador*
Simeón (*Bejuco*) Rodríguez	*aserrador*
Rosalí Santiago	*jornalero*

LOS TESTIGOS

Ana Pacheco Delgado	*viuda de Prudencio*
Cándida Mattei	*hijastra de Prudencio*
Antonia Mattei	*ídem*
Ángel Mattei	*hijastro de Prudencio*
Francisco Mattei	*ídem*
Rosa Rivera	*prima hermana de Prudencio*
Rogelio Borges	*hijo de la anterior*
Rosa Torres	*criada de Prudencio*

José María Méndez	*hermano de Prudencio; maestro*
Antonio Pacheco	*mayordomo de Prudencio*
Ángel San Martín	*hermano de Manuel; comerciante*
Juan Alonso	*hacendado y agricultor de Adjuntas*
Ramón Rodríguez	*jornalero*
Isabel López Delgado	*esposa de Quirós*
Juana Nieves Quirós	*hija de Quirós*
Rafael Mejías	*agricultor y comisario de barrio*
Adolfo Michelet	*industrial y mayordomo en Lares*
Luis Antommarchi	*labrador*
Félix Ruiz	*ídem*
Evangelista Rodríguez	*jornalero*

El Tribunal

José Ramón Becerra	*juez presidente, Tribunal de Ponce*
Isidoro Soto Nussa	*juez de distrito*
Felipe Casalduc Goicoechea	*ídem*
Rafael Sánchez Montalvo	*fiscal*
Juan González Font	*defensor*

Los verdugos

Justino Navarro García	*ejecutor de justicia*
Vicente (*Quebradillas*) / Nazario Rivera	*asistente*

Otros

Nicolás Feliciano	*presunto cabecilla de partida; prófugo*
Eduardo Pacheco	*padre de Carlos y Hermógenes*
Monserrate Santiago	*madre de Rosalí*
Luisa López	*madre de Eugenio*
Petronila Montalvo	*esposa de hecho de Eugenio*
María Inés Pacheco	*esposa de Simeón*
Pedro Juan Negroni	*policía que prendió a Rosalí*
Rafael Gatell	*médico forense*
Luis Aguerrevere	*facultativo de la cárcel de Ponce*
Demetrio Vázquez	*practicante de la cárcel de Ponce*

Gregorio (*Lito*) Cardona	*hacendado de Adjuntas*
Hipólito Collazo	*ídem de Lares*
Flor Pitre	*jornalero de Lares*
Alejandro Franceschi	*hacendado de Yauco*
Francisco Mejía	*ídem de Yauco*
Pantaleón Flores	*hacendado*
Lorenzo Nazario	*jornalero*
Ramón Gómez	*ídem*
Juan Vera	*hacendado*
Francisco Laza	*ídem*
Jesús Cruz	*jornalero*
Cruz Negrón	*ídem*
Marcelo Ríos	*alcaide de la cárcel de Ponce*
Francisco Vicario	*superior de los padres paúles*
Saturnino Janices	*padre paúl*
Cipriano Peña	*ídem*
Manuel Rodríguez	*ídem*
Juan Alonso	*ídem*

Historial

1898

octubre 17	Homicidio de Manuel San Martín
octubre 28	Homicidio de Prudencio Méndez
noviembre 1	Arrestos de Juan Manuel Feliciano y los hermanos Pacheco[i]
noviembre 2	Arresto de Simeón Rodríguez; primeras diligencias de la causa por instrucción del juez municipal de Yauco
noviembre 8	Arresto de Eugenio Rodríguez
diciembre 2	Creación de las comisiones militares en virtud de la Orden General 27 (véase abajo, apénd. III)
diciembre ??	Arresto de Juan del Carmen Feliciano

1899

enero 6	Concluyen las investigaciones
antes de febrero 11	Asalto a Juan Francisco Quirós
febrero 11	Arresto de Rosalí Santiago

---

i. Tomamos las fechas de los arrestos del parte «Presos detenidos por orden militar en la cárcel de Ponce, y de cuya casi totalidad se ignora hasta la fecha el motivo de su detención», *La Democracia*, 17 de mayo de 1899, 3; algunas (en especial la de Eugenio Rodríguez) difieren de lo dilucidado durante el juicio oral.

febrero 13	Juez de Yauco se inhibe a favor de la comisión militar
febrero 16	General Davis le recomienda al Juez Defensor General el cese de las comisiones militares con la terminación del estado de guerra[ii]
febrero 17	Gobierno ofrece recompensas de $100 por captura de sediciosos (Orden General 22)
mayo 24	Cese de comisiones militares en virtud de la Orden General 64 (véase abajo, apénd. III)
agosto 2	Orden General 110 autoriza a los alcaldes a organizar sus propias guardias municipales
agosto 29	Orden General 130 revoca la Orden General 22
octubre 10	Procurador General ordena al Tribunal de Ponce retomar el caso; se remite de vuelta al juez municipal de Yauco
octubre 27	Juez de Yauco reinicia causa ante pérdida de documentos; investigación revela caso de Quirós
noviembre 16	Muere Juan Manuel Feliciano; se remite sumario al fiscal de distrito
noviembre 22	Fiscal remite al Tribunal de Distrito de Ponce
diciembre 20	Comienza juicio oral
diciembre 21	Se dicta sentencia
diciembre 25	Muere Juan del Carmen Feliciano en prisión

1900

enero 3	Juez de Yauco ordena búsqueda y aprehensión de Nicolás Feliciano
febrero 28	Se celebra en el Tribunal Supremo recurso de casación
marzo 6	Tribunal Supremo confirma sentencia

---

ii. En contexto:
La jurisdicción de las comisiones militares convocadas (como las nuestras ahora) en virtud del derecho de la guerra solo puede ejercerse hasta la fecha de la terminación del estado de guerra. Los casos que queden pendientes e incompletos a dicha fecha deben abandonarse. (Davis, *Report*, 210)

LARES

MARICAO

ADJUNTAS

Río
Prieto

Rubias

Aguas
Blancas

Frailes

Ranchera

Naranjo

Vegas

Duey

Sierra
Alta

Collores

Algarrobo

Caimito

SABANA
GRANDE

Almácigo
Alto

Diego
Hernández

GUAYANILLA

Susúa
Alta

Quebradas

Almácigo
Bajo

Pueblo

Jácana

Susúa
Baja

GUÁNICA

Barina

YAUCO

Primera parte

Del juicio—

Una advertencia de rigor

En la reconstrucción del proceso de los asesinos de Prudencio Méndez hemos usado como fuente (casi) única de información la prensa de la época. De existir una constancia íntegra original, entiéndase actas, como esperamos que sea y que aflore algún día, la sospechamos perdida entre los miles de documentos sin catalogar en el Archivo General de Puerto Rico,[1] si bien allí se nos sugirió el riesgo de que, en todo caso, pudieran estar en Ponce. Ya corroboramos que no es así.

Concientes del riesgo de que nuestra reproducción pueda en ocasiones figurarse bidimensional, en blanco y negro, justificamos (y nos justificamos) en la afirmación de un deseo y esfuerzo por conservar la originalidad, sin añadir ni quitar mucho, sino lo necesario. Por ende, hacemos uso de aquellos datos que, a nuestro juicio, logramos reproducir del modo más completo, ya sea en el contexto o por sus motivaciones. Era otro modo de hablar alternante entre lo pragmático y lo poético, que a menudo sacrificaba algo de uno en aras de lo otro.

---

1. *Cfr.* ICP, Fondo Judicial–Ponce, Serie Criminal, según catalogado por Jaime Pérez, en https://www.icp.pr.gov/wp-content/uploads/2020/09/J_PonceCriminal.pdf.

Juicio oral [1,2]

Hoy [20 de diciembre de 1899] ha empezado en la Corte de Distrito de esta ciudad [Ponce] la causa incoada hace un año por el asesinato de don Prudencio Méndez,[3] hecho que causó verdadera consternación en el vecino

1. Se conocía como juicio oral aquel proceso celebrado en materia criminal en audiencia pública, después de las primeras diligencias del sumario, en el que se examinaba oral y públicamente a los reos y testigos y se ratificaban las acusaciones y defensas para el pronunciamiento del fallo o sentencia. Salvaguardaba la dignidad de la justicia y servía como una de las garantías más eficaces en favor de los procesados contra la negligencia, la arbitrariedad o transgresión de los jueces. Purificaba además las actuaciones de sumario que pudieran falsearse por error o malicia. (*Cfr*. Pedro Becerra y Alfonso, *El juicio por jurados: estudios sobre su legislación en Inglaterra, Francia, Italia, Estados Unidos, Austria, Alemania y Suiza*, 3.ª ed. aum. [Mayagüez: Tip. de Medina, 1884], 23–24, *vs*. Carroll, *Report*, 307.)

2. Transcribimos de «PARTIDAS DE BANDOLEROS —asesinato de Prudencio Méndez: robo y escarnio», según seriado en *La Democracia*, ediciones del 20 al 28 (menos 25) de diciembre de 1899. Nos hemos tomado libertades de editar donde lo juzgamos necesario en aras de la claridad.

3. La escasa documentación tocante al fajardeño Prudencio Méndez Rivera (1865–1898) sugiere que fue el mayor de los cinco hijos de Miguel Méndez Cintrón (1830–1882) con su segunda esposa, Dolores Rivera Martínez (18...?–18...?). A la muerte de su padre ingresó en un seminario católico que abandonó poco después para formarse como maestro gracias a una beca que le otorgó el Ayuntamiento. Ejerció el magisterio en Vega Alta (1883–1884) antes de trasladarse a Yauco (1887), donde casó con una viuda y se dio

pueblo de Yauco por el refinamiento de crueldad y escarnio que demostraron sus autores.

El hecho ocurrió del modo siguiente:

Como a las diez y media de la noche del 28 de octubre de 1898, en ocasión que don Prudencio Méndez se dirigía al comedor de su casita en el barrio Cuarenta[4] (despoblado del término municipal de Yauco) y su familia se recogía a dormir, se presentó, por la parte de atrás de dicha casa, una partida como de veinte hombres capitaneados por Nicolás Feliciano, hoy prófugo, encontrándose entre aquellos los procesados Carlos y Hermógenes Pacheco, Eugenio Rodríguez, Rosalí Santiago, Simeón Rodríguez, Juan Manuel y Juan del Carmen Feliciano,[5] armados de fusiles, machetes y revólveres, tiznados unos y cubierta la mitad del rostro otros con pañuelos y trapos. Dichos individuos se apoderaron del expresado señor Méndez, requiriéndole la entrega de diez mil pesos,[6] y al contestar este que no los tenía, el procesado Eugenio Rodríguez disparó su fusil contra Méndez, causándole una herida en la cabeza, que le produjo la muerte en el acto.

Inmediatamente los demás que componían la cuadrilla

---

a conocer como contribuyente (1889), concejal (1893) y teniente de alcalde (1896) del Partido Incondicional Español. Aunque la primera noticia sobre su muerte* lo identifica como voluntario, no hemos encontrado evidencia de ello; no obstante, toda vez que buena parte de los militantes del Partido Incondicional también se afiliaba al Instituto de Voluntarios, no lo descartamos a la ligera.

* «Noticias», *La Correspondencia de Puerto Rico*, 5 de noviembre de 1898, 1.

4. A lo largo del proceso se trata a Cuarenta como un nombre alterno de Algarrobo; creemos que pudo haber sido más bien un sector del último (Yauco tiene 135 sectores) cuyo recuerdo elude tanto a residentes de considerable edad como a conocedores de la historia yaucana. Ninguna de las referencias consultadas —decimonónicas incluidas; las *Memorias* de Córdova entre ellas— lo registra como uno u otro. Inferimos que es de tradición oral.

5. Los datos de los procesados se ofrecen por separado más adelante.

6. Aproximadamente seis mil dólares estadounidenses. Más sobre el cambio de moneda abajo, —AL CADALSO, nota 2.

amarraron a los hombres de la casa y, en completo desorden, dirigieron insultos y amenazas a la familia de Méndez y fracturando baúles y roperos se apoderaron de todo lo que encontraron, lo que se aprecia en seiscientos pesos; intimidando el Nicolás Feliciano, como jefe, a doña Ana Pacheco, esposa del interfecto, para que fuese donde se encontraba el cadáver y le disparase un tiro, por si aún no había fallecido su marido, dándole una bofetada en vista de su resistencia. Con un cinismo inconcebible aquellos bandidos se pusieron a bailar alrededor del cadáver al son de una sinfonía,[7] pretendiendo que bailaran con ellos las hijas de Méndez, y luego que transcurrieron tres horas se marcharon haciendo una descarga y amenazando que si decían algo volverían a la casa y matarían a todos sus moradores.

En la mañana de un día que no se determina, año de 1898, al pasar don Manuel San Martín[8] por el barrio Aguas Blancas de dicho pueblo de Yauco y terrenos de don Francisco Mejía,[9] le salió al encuentro una partida compuesta de seis u ocho hombres, entre ellos los procesados Eugenio Rodríguez, Rosalí Santiago y Nicolás Feliciano, y acometiéndole con palos y machetes lo dejaron muerto, llevándose un par de zapatos del San Martín y un fusil de don Juan Alonso, valorado en veinticinco pesos, objetos que conducía en una mula el peón Ramón Rodríguez, que acompañaba a San Martín.

En el año 1899, una noche que no se determina,[10] una cuadrilla de hombres capitaneados por Nicolás Feliciano cercaron la

---

7. Entiéndase una armónica.

8. El homicidio del coruñés Manuel San Martín y Regueiro (1874–1898) se debate entre el 17 y el 20 de octubre. Optamos por la primera fecha, la que consta en su partida de defunción.

9. Francisco (*Pancho*) Mejía Rodríguez de la Seda (1834–1901); hacendado yaucano, fundador de la Logia Masónica de Yauco y primer alcalde (interino) de dicho pueblo bajo el dominio estadounidense. Cedió la alcaldía en agosto a favor del anterior titular, Atilio Gaztambide (abajo, nota 54).

10. En definitiva, una fecha anterior al 11 de febrero; no descartamos que antes de noviembre de 1898, de resultar correcta la declaración de que Eugenio Rodríguez participó en el crimen.

casa habitada por Francisco Quirós[11] con su familia en el barrio Duey, también de Yauco, y penetrando en ella, los procesados Eugenio Rodríguez, Rosalí Santiago y Nicolás Feliciano amarraron a Quirós y, disparando tiros de fusil y revólver los de afuera y los de adentro, se apoderaron de todo lo que hallaron en la casa, lo que se aprecia en la suma de trescientos pesos provinciales.

Estos crímenes son los que se están dilucidando en la Corte de Justicia, habiendo empezado el juicio por el asalto a la casa de don Prudencio Méndez.

Componen el Tribunal el presidente señor [José R.] Becerra[12] y los magistrados señores [Isidoro] Soto Nussa[13] y [Felipe] Casalduc;[14] fiscal, señor [Rafael] Sánchez Montalvo;[15] y abogado

---

11. Lo poco conocido sobre el yaucano Juan Francisco Quirós Troche (1845–1899) se limita a que poseía tierras, era casado y padre de seis.

12. José Ramón Becerra y de Gárate (1840–1903); abogado ponceño nacido en Cuba. Inmigró a Puerto Rico a muy temprana edad y residió y se formó tanto en Ponce como en San Juan. Entre sus logros en esta última destacan la fundación del Ateneo y la inauguración del Teatro Municipal. Ocupó la alcaldía capitalina entre 1879 y 1881 y la presidencia del Tribunal de Justicia de Ponce desde 1898 hasta su muerte.

13. Isidoro Soto Nussa (1858–1919) destacó como abogado en su natal Fajardo, juez municipal en Humacao y juez de distrito en Ponce y Mayagüez antes de asumir la presidencia del Tribunal de Justicia del distrito de Ponce a la muerte de Becerra. Pese a que su carrera se vio plagada de pleitos legales (14 DPR 860 [1903], 22 DPR 141 [1915], etc.), culminó la misma como juez de distrito de Aguadilla. De su faceta de escritor destaca su semblanza de 1917, «La silueta del juez», lectura obligada.

14. El ponceño Felipe Casalduc Goicoechea (1870–1913) se distinguió como uno de los más competentes juristas de su día por su singular habilidad como interrogador. Había apenas recibido el nombramiento de juez asociado del Tribunal de distrito mayagüezano cuando participó en el proceso que nos ocupa (Orden General 114, Cuartel General, Departamento de Puerto Rico, 7 de agosto de 1899 [Davis, *Report*, 131]). En 1901 se retiró de la banca para reanudar su carrera como abogado, pero regresó en un par de años para servir como juez municipal de Ponce, Peñuelas y Guayanilla. Quebrantos de salud lo obligaron a trasladarse a Nueva York, donde murió.

15. Rafael Sánchez Montalvo (1863–1924) fue otro destacado abogado, fiscal y concejal ponceño, sin mencionar uno de los primeros en sujetarse a la

defensor, señor [Juan] González Font.[16]

INTERROGATORIO

Abierto el juicio por la Presidencia, comparece el procesado ROSALÍ SANTIAGO.[17] *Es mulato, algo cargado de espaldas, con ojos saltones y de fisonomía antipática.*[18] *Viste pantalón y camisa blanco y no usa zapatos. A preguntas del Presidente contesta que tiene treinta años de edad, casado, de oficio jornalero y vecino de Yauco.*

Fiscal: ¿En qué barrio vivía?

Procesado: En el barrio de Quebrada.

F.: ¿Dista mucho ese barrio del de Cuarenta?

P.: No lo sé.

F.: ¿La casa en que usted vivía dista mucho de la de Prudencio Méndez?

Constitución estadounidense (Abelardo A. Moscoso, *Para la historia de mi patria* [Ponce: Tip. de La Libertad, 1896], 7; Rivero, *Crónica*, 675–76). En 1912, junto a Rosendo Matienzo Cintrón (1855–1913), Manuel Zeno Gandía (1855–1930) y Luis Lloréns Torres (1876–1944), entre otros, suscribió el Manifiesto del Partido de la Independencia a los habitantes de Puerto Rico como protesta al Acta Foraker (Bolívar Pagán, *Historia de los partidos políticos puertorriqueños, 1898–1956* [San Juan: Lib. Campos, 1959], 1:146).

16. Juan González Font (1849–1904); reconocido abogado sanjuanero que, como autodenominado abolicionista, combatió la pena de muerte en la isla. Defendió otros casos de sediciosos (véanse, p. ej., «Asesinato frustrado», *La Democracia*, 21 de enero de 1899, 2; «Tribunal Militar», ídem, 8 de noviembre de 1899, 2; *Boletín Mercantil*, 20 de abril de 1900, 2).

17. A Rosalí Santiago (1879–1900) se le describe como trigueño, de constitución atlética, cabeza redonda, con bigote ralo y rostro marcado con cicatrices de viruelas. Declaró estar casado, pero en realidad vivía con su madre y tres hermanas. La edad es también errática, fallo que se repite a lo largo del proceso con otros personajes. Conservamos las descripciones originales por respeto a la fuente, mas incluimos las fechas vitales según constan en los registros demográficos.

18. Para un seguidor del positivismo criminológico, Rosalí presentaba las características que ratificaban los postulados de la fisiognomía («portación de rostro»), frenología («craneología») y otras pseudociencias de moda por la época. Más sobre el tema abajo, PARÉNTESIS, nota 39.

P.: Lo ignoro, porque no sé dónde está esa casa.

F: ¿Conocía usted a don Prudencio Méndez?

P.: No, señor.

F.: ¿Y a su familia?

P.: Tampoco; ni siquiera de vista.

F.: ¿Es cierto que la policía trató de prenderlo en Lares y que usted se dio a la fuga?

P.: Sí, señor.

F.: ¿Y por qué se fugó usted?

P.: Por sospecha de que querían hacer conmigo un atropello.

F.: ¿Por qué sospechó usted eso?

P.: Porque estando trabajando me mandaron llamar cinco policías y al ver que, revólver en mano, me querían prender, me di a la fuga.

F.: ¿Dónde fue usted preso?

P.: En el barrio de Canas.[19]

F.: ¿Quiénes le prendieron?

P.: Dos policías de Yauco.[20]

F.: ¿Conoce usted a los demás procesados?

P.: No, señor.

F.: ¿No ha tenido usted nunca relaciones con ellos?

P.: No, señor.

F.: ¿Conoce usted a Félix Ruiz y Ramón Gómez?

P.: No, señor.

F.: ¿No fue usted a llevarles un fusil para que se lo guardaran?

P.: No, señor.

F.: ¿En el baúl de usted se encontraron algunos objetos y cápsulas de fusil?

P.: No, señor.

---

19. En el suroeste de Ponce, en la periferia del casco urbano; colinda con Peñuelas.

20. Uno de ellos fue el peñolano Pedro Juan Negroni Nigaglioni (1860–1930), por entonces un policía municipal activo en Yauco. Pudo haber sido miembro de una partida de voluntarios pro estadounidenses, de probar ciertas las acusaciones de Rosalí Santiago abajo, De capilla—, nota 23.

F.: Sin embargo, ¿no declaró ante el Juez que tenía en el baúl algunas cápsulas y para que las empleaba?

P.: No lo he dicho.

F.: ¿Conoce usted a Quirós y a su señora?

P.: No, señor.

F.: ¿No sabe usted dónde vivían?

P.: No, señor.

F.: ¿No ha tratado usted a los demás procesados?

P.: Menos.

Se da lectura a la declaración prestada por el procesado ante el Juez, en la que confiesa tenía cápsulas en su casa para entretenerse en reventarlas con un palito.

F.: ¿No declaró usted eso ante el Juez?

P.: Sí, señor.

F.: ¿Por qué lo niega ahora?

P.: Porque no las tenía en casa sino en un baúl que guardaba en casa de un amigo.

F.: ¿Y a qué dedicaba usted esas cápsulas?

P.: De tarde, como no valían nada esas cápsulas, me entretenía en reventarlas con un palito.

F.: ¿Dónde le cogió a usted la invasión americana?

P.: Trabajando en casa de don Lito Cardona,[21] en la jurisdicción de Adjuntas.

F.: ¿Prestó usted alguna ayuda o auxilio a las tropas americanas cuando desembarcaron?

P.: No, señor.

Defensor: ¿Usted ha dicho que es vecino de Yauco y que vive en el barrio Quebrada?

---

21. Gregorio (*Lito*) Cardona González (1852–1902) fue un influyente agricultor adjunteño con intereses tanto en el café como en la caña de azúcar. Como muchos de sus correligionarios, sufrió los desaires del vacío político, desde robos menores en sus cafetales hasta pérdidas significativas como las ocho cuerdas de caña en un incendio tal vez provocado por partidas sediciosas (*La Democracia*, 16 de diciembre de 1898, 3). En 1899 fue otro de los miles de damnificados por el paso del huracán San Ciriaco («De Adjuntas», *La Democracia*, 22 de agosto de 1899, 2).

P.: Sí, señor.

D.: ¿Y ese barrio dista mucho del llamado Cuarenta?

P.: No lo puedo decir.

D.: ¿Por qué?

P.: Porque no sé dónde está el barrio Cuarenta.

D.: ¿Por qué se ausentó usted de Yauco y andaba por Lares y otros pueblos?

P.: Por no encontrar trabajo en el barrio; por eso anduve unos tres meses por otros pueblos buscando trabajo en las haciendas.

D.: Antes de ser preso, ¿sabía usted el hecho ocurrido en la casa de Méndez?

P.: Lo supe después, cuando se me tomó declaración.

D.: ¿Conoce usted a la familia de Méndez?

P.: No, señor.

D.: Y si viera delante a las señoritas Méndez, ¿las reconocería?

P.: No, señor; no las he visto nunca ni ellas a mí.

D.: ¿Conocía usted a Quirós?

P.: No, señor.

D.: ¿Nunca estuvo usted en su casa?

P.: Nunca.

D.: ¿A preguntas del Fiscal contestó usted que las cápsulas estaban en un baúl de su propiedad?

P.: Sí, señor.

D.: ¿Usted usaba revólver o fusil?

P.: No, señor.

D.: ¿Con qué objeto tenía las cápsulas?

P.: Para hacerlas estallar con un palito.

D.: ¿Tenía usted el baúl donde aparecieron las cápsulas en su casa?

P.: No. El baúl lo tenía en casa de un vecino.

D.: ¿Conoce o ha visto alguna vez a los procesados?

P.: Los he conocido en la cárcel, pero antes no porque no son de mi barrio.

D.: ¿En la cárcel no le han hablado alguna vez del suceso?

P.: No, señor.

F.: ¿Dónde estaba usted el veintiocho de octubre que ocurrió el hecho?

P.: Trabajando en casa de Lito Cardona.

F.: ¿Hasta qué hora trabajó usted ese día?

P.: Hasta las cuatro de la tarde.

F.: ¿Dónde está la hacienda en que trabajaba?

P.: En el barrio Guayabo Dulce, jurisdicción de Adjuntas.[22]

F.: ¿Por la noche salió usted?

P.: No, señor; me quedé en compañía de los demás peones y al día siguiente volví al trabajo.

F.: Ha dicho usted que trabajaba en esa fecha en casa de Hipólito Collazo[23] y ahora dice que en casa de Cardona; ¿cuál es la verdad?

P.: Lo dije; pero la verdad es que trabajaba en casa de don Lito Cardona.

F.: ¿Dónde está la finca de Collazo?

P.: En Lares.

Presidente: ¿Conoció usted a don Prudencio Méndez, a San Martín y a Quirós?

P.: No, señor.

Pdte.: Dice usted que las cápsulas encontradas se las dio a guardar una persona; ¿cómo se llama esa persona?

P.: Se llama Flor Pitre.[24]

Pdte.: ¿Quién es ese individuo?

P.: Un jornalero del barrio Pozuelo.[25]

Pdte.: ¿Por qué le dio a guardar esas cápsulas?

P.: Porque yo le entregué el baúl para que me lo guardara en

---

22. Limítrofe con el barrio lareño de Bartolo.

23. No hemos podido constatar su identidad, pero no descartamos que sea el mismo apodado *Polo* apresado el verano siguiente por cargos de incendios y robos en cuadrilla en el barrio Pezuela de Lares (*Boletín Mercantil*, 11 y 20 de julio de 1900).

24. Floirán (en algunos registros, *Flores*) Pitre Crespo (1866–1929) fue un jornalero natural de San Sebastián que por muchos años vivió en Lares.

25. Quiso decir Pezuela o la redacción erró en la transcripción.

su casa y él me pidió que le guardara las cápsulas.

Pdte.: ¿Cómo adquirió usted ese baúl?

P.: Se lo compré al peón Lorenzo Nazario.

Pdte.: ¿Qué oyó decir de la muerte de Méndez?

P.: No oí hablar nada.

Pdte.: ¿Y de San Martín y del robo a Quirós?

P.: Tampoco oí nada.

Pdte.: ¿Conoció usted a Méndez o le vio muerto?

P.: No, señor.

Pdte.: ¿Dónde pasó la noche en que ocurrió el hecho?

P.: No lo sé porque ignoro qué noche ocurrió eso.

Pdte.: ¿A qué hora se acostó esa noche?

P.: Entre nueve y diez.

Pdte.: ¿Acostumbra dormir en casa de Cardona?

P.: Sí.

Pdte.: ¿Por qué no tenía el baúl con usted y lo tenía un amigo?

P.: Porque no tenía casa en que habitar y aquel amigo era el único que conocía.

Pdte.: Si dormía en la hacienda, ¿por qué no la tenía en su habitación?

P.: Porque la casa era del amigo.

Pdte.: ¿No vive Pitre en la finca de Collazo?

P.: Sí, señor; y tenía en su casa el baúl; pero la noche la pasé en casa de Lito Cardona.

Pdte.: ¿Qué distancia hay de la casa de Cardona a la de Méndez?

P.: No lo sé.

[Se manda retirar al procesado.] [26]

· · ·

---

26. Si el interrogatorio a Rosalí Santiago acaba aquí, *La Democracia* no lo hace constar como en adelante. Hemos de suponer que sí a la postre del preámbulo. La edición del día 21 registra la reanudación del juicio con el interrogatorio al segundo procesado. Las lagunas sugieren que las notas se tomaron a mano y no taquigráficamente.

Comparece EUGENIO RODRÍGUEZ (a) *La Bruja*.[27] *Es mulato, de ceño adusto y mirada penetrante. Viste camisa azul y pantalón de dril. A preguntas del Presidente dijo tener treinta años, casado, labrador y vecino de Yauco.*

Fiscal: ¿Quién lo capturó a usted?

Procesado: Me detuvo una pareja americana en Tallaboa.[28]

F.: ¿Al registrarlo qué le encontraron?

P.: Me ocuparon cuatro pesos en plata, uno mejicano.[29]

F.: ¿Y qué más?

P.: Un cuchillo y un reloj.

F.: ¿De dónde procedía el dinero?

P.: Doce reales[30] eran sobrantes de mi trabajo en casa de don

---

27. El género del mote varía a lo largo del proceso, si bien el de *Brujo* se antoja como el correcto. Eugenio Rodríguez López (1870–1900) destaca como el personaje más temperamental de esta historia. Inspiraba poca confianza por cuenta de su peculiaridad de hablar esquivando miradas. Cuando menos desde enero de 1898 se le rastrea como miembro de una partida de autonomistas que se dedicaba a intimidar vecinos de otras ideologías, tanto verbal como físicamente, incluso con amenazas de muerte (véanse «A diestro y siniestro» y «Lo que ocurre en Yauco», *La Democracia*, 22 y 24 de enero de 1898). Se le acusó de participar en el robo con homicidio de Antonio Delgado en Adjuntas.

28. Comunidad costera del barrio Encarnación en Peñuelas.

29. La circulación de monedas extranjeras fue práctica común y aceptada en el Puerto Rico decimonónico, incluso después de que la isla contara con su propia moneda, el *peso*, con un valor de cien centavos (abajo, —AL CADALSO, nota 2). El peso mexicano o «moneda corriente» (también *de plata* o *sol*) tuvo una fuerte circulación en la isla y se cotizó en el mercado mundial a 95 centavos del peso español o «moneda nacional» (*peso fuerte*). Su continuada depreciación a partir de 1895 propició que los comerciantes lo favorecieran a la hora de pagar. Estas monedas, así como las locales, se agujereaban para evitar que fueran aceptadas fuera de la isla y se perdiera el poco dinero circulante. Algunas, como en el raro caso de los reales (siguiente nota), se cortaban para «dividir» su valor de denominación. Véase más en María Teresa Cortés Zavala y José Alfredo Uribe Salas, «De pesos mexicanos a pesos españoles vs. autonomía administrativa en Puerto Rico», *Ciencia Nicolaita* 59 (2013), 79–97.

30. Moneda ficticia con valor de 12-½ centavos; conocida también como *plata fuerte*.

Juan Vera;[31] y el resto me lo dio mi mamá.

F.: ¿Qué día le detuvieron?

P.: No lo recuerdo.

F.: ¿Dónde vivía usted?

P.: En Aguas Blancas, barrio de Yauco.

F.: ¿Cómo adquirió el reloj?

P.: Se lo compré a un quincallero en cinco dólares.

F.: ¿Cómo se llama ese quincallero?

P.: No lo conozco.

F.: ¿Dónde se lo compró?

P.: En el barrio de Guayabo Dulce.

F.: ¿Lo compró de contado?

P.: Sí, señor.

F.: ¿Con qué dinero?

P.: Con dinero ganado en casa de don Juan Vera.

F.: ¿Cuánto ganaba en esa casa?

P.: Cuatro reales diarios.

F.: ¿Y cómo, ganando cuatro reales diarios, tenía ahorrado para comprar un reloj de cinco pesos?[32]

P.: Porque mi madre me dio dinero.[33]

---

31. Nos arriesgamos a errar ante la proliferación de coincidencias de nombre y apellido, máxime en calidad de hacendados. Reducimos los candidatos al de mayor edad: Juan Vera López (1853–1903), un canario asentado en Guayabo Dulce.

32. La pregunta es válida. A Eugenio le habría tomado diez días reunir los cinco pesos, en el improbable caso de que no tuviera gastos. Un peón de Cayey, entrevistado por el comisionado especial Carroll (abajo, PARÉNTESIS, nota 70) en febrero de 1899, refirió que con tres reales diarios, a razón de doce horas por seis días, con dos comidas incluidas y siendo soltero, aún pasaba hambre (Carroll, *Report*, 748–49).

33. El caso de la madre de Eugenio Rodríguez, Luisa López, presenta un buen ejemplo de los riesgos inherentes a la investigación genealógica. El acta de defunción de Luisa López *Caraballo* le calcula unos 87 años en 1904 y la llama yaucana de nacimiento, mientras que a Luisa López *Santiago*, quien debe ser la misma persona, la tradición oral la identifica como una salamantina o andaluza ojizarca nacida en 1824. Independientemente de las discrepancias de apellido, la viuda de José Luciano (*el Francés*) Rodríguez Rodríguez

F.: ¿Conocía usted a Prudencio Méndez y a su familia?

P.: No, señor.

F.: ¿Dónde estaba el veintiocho de octubre?

P.: Trabajando en casa de Vera.

F.: ¿A qué hora dejó el trabajo?

P.: A las cinco de la tarde.

F.: ¿Por la noche qué hizo usted?

P.: Esa noche no salí.

F.: ¿Vivía usted en la finca de Vera?

P.: Vivía como agregado.

F.: ¿Conoce usted a los demás procesados?

P.: No, señor; ni tenía amistad con ellos.

F.: ¿Conocía usted a San Martín y a Quirós?

P.: No, señor.

F.: ¿Qué participación tomó usted en esos hechos?

P.: Ninguna.

F.: ¿No recuerda usted si el reloj que llevaba fue reconocido en el Juzgado por los familiares de Méndez como propiedad de este?

P.: No lo recuerdo.

F.: ¿Qué distancia hay de donde usted vive al barrio Cuarenta?

P.: No conozco ese barrio.

F.: ¿Dónde vive su madre?

P.: En el barrio de Aguas Blancas.

F.: Cuando le cogió la policía en Tallaboa, ¿de dónde venía?

P.: Había ido a casa de mi madre a llevar alimentos a mi mujer[34] y allí supe que la habían detenido. Seguí para Ponce y en Tallaboa me detuvieron.

(1815?–<1898) y madre de quince poseía terrenos, por lo que eso que declara Eugenio le amerita el beneficio de la duda.

34. Nos aventuramos a nominar a Petronila (*Petrona, Tona*) Montalvo Torres, una vecina de Aguas Blancas nacida entre 1864 y 1874 y madre de los dos hijos ilegítimos de Eugenio Rodríguez: Julio (1894?–1900) y María Elisa (1898–1924). Emigró con su hija a Hawái en 1901 y formó una nueva familia allí; murió en California en 1942.

F.: ¿Está lejos la finca de Vera de la casa de usted?

P.: Tres o cuatro horas.

F.: ¿Dónde pasó el veintiocho, veintinueve y treinta hasta el primero de noviembre en que lo prendieron?[35]

P.: Los pasé en casa de Vera y fui a mi casa a principios de noviembre.

F.: ¿Recuerda qué día compró el reloj?

P.: No lo recuerdo porque no llevaba cuenta.

F.: ¿Pero en qué sitio lo compró?

P.: En casa de Vera.

F.: ¿Cómo, si es cierto que compró el reloj con parte que le dio su mamá y [que] a esta no la vio hasta primeros de noviembre, dice que lo compró en casa de Vera?

El procesado no explica esta contradicción y solo dice que el reloj lo compró de contado en Guayabo Dulce.

F.: ¿Y los cuatro pesos que le ocupó la policía de dónde procedían?

P.: No recuerdo de dónde proceden porque muchas veces cojo dinero prestado.

Defensor: Aclare usted la procedencia de ese reloj.

P.: El reloj lo compré con lo que había ahorrado y parte que me dio mi madre.

D.: ¿Conoce usted a la familia Méndez?

P.: No, señor.

D.: ¿Y si la viera usted la reconocería?

P.: No, señor, porque nunca he visto a esa familia.

D.: ¿Supo usted que Prudencio Méndez había sido asesinado?

P.: Lo supe después de estar preso.

D.: Y al detenerle a usted, ¿no le dijeron por qué le detenían?

P.: No, señor. Cuando supe que mi mujer había sido presa, vine a verla y entonces me detuvieron.

---

35. La prensa recoge el día 8 («Presos»). Aunque registramos esta última fecha (arriba, Historial), no objetamos aceptar la dada arriba a la postre de que el procesado tampoco la refutó.

D.: ¿Conoce usted a los otros procesados?

P.: No, señor.

D.: ¿Y cómo no los conoce, siendo de Yauco?

P.: Porque son de otros barrios.

D.: ¿En la cárcel no le han contado nada de lo ocurrido en casa de Méndez?

P.: No, señor.

D.: ¿Usaba usted revólver o fusil?

P.: No he usado más armas que el machete de trabajo.

Presidente: Cuando compró el reloj, ¿no había personas delante?

P.: No, señor.

Pdte.: ¿El reloj marchaba bien?

P.: Estaba descompuesto.

Pdte.: ¿Tenía usted dinero cuando hizo la compra?

P.: Tenía ocho pesos.

Pdte.: ¿Es usted relojero?

P.: No, señor.

Pdte.: ¿Y cómo compró, teniendo tan poco dinero, un reloj descompuesto?

P.: Para mandarlo componer y ver si hacía un negocio con él.

Pdte.: ¿El reloj tenía alguna seña particular?

P.: Ninguna.

Pdte.: ¿Qué cantidad le entregó su madre el día que fue a su casa?

P.: Doce reales.

Pdte.: ¿Y cómo, al detenerle los guardias el mismo día, le encontraron cuatro dólares?

P.: La diferencia me la dio Vera como sobrante de mi trabajo.

Pdte.: ¿Conoce a la familia de Méndez?

P.: No, señor.

Pdte.: ¿Las señoritas Méndez le conocen a usted?

P.: Podrán conocerme, pero no lo creo.

Pdte.: ¿En qué se funda para decir esto?

P.: En que no las he visto nunca y ellas podrán haberme visto en el Juzgado.

Pdte.: ¿Pero usted no las conoce?

P.: Aseguro no haberlas visto y que ellas no pueden haberme visto.

Pdte.: ¿Donde pasó usted la noche del suceso?

P.: En casa de Vera.

Pdte.: ¿Qué sabe o ha oído decir de la muerte de Méndez?

P.: No sé nada.

Pdte.: ¿Sabe usted qué partida asaltó la casa de Méndez y quiénes le dieron muerte a San Martín en el camino?

P.: No sé nada.

Pdte.: Puede retirarse el procesado.

Comparece SIMEÓN RODRÍGUEZ.[36] *Es mulato, de cincuenta años, casado, de oficio aserrador y vecino de Yauco. Su aspecto más bien parece el de un hombre de bien. Va descalzo y viste camisa y pantalón.*

Fiscal: ¿Dónde fue detenido?

Procesado: En el barrio de Duey, Yauco.

F.: ¿Qué distancia hay de ese barrio al de Cuarenta?

P.: No conozco ese barrio. Solo conozco aquellos en que he vivido.

F.: ¿Qué efectos cogió la policía en su casa?

P.: Una escopeta, una navaja, una toalla, una sábana y unos calzoncillos.

F.: ¿Cómo adquirió esos objetos?

P.: La escopeta la compré en dos dólares y la toalla la compré en la tienda de don Antonio Rodríguez.[37]

F.: ¿No recuerda usted que la familia de Méndez reconoció la toalla y los calzoncillos y sábana como de la propiedad de Méndez?

---

36. A Simeón (*Bejuco*) Rodríguez Pacheco (1850–1900), el mayor del grupo, se le describe como alto, delgado, con cara de buena gente y mirada cansada. Estuvo casado con la también yaucana María Inés Pacheco Rodríguez (1851–1900) y fue padre de cinco; su hija mayor, ya casada.

37. Al parecer, se trata de una pequeña tienda de barrio que no aparece en los registros de comercios y negocios de la época consultados.

P.: No lo recuerdo.

F.: ¿En qué se ocupaba?

P.: Tenía un trabajo que me había dado don Francisco Laza.[38]

F.: ¿Para qué tenía la escopeta?

P.: Para ver si hacía un negocio con ella.

F.: ¿Dónde la adquirió?

P.: Se la compré a Jesús Cruz y la tenía para componerla y venderla, pues le faltaban unos tornillos.

F.: ¿Tenía usted municiones?

P.: Un poco de pólvora y municiones para cargarla.

F.: ¿Conoce usted a los procesados?

P.: No, señor; porque ninguno es del barrio de Duey.

F.: ¿Conoció a don Prudencio Méndez?

P.: No, señor.

F.: ¿Donde pasó la noche del veintiocho de octubre?

P.: En mi casa con mi familia y así le consta a mi mujer.

F.: ¿Qué día le prendieron?

P.: No lo recuerdo porque no llevo nunca cuenta de los meses.

F.: ¿Por qué afirma que no salió la noche del veintiocho de octubre, si no recuerda bien las fechas?

P.: Porque no acostumbro salir de noche de mi casa.

F.: ¿No oyó hablar en Yauco de que había una partida de malhechores en el campo?

P.: No, señor.

F.: ¿Qué distancia hay del barrio Duey a Yauco?

P.: Una hora próximamente.

F.: ¿No oyó usted hablar en Yauco de la muerte de Prudencio Méndez?

P.: No, señor.

F.: ¿Sabe usted algo o si oyó hablar de la muerte de San Martín?

P.: No, señor.

F.: ¿Conoce usted a Quirós?

---

38. Personaje que no hemos logrado identificar.

P.: Sí, señor, porque es de mi barrio.

F.: ¿Qué distancia hay de su casa a la de Quirós?

P.: Habrá unos veinte minutos.

F.: ¿Sabe usted que una partida estuvo en la casa de Quirós y le robó lo que allí encontró?

P.: No sé nada.

F.: ¿No oyó hablar de ese hecho?

P.: Oí hablar de él quince o veinte días después de lo ocurrido.

F.: ¿Desde su casa no oyó usted esa noche disparo de armas ni supo lo que hizo allí la partida?

P.: No, señor.

F.: ¿Habló usted después del hecho con Quirós ni tomó participación en él?

P.: No, señor.

Defensor: ¿Conoce usted a la familia de Méndez?

P.: No, señor.

D.: ¿Y ella le conocerá a usted?

P.: Tampoco, porque nunca hemos tenido relaciones.

D.: ¿Se reunió usted alguna vez con los demás procesados?

P.: No, señor.

D.: ¿Oyó usted alguna vez hablar de Prudencio Méndez?

P.: En ningún sentido.

Presidente: ¿Se dedica usted a compra y venta de objetos?

P.: Sí, señor.

Pdte.: ¿Cómo adquirió la sábana?

P.: La hizo mi mujer o mi hija para unos hijos que teníamos atacados de viruela.[39]

---

39. Cabe dar el beneficio de la duda; la isla en efecto pasaba por un brote de viruela que amenazaba con volverse epidemial.* En 1898 constituyó la quinta causa de muerte, con unas 522 tabuladas; en 1899 fue la séptima, con 242 (C. H. Lavinder, «Porto Rico: Mortality Statistics of the Island», *Public Health Reports* [1896–1970] 15, n.º 40 [1900], 2478, tabla A).

* Ya en la primera mitad de año un escribiente tras el seudónimo X había advertido: «Y la viruela no desaparece, y la viruela, el hambre y las contingencias de una guerra, si hasta aquí llegara, forman una siniestra trilogía

Pdte.: ¿Cuánto le costó la toalla?

P.: Me costó diez reales.

Pdte.: ¿Qué médico asistía a sus hijos atacados de viruelas?

P.: Ninguno. Mi mujer era quien los asistía.

Pdte.: Puede retirarse el procesado.

Comparece CARLOS PACHECO.[40] *Es blanco, pálido, de veintiocho años, soltero, albañil y vecino de Yauco. Viste traje de dril y zapatos.*

Fiscal: ¿Dónde vive usted?

Procesado: En el barrio Algarrobos, que es el mismo barrio Cuarenta.

F.: ¿Con quién vivía?

P.: Con mi padre y mi hermano Hermógenes.

F.: ¿Tiene usted otra casa?

P.: Sí, señor, en la que tengo una querida.[41]

---

que amaga a nuestro pueblo» («La epidemia variolosa en la isla», *La Correspondencia de Puerto Rico*, 7 de mayo de 1898, 1).

40. Carlos Pacheco Torres (1871–1900) —hijo de Eduardo Pacheco González (1848–1926), un acomodado ciudadano de Yauco, y de Monserrate Torres Lugo (1848?–1946)— destaca como un hombre trigueño de mirada desconfiada. Era fuerte pese a su lánguida apariencia. Al parecer, dividía su convivencia entre la casa de su padre y la de una mujer con quien tenía hijos.

41. Desconocemos su identidad. La posición social del padre de Carlos Pacheco le permitía al procesado gozar de ciertas libertades en una época donde cualquier relación extramarital (concubinato, amancebamiento, queridaje, etc.) era mal vista tanto por la Iglesia como por la Ley. La laxitud en la persecución de lo que por entonces se catalogó como un vicio hermanado con el de la vagancia obedece a la inacción de los sacerdotes y el desgano de las autoridades legales. Esto lo constata en su discusión del tema con el comisionado Carroll, Lucas Amadeo Antomarchi (1845–1911), el cívico y empresario salinense (liberal, por cierto):

> Hace quince o veinte años vivir en concubinato era castigado por la ley y por la Iglesia; pero como durante el tiempo transcurrido desde entonces los sacerdotes importados han sido de la peor descripción, han relajado su atención en esa dirección y el gobierno municipal no ha tenido conocimiento de ello. (Carroll, *Report*, 690 ss.)

Así Amadeo no hablara de Yauco, el Pueblo del Café enfrentaba la misma realidad, dado que —hasta que surja nueva evidencia—, al parecer,

F.: ¿A qué distancia está esa casa de la de su padre?

P.: A tres cuartos de hora.

F.: ¿Supo usted la muerte de Méndez?

P.: Trabajaba en una casa de don Pantaleón Flores.[42] El sábado me dio cinco dólares que me sobraban de mi trabajo y fui a una tienda del barrio y llegó allí un muchacho llamado Cruz Negrón,[43] quien refirió el hecho, sin dar detalles.

F.: ¿Cómo, siendo usted vecino de Méndez, no trató de inquirir del muchacho detalles del hecho?

P.: Porque el muchacho no los dio.

F.: ¿Cómo, siendo usted vecino de Méndez y conocido, no se acercó a casa de Méndez después del crimen?

P.: Porque no sentí curiosidad.

F.: ¿Cuándo lo detuvieron?

---

no mantenía registros de vagos y amancebados desde mucho antes de 1880 (el último hallado data de 1864, según las catalogaciones del AGPR). En un informe demográfico solicitado por Carroll a los jueces municipales, el de Yauco divulgó unos 97 casamientos, 463 nacimientos legítimos *vs.* 667 ilegítimos y 962 muertes para 1897 (*ibidem*, 218, tabla III). La desproporción entre los nacimientos simplemente refleja (visto desde nuestra óptica moderna) que no cualquiera podía costear los $6 a $16 de un casamiento por la Iglesia (ignoramos las razones de Carlos). El concubinato y el amancebamiento fueron prácticas tan comunes en la isla (máxime en los campos) que hasta algunos estudiosos del tema los han clasificado más cual modelos de familia que como vicios. Mejor no lo pudo haber explicado la historiadora Pilar Gonzalbo Aizpuru en su discurso sobre el fenómeno en la Nueva España:

> Cuando casi la mitad de los nacimientos eran ilegítimos, muchos de los criollos vivían amancebados o en concubinato, los indios se emborrachaban con regularidad, los clérigos dejaban de cumplir sus ministerios sin remordimientos (...) cuando el incumplimiento de las normas era común y cotidiano no se podía pensar en un desorden total sino en un orden diferente. (*Familia y orden colonial* [1998], en Dalín Miranda Salcedo, «La familia en la historiografía puertorriqueña», *Anuario Colombiano de Historia Social y de la Cultura* 39, n.º 1 [2012], 299 n. 17)

42. Pantaleón Flores Morales (1843–1933); agricultor yaucano vecino de Duey.

43. Al parecer, los mismos Jesús Cruz y tienda de barrio ya citados por Simeón.

P.: Dos días después del hecho.

F.: ¿No sabía usted que por el barrio andaba una partida de malhechores?

P.: Lo ignoraba.

F.: ¿No vio tampoco por allí gente sospechosa?

P.: No, señor.

F.: ¿Ni temió usted que en su casa pudiera ocurrir lo mismo?[44]

P.: No, señor.

F.: ¿Conoce usted a los demás procesados?

P.: Excepto a mi hermano Hermógenes, no conozco a ninguno.

Presidente: ¿La noche del hecho, no oyó usted desde su casa disparos de armas de fuego?

P.: No, señor; esa noche dormí en casa de Pantaleón Flores y no en mi casa.

Pdte.: ¿Desde esta no se podían oír los disparos?

P.: No, señor.

Pdte.: ¿Ha dicho usted al Fiscal que en la tienda dijo el muchacho que habían matado a Méndez?

P.: Sí, señor.

Pdte.: ¿Cómo refirió el muchacho el hecho?

P.: No dijo sino que lo habían matado.

Pdte.: ¿Era usted conocido de don Prudencio Méndez?

P.: Sí, señor.

Pdte.: ¿Y no tuvo curiosidad de conocer los detalles del hecho?

P.: No, señor. Le pregunté si se sospechaba quién era el

---

44. La pregunta obedece a la seriedad de los desmanes que asolaron a la yaucanía de finales de 1898. *La Correspondencia de Puerto Rico* del 1 de noviembre reseñó en su sección de «Noticias» la tétrica realidad de incendios y asesinatos a granel mientras que jefes de bomberos eran amenazados de muerte si respondían al llamado de fuego y el alcalde Gaztambide (abajo, nota 54) se encontraba imposibilitado de organizar una policía rural. En el parte que ocupó columnas en la homónima edición peninsular por igual destacó también la noticia de Prudencio Méndez.

asesino y me dijo que no.

Pdte.: ¿Visitaba usted la casa de Méndez?

P.: No, señor. Dos veces estuve en ella haciendo trabajos de albañilería.

Pdte.: Usted ha dicho que no trató a Méndez; ¿quién, pues, le habló para esos trabajos y le pagó?

P.: Méndez, que fue el que me llamó.

Pdte.: ¿Conocía entonces la casa y a la familia?

P.: Sí, señor.

Pdte.: ¿Conoce usted a algunos de los procesados excepto su hermano?

P.: No, señor; ni de vista. Los he conocido en la cárcel.

Pdte.: Puede retirarse el procesado.

Comparece HERMÓGENES PACHECO.[45] *Es blanco, pálido, hermano del anterior, de veinticinco años, albañil, casado y vecino de Yauco. Viste chaqueta y pantalón de dril y usa zapatos.*

Fiscal: ¿Dónde vivía?

Procesado: Vivía con mi padre.

F.: ¿Conocía a Prudencio Méndez?

P.: Sí, señor; por haber trabajado en su casa algunas veces.

F.: ¿La noche del suceso dónde la pasó?

P.: Dormí en casa de mi padre y por la mañana me fui a voltear una finquita que tenía.

F.: ¿No oyó hablar de que una partida había dado muerte a Méndez?

---

45. Juan José Hermógenes Pacheco Torres (1877–1900), el más locuaz del grupo, tenía un año de casado con Francisca Ramona Morales Pacheco (1880?–1908) y había perdido a su hija recién nacida exactamente un mes antes del asunto de Prudencio Méndez. Alegaba vivir bajo el techo de su padre y gozar de la amistad de personajes influyentes en Yauco, como *Pancho* Mejía y Alejandro (*Chalí*) Franceschi Antongiorgi (1868–1939), el latifundista amante de las artes y actividades sociales, entre otros —datos que pueden ser ciertos. Juliá Marín bien habría ubicado a los hermanos Pacheco entre esos «caballeritos que se olvidan por la mañana de sacarse el tizne con que se desfiguran el rostro la noche anterior» (*Tierra adentro*, 51).

P.: Me enteré porque mi padre me lo dijo al [yo] regresar de la finca y porque me lo dijeron los guardias americanos al prenderme.[46]

F.: ¿Cuándo lo prendieron?

P.: Al mismo tiempo que a mi hermano: el día primero de noviembre.

F.: ¿Supo usted detalles de esa muerte?

P.: No, señor.

F.: ¿Su hermano Carlos se marchó de la casa antes del veintiocho?

P.: Hacía cuatro o cinco días que trabajaba y dormía en casa de Pantaleón Flores. Y la noche del suceso durmió allí.

F.: ¿Y usted dónde se hallaba?

P.: Me encontraba en casa.

F.: Su hermano dice que durmió en su casa y usted dice que dos días antes y dos días después durmió en casa de Flores. ¿Cuál de los dos dice verdad?

P.: Mi hermano durmió esa noche en casa.

F.: ¿Y cómo dice antes que no? ¿Cómo puede probar lo que dice?

P.: Porque dormimos todos en unión.

El Fiscal llama la atención del Tribunal sobre esta contradicción.

F.: ¿Usted no oyó hablar de una partida?

P.: No, señor.

F.: ¿Insiste usted en manifestar que supo por los guardias [sobre] la muerte de Méndez?

P.: Sí, señor.

F.: ¿Por su hermano no la supo a pesar de saberla este desde el veintinueve?

P.: No, señor.

F.: ¿Qué distancia hay de su casa a la de Méndez?

P.: Media hora a pie.

F.: ¿La casa de Méndez está aislada en el campo?

---

46. Corregimos el original que lee: *P.: Se enteró porque su padre se lo dijo al regresar de la finca y porque se lo dijeron los guardias americanos al prenderlo.*

P.: No, señor; hay otras casas de unos arrimados más cercanas a ella que la nuestra.

F.: ¿A qué hora se retiró usted la noche del veintiocho?

P.: Como a las siete porque tenía calentura.

F.: ¿Oyó aquella noche desde su casa algún tiro o descarga?

P.: No, señor.

Presidente: ¿Ustedes visitaban a Méndez?

P.: No, señor. Algunas veces fuimos a trabajar allí.

F.: Conociendo usted a Méndez, ¿cómo no fue a su casa al día siguiente del suceso a enterarse de lo que había ocurrido?

P.: Porque estaba enfermo.

F.: ¿Y cómo si estaba enfermo con calentura pudo ir a voltear la finca y no pudo ir a casa de Méndez?

El procesado no contesta y la Presidencia le manda retirar.

Comparece JUAN DEL CARMEN FELICIANO.[47] *Es un hombre muy enfermo de anemia[48] que apenas puede tenerse en pie. Es labrador, de veintitrés años de edad, soltero y vecino de Yauco. Viste camisa y pantalón y no usa zapatos.*

Fiscal: ¿Conoce usted a los procesados?

Procesado: No, señor; ni de vista.

F.: ¿Tiene usted un hermano llamado Nicolás Feliciano?

P.: Sí, señor.

F.: ¿Donde está su hermano?

---

47. Más sobre Juan del Carmen Feliciano Martínez (1877–1899) abajo, INFORME DEL FISCAL, nota 2.

48. Con una tabulación de 7,469 muertes (el doble de aquellas por tuberculosis y disentería combinadas) en 1898, y otras 8,877 en 1899, la anemia resaltaba como la principal causa de mortalidad en la isla; no en vano el campesinado la llamó la *«muerte natural»*. Véanse datos adicionales en Lavinder, «Mortality Statistics», 2478, tabla A; Bailey K. Ashford y Pedro Gutiérrez Igaravídez, *Uncinariasis [Hookworm Disease] in Porto Rico: A Medical and Economic Problem* [Wash.: Govt. Print. Off., 1911], 23; Antonio José Amadeo, «La anemia en Puerto Rico», *La Democracia*, 16 diciembre de 1899, 2; y Ana Rita Gonzalez y Elizabeth Fee, «Anemia in Puerto Rico at the Turn of the Twentieth Century», *American Journal of Public Health* 105, n.º 2 [2015], 272–73).

P.: No le veo desde diciembre.

F.: ¿Y su demás familia no ha ido a verlo a la cárcel?

P.: No, señor.

F.: ¿Con quién vivía usted?

P.: Con una hermana.[49]

F.: ¿Qué distancia hay de la casa de su hermana a la de su padre?

P.: Como unos veinte minutos.

F.: ¿En agosto estaba su hermano Nicolás en el barrio?

P.: No lo recuerdo.

F.: ¿Ni después del veintiocho de octubre?

P.: Tampoco.

F.: ¿Cuándo fue preso?

P.: En diciembre, hallándome trabajando en la hacienda de Franceschi.

F.: ¿A fines de octubre estaba usted con su hermana en el barrio?

P.: Sí, señor.

F.: ¿Y no volvió a verle ni sabe dónde está?

P.: No, señor.

F.: ¿A su padre Juan Manuel Feliciano le ocuparon en su casa un gabán, un sombrero y varias prendas de ropa?

P.: No lo recuerdo.

F.: ¿Cuándo murió su padre?

P.: Estando preso.[50]

Defensor: ¿Usted no vivía con su padre?

P.: No, señor; con mi hermana.

D.: ¿Esa hermana es la casada con el mayordomo de la hacienda en donde usted trabajaba?

P.: No, señor. Mi hermana no está casada con ningún

---

49. Tenía dos: Juana Ángela (1865–1900) y María Genara (1880–1900), la una viuda y la otra casada. Nominamos a la segunda. Más abajo, nota 51.

50. Juan Manuel Feliciano Pérez (1819–1899), yaucano, viudo de Juana Catalina Martínez Burgos (1847–1893) y padre de seis, murió de anemia el 16 de noviembre. Se le intentó juzgar cual cómplice y encubridor; difícilmente a su edad y estado de salud habría participado en el robo y homicidio.

mayordomo.[51]

D.: ¿Dónde dormía usted?

P.: Dormía en la hacienda donde trabajaba.

D.: ¿Usted conoce el barrio Cuarenta?

P.: No, señor.

D.: ¿Y a la familia Méndez?

P.: No la conozco aunque la viera.

D.: ¿Qué armas usaba usted?[52]

P.: Un machete de trabajo.

D.: ¿Conoce a los procesados?

P.: No, porque no viven en mi barrio; y si alguno vive, no lo conozco.

D.: ¿En la hacienda no oyó hablar de la muerte de Méndez ni de la de San Martín ni del robo a Quirós?

P.: No, señor.

D.: ¿Cómo fue preso?

P.: Me cogieron como a un angelito y me trajeron preso.

El procesado Rosalí Santiago se sonríe.

D.: ¿Cuándo fue que lo cogieron preso?

P.: En el mes de la Nochebuena.

Presidente: ¿No sabe decir qué distancia hay de su casa a la de Méndez?

P.: No, señor; porque no vivo en ese barrio.

El Fiscal pide lectura de la declaración de Juan Manuel Feliciano. Este declaró ante el Juez que le pusieron preso por encontrársele en su casa varios objetos reconocidos por la familia Méndez como de su pro-

---

51. María Genara estaba casada con un jornalero, Monserrate Caraballo Méndez (1869–1919), quien, tras morir aquella, casó nuevamente.

52. Nótese que esta vez González Font pregunta sin rodeos. A menos que se trate de una estrategia de defensa, desconcierta, toda vez que el letrado es recordado por su floridez y dramatismo, recursos que causaron resquemores ante las comisiones militares, más enfocadas en obtener respuestas inmediatas y concisas que elaboradas y distractoras. *Cfr.* Picó, 1898, 153; véase también Arcadio Díaz Quiñones, *Once tesis sobre un crimen de 1899* (San Juan: Luscinia C. E., 2019), para una muestra más contextual de un juicio (consejo) por comisión militar.

piedad; que esos objetos los llevó a su casa su hijo Nicolás Feliciano la madrugada de la noche en que se cometió el crimen.

Se lee también la partida de defunción de este procesado, que murió de anemia durante el proceso.

Siendo las doce del día se suspendió el juicio para continuarlo a las tres de la tarde.

A la citada hora comparecen LOS TESTIGOS.

Se llama a ANA PACHECO.[53] *Es la viuda de don Prudencio Méndez. No comparece por hallarse enferma, según certificación que presenta del doctor Gaztambide.*[54]

---

53. María Ana Pacheco Delgado (1856–1936); yaucana, viuda del corso Antonio Mattei Bonavita (1842–1880) (condueño de la hacienda San Rafael) y madre de cinco en el momento de casar con Prudencio Méndez en 1887.

54. Entiéndase el sabaneño Atilio de Jesús Gaztambide Ortiz (1853–1915) (algunas fuentes lo registran equívocamente como *Julio Atilio*), el novel alcalde de Yauco hasta el desembarco estadounidense. Su ausencia en el término cuando las tropas ocuparon el pueblo dio paso a que se nombrara a *Pancho Mejía*, la persona «idónea». En la designación de alcaldes, los americanos buscaban candidatos de confianza y fidelidad al nuevo orden; por lo general, los favorecidos salían de las filas de liberales y autonomistas (*cfr.* Picó, *1898*, 84; Mario R. Cancel, «Mayagüez ante el 1898: la mitificación de la promesa americana», en *El impacto del 1898 en el oeste puertorriqueño*, ed. por Ricardo R. Camuñas, 115–30 [San Juan: Edit. LEA, 1998–1999], 119–21). Gaztambide, más político que médico, reclamó su lugar en agosto por entender que nunca abandonó la alcaldía y que lo del 25 de julio fue una coincidencia. Tal vez la historiografía nos deba una explicación tocante a su paradero ese día, tras el aviso de la entrada de la flota estadounidense en la bahía de Guánica (*cfr.* Rivero, *Crónica*, 190), pero seguro se ha ocupado de redimir su imagen con expresiones como: «En política es leal a sus principios de patriota. No exagera; más no abdica. Si la tempestad se desata, él permanece en su sitio, de pie, reflexivo e impasible. Creemos que no sabe retroceder» («Los grabados de este número», *Puerto Rico Herald*, 21 de diciembre de 1901, s. p.); y «Durante uno de los períodos más azarosos de nuestra política, desempeñó la alcaldía de Yauco, con beneplácito de todos, sin dejar tras de sí malevolencias ni rencores» («Publicaciones recibidas», *La Democracia*, 3 de octubre de 1903, 4). Véase también Nicole Trujillo-Pagán, *Modern Colonization by Medical Intervention: U. S. Medicine in Puerto Rico* (Leiden: Brill, 2013), 117, tabla 16.

. . .

Comparece ÁNGEL MATTEI.[55] *Es el hijo mayor de doña Ana y entenado*[56] *de Méndez. Tiene veintitrés años, es agricultor y soltero. Se expresa bien y acusa con bastante energía a los procesados, sin vacilación alguna.*

Presidente: ¿Conoce usted a Rosalí Santiago?

Testigo: Sí, señor.

P.: ¿Cuál de esos es?

T.: Este *(lo señala; del mismo modo señala a Eugenio Rodríguez y a los hermanos Pacheco, a quienes conocía antes del suceso).*

Pdte.: ¿Ha tenido relaciones con ellos?

T.: No, señor.

Fiscal: ¿Usted se encontró la noche del suceso en casa de Méndez?

T.: Sí, señor.

F.: ¿Vivía usted allí?

T.: Vivía en casa de Méndez con mi madre y cuatro hermanos, estos dos pequeños del segundo matrimonio de mi madre.[57] Además estaban en la casa una tía, un hijo de esta, una criada y un peón.

F.: ¿Dista mucho la casa del pueblo de Yauco?

T.: Como una legua.[58]

F.: ¿La casa está aislada?

---

55. Sustituimos la *y* por *i*, conforme a convenciones modernas. Muy poco resta por decirse tocante a Ángel Fidel Mattei Pacheco (1876–1970), salvo que dedicó su vida a la agricultura. Casó con su compueblana Francisca Paoli Rodríguez (1887?–1953), tal vez la supuesta nuera de Prudencio Méndez que «se ofreció» para ajusticiar a los procesados (abajo, págs. 133 y 148).

56. Hijastro.

57. A saber, Miguel María Dolores (1888–1937) y Ana María Juliana (1890–1973).

58. Poco más de cinco kilómetros, si empleamos la legua española de 5,555 metros (3.45 millas), vigente en la isla por entonces (Manuel Ruiz Gandía y Julio Rosich Alomar, *Nuevo sistema legal de pesas y medidas, o sistema métrico decimal* [Ponce: Establ. tip. El Vapor, 1888], 20). El diccionarista Augusto Malaret Yordán (1878–1967) la define en su *Vocabulario de Puerto Rico* (1937) con un valor de 4,240 metros (2.63 millas), la figura aceptada hoy.

T.: ¿Hay alrededor cinco o seis casitas en que viven agregados de la finca.

F.: ¿A qué distancia están las más cercanas?

T.: Son dos y están a cinco minutos.

F.: ¿Méndez estuvo ausente los días anteriores al hecho?

T.: El día antes, o sea, el veintisiete, estuvo en Ponce, regresando a la finca el veintiocho al oscurecer.

F.: Relate usted lo que allí vio y presenció esa noche.

T.: Serían las nueve y media, una hora después de haber regresado Méndez de Ponce, cuando se presentó una partida de hombres armados; penetraron en la casa unos por el frente, o sea, por el balcón, y el mayor número por detrás, o sea, por la cocina. Mi padre se dirigía en ese momento al comedor y allí le rodearon varios, exigiéndole uno de ellos la suma de diez mil pesos, y como contestase que no los tenía, otro, en quien reconozco al procesado Eugenio Rodríguez, le disparó un tiro con un fusil, cayendo muerto Méndez. Antes me habían amarrado a mí y a mi primo en la sala, desde donde vimos todo lo que relato. Enseguida se dirigieron a las habitaciones, robando todo lo que encontraron, estando en la casa hasta la una que se marcharon, soltándonos antes y amenazando con volver y matarnos si pedíamos auxilio. Entre las prendas robadas había dos relojes, sábanas, toallas, dos revólveres y un fusil.

F.: ¿Usted recuerda si iban disfrazados?

T.: Dos estaban tiznados.

F.: Cuáles de esos procesados eran?

T.: Esos dos *(señala a los hermanos Pacheco).*

F.: ¿Conoce usted a esos individuos?

T.: Sí, señor, por haber estado trabajando en casa.

F.: ¿Quién fue el que le disparó el tiro?

T.: Ese *(señala a Eugenio Rodríguez).*

F.: ¿Recuerda usted haber visto a ese procesado *(señala a Juan del Carmen Feliciano)* entre los de la partida?

T.: No, señor.

F.: ¿Qué hombres, además de usted, había en la casa cuando llegó la partida?

T.: Mi hermano Francisco; Antonio Pacheco, que al llegar la partida huyó; y Rogelio Borges.

F.: ¿Quién le amarró?

T.: Un grupo de ellos, sin poder precisar quiénes.

F.: ¿De ese grupo no conoció a ninguno?

T.: Conocí después a Carlos Pacheco y a Eugenio Rodríguez, que se quedaron a mi lado apuntándome con los fusiles.

F.: ¿Había entre ellos alguno que se distinguiera por la ropa?

T.: Sí, señor; ese *(señala a Rosalí Santiago)* que vestía de americano y un cinturón de balas.

F.: ¿Entre esos hombres había alguno que se distinguiese como jefe?

T.: Sí, señor; uno que después he sabido se llamaba Nicolás Feliciano. Ese fue el que quería obligar a mi madre a que fuese con un revólver a rematar a su marido, diciéndole: «Ahí hemos matado a un perro; vaya a ver si está vivo y dispárele un tiro». Habiéndose resistido mi madre, el tal Feliciano le pegó una bofetada. Después se pusieron a tocar una sinfonía y pretendieron que mis hermanas bailasen con ellos alrededor del cadáver.

F.: ¿Recuerda usted en poder de quiénes aparecieron algunos de los efectos robados?

T.: Sí, señor; el sombrero, que era mío, y la ropa, en poder de Juan Manuel Feliciano; unas tijeritas de mis hermanas, en poder de Eugenio Rodríguez; el gabán *(da las señas del mismo)*, una toalla, una sábana y unos calzoncillos en poder de Simeón Rodríguez.

F.: ¿Qué armas se llevaron?

T.: Dos revólveres y un fusil rémington.

F.: ¿El fusil era el que se le ocupó a Rosalí Santiago?

T.: No puedo asegurarlo.

Presidente: ¿Cree usted que las casas de los agregados estarían ocupadas por estos aquella noche?

T.: Lo supongo, porque eran peones de la casa.

Pdte.: ¿El reloj que se llevaron estaba en marcha o descompuesto?

T.: En marcha.

Pdte.: ¿En el momento del asalto Méndez se encontraba armado?

T.: No, señor; desarmado.

Pdte.: ¿Y esos hombres maltrataron de obra a sus hermanas?

T.: No, señor; de palabras.

Pdte.: ¿Usted y sus hermanas dónde estaban?

T.: Yo estaba amarrado en la sala y mis hermanas se refugiaron en el cuarto.

Pdte.: ¿Sabe si atacaron el pudor de las mujeres que allí estaban?

T.: No, señor.

Pdte.: ¿De qué precio eran las toallas?

T.: Eran felpadas y del precio de seis reales.

El Defensor hace preguntas idénticas y se retira el procesado.

Comparece CÁNDIDA MATTEI.[59] *Es soltera, de veinticinco años y hermana del anterior.*

Presidente: ¿Conoce usted a los procesados?

Testigo: Sí, señor; desde la noche que estuvieron en casa.

Fiscal: ¿La noche del hecho estaba usted en la casa?

T.: Con toda la familia. Además estaban el mayordomo Antonio Pacheco y la criada.

F.: Relate usted lo que presenció allí esa noche.

T.: Méndez había llegado de Ponce como a las nueve de la noche y serían las diez [cuando] nos mandó retirar y salió al balcón; poco después oírnos la voz de Méndez que decía: «No entren ustedes»; y después un tiro. Cerramos la puerta del cuarto atemorizadas; y poco después los bandidos nos la hicieron abrir y entraron pronunciando palabras indecentes y pidiendo que les entregaran el dinero y las prendas, amenazándonos con

---

59. A Cándida Mattei Pacheco (1872–1961) se le registra hasta el censo de 1910 como vecina de Algarrobo, soltera y dedicada a los quehaceres del hogar. A la altura de 1930 solo ha cambiado su residencia a la zona urbana, donde pasa el resto de su vida.

revólveres. Cogieron todo lo que hallaron, metiendo en sacos la ropa y al tiempo de irse soltaron a los muchachos. Desde el cuarto oímos cuando le pedían a Méndez los diez mil pesos, pero no sé quién fue el que hizo la petición.

F.: ¿Y no hicieron nada más los bandidos?

T.: Cogieron una sinfonía que había en la casa y pretendieron que bailáramos con ellos.

F.: ¿No las maltrataron para obligarlas a bailar?

T.: No, señor; solo pronunciaban palabras insultantes.

F.: ¿No trataron de abusar de ustedes?

T.: No, señor.

F.: ¿Quién era el que tocaba la sinfonía?

T.: No lo sé porque me encontraba en el cuarto.

F.: ¿Después vio usted el cadáver de Méndez?

T.: Aquella noche no porque tuve miedo. Lo vi a la mañana siguiente.

F.: ¿Entre los procesados reconoce usted a los que estuvieron en su casa?

T.: Reconozco a esos (*señala a todos menos a Simeón Rodríguez y a Juan del Carmen Feliciano*).

F.: ¿Conocía usted antes a los Pacheco?

T.: Sí, señor; por haber ido varias veces a trabajar a casa.

F.: ¿Y a los otros cómo los reconoce?

T.: Porque eran los que más entraban en el cuarto amenazándonos.

F.: ¿En el Juzgado reconocieron algunos objetos?

T.: Las tijeritas que se le encontraron a Eugenio Rodríguez; la sábana y la toalla y navaja que se le ocuparon a Simeón Rodríguez y el sombrero y el gabán que se encontraron en casa de Juan Manuel Feliciano.

F.: ¿Y el reloj?

T.: El reloj que se llevaron era de oro y no lo he vuelto a ver.

F.: ¿Qué armas había en la casa?

T.: Un fusil y dos revólveres, que tampoco se me han puesto de manifiesto.

F.: ¿Iban algunos de los hombres disfrazados?

T.: Dos o tres iban tiznados, siendo de estos los Pacheco.

F.: ¿Son del mismo barrio?

T.: Sí, señor.

F.: ¿Qué distancia hay de la casa de los Pacheco a la de Méndez?

T.: Habrá media hora.

F.: ¿Cree usted que pueden oírse en casa de aquellos los tiros que se dispararon en casa de Méndez?

T.: Creo que sí.

F.: ¿Tiene usted completa seguridad de que vio allí a los procesados que se sientan en esos bancos?

T.: Completa seguridad; menos a ese *(señala a Juan del Carmen Feliciano)*.

Defensor: ¿A qué hora entró la partida?

T.: A las diez.

D.: ¿De cuántos se componía?

T.: De quince a veinte hombres.

D.: ¿Méndez hizo alguna resistencia?

T.: No, señor.

D.: ¿Las amarraron a ustedes?

T.: No, señor; a mi hermano y al sobrino sí.

D.: ¿Conocía usted a San Martín o ha oído hablar de que este fuera muerto por una partida?

T.: Ni le conocí ni oí hablar de ese hecho.

D.: ¿Ustedes salieron a la sala y al comedor?

T.: No, señor; nos quedamos en el cuarto amedrentadas.

D.: ¿Sabe quién se llevó el fusil?

T.: No, señor.

D.: ¿Cómo conoce a Rosalí Santiago y a Eugenio Rodríguez y a los otros no?

T.: Porque eran los que con más frecuencia entraban en el cuarto a pedirnos las prendas, mientras que los otros no.

Presidente: ¿Dice usted que aquella noche no vio el cadáver de Méndez?

T.: No tuve valor para salir del cuarto y ver el cadáver.

Pdte.: ¿Dónde tenía la herida?

T.: Aquí (*señala la parietal derecha*).

Pdte.: Si no salió del cuarto, ¿cómo oyó lo que se hablaba en el comedor?

T.: Porque hasta el cuarto llegaban las palabras.

Pdte.: ¿Sabe quién disparó contra Méndez?

T.: Oí el disparo y después me dijo mi hermano que había sido ese de la camisa azul (*señala a Eugenio Rodríguez*).

Pdte.: ¿Los Pacheco visitaban a ustedes con frecuencia y ustedes a ellos?

T.: No, señor. Los Pacheco iban cuando había que hacer algún trabajo de albañilería.

Pdte.: ¿Es cierto que a su madre le dieron una bofetada?

T.: Sí, señor; porque se resistió a ir con un revólver donde el cadáver.

Pdte.: ¿Conoció al que le dio la bofetada?

T.: Después he oído decir que se llama Nicolás Feliciano.

Pdte.: Puede retirarse la testigo.

Comparece ANTONIA MATTEI.[60] *Es hermana de la anterior, soltera, de veinticinco años.*

Presidente: ¿Conoce usted a esos procesados?

Testigo: A esos (*los Pacheco*) los conozco porque son vecinos y a esos dos (*Rosalí Santiago y Eugenio Rodríguez*) porque estuvieron aquella noche en casa.

Pdte.: ¿Y a ese procesado? (*Se refiere a Juan del Carmen Feliciano.*)

T.: A ese no lo vi.

Fiscal: ¿Estaba usted en la casa la noche del suceso?

T.: Sí, señor.

Esta testigo relata el hecho en la misma forma que la anterior, sin discrepar en nada.

F.: ¿Está usted segura de haber visto a los procesados?

T.: Juro por mi padre que vi a los que iban tiznados y los hu-

---

60. Antonia Mattei Pacheco (1874–1935), al igual que Cándida, nunca casó y se dedicó al oficio de costurera.

biera conocido aunque fueran más tiznados aún de lo que estaban, porque son vecinos y habían trabajado en casa; y a Rosalí Santiago y Eugenio Rodríguez porque eran los que más entraban en el cuarto.

F.: ¿Y a ese procesado no lo vio usted? (*Señala a Simeón Rodríguez.*)

T.: No, señor; pero no aseguro que no estuviese, porque eran muchos y solo me fijé en los que entraban en el cuarto.

Relata las prendas que les fueron robadas y en poder de quiénes aparecieron, estando en esto de acuerdo con los anteriores testigos.

F.: ¿Entre los de la partida había alguno que vistiese de un modo particular?

T.: Ese (*señala a Rosalí Santiago*) *vestía de americano y llevaba una faja con cápsulas. Había otro alto, castaño, bien parecido, vestido con un chaquetón y zapatos y era el que decía: «No hagan daño a las mujeres, porque así nos lo ha encargado el jefe».*[61] Ese fue el que dio la bofetada a mi madre porque no quiso ir con un revólver a rematar a Méndez.

F.: ¿Vio usted el cadáver de Méndez?

T.: No, señor; porque no me atreví salir del cuarto. Después mi hermano me dijo que el que le había disparado era ese de la camisa azul. (*Señala a Eugenio Rodríguez.*)

[Se le manda retirar.]

Comparece JOSÉ MARÍA MÉNDEZ.[62] *Es hermano de Prudencio*

---

61. Este pasaje refuerza una premisa personal de que la muerte de Prudencio Méndez fue por encargo, cuidado si una venganza pendiente. Invitamos a ver, en aras de comparación, el interesante artículo de Ángel M. Nieves-Rivera, «¿Un asesinato por "encargo" de las partidas sediciosas, o un evento aislado?: el caso de don José Gervasio Maíz Andújar en el Mayagüez de 1898» (*Hereditas* 17, n.º 2 [2016], 72–98). Más abajo en DE CAPILLA—, nota 28.

62. José María Méndez Rivera (1866?–1951) pudo haber llegado a Yauco después que su hermano; sabemos que en 1890 dirigía la escuela de Ranchera y que por 1896 ya se le conocía como interventor del municipio. Resulta interesante señalar que, fuera de la *Gaceta de Instrucción Pública* del 15 de enero de 1892 (pág. 791), ningún recurso tematizado en la historia del magisterio

Méndez, profesor, de treintaitrés años, casado. Declara que vivía en una casa algo retirada de la de su hermano; que oyó los tiros esa noche, pero que no le dio importancia; que a eso de las doce de la noche recibió un papel del comisario llamándolo a su casa; fue y este le contó lo que pasaba en casa de su hermano; que no se atrevió ir allá por temor a caer en manos de la partida; pero a las seis de la mañana fue y se enteró de todo lo ocurrido. Dice que entre el comisario y Prudencio Méndez, que eran amigos, tenían convenido, en previsión de que pudieran visitarlos malhechores, que cuando se oyeran tiros o señales de alarma en una u otra casa, acudirían a prestarse mutuamente auxilio. Que el comisario, al oír tiros aquella noche se trasladó enseguida a casa de Méndez, que llegó momentos después de la partida y se enteró de lo que había pasado, pero temiendo que volvieran los bandidos, regresó a su casa.

Dice también que entre Prudencio Méndez y Carlos Pacheco había ocurrido un mes antes un disgusto a causa de que Méndez prohibió a Pacheco que pasara por su finca y que este le amenazó diciéndole «que ya se la pagaría».

Todo lo que dice este testigo es por referencia.

[Se le manda retirar.]

Comparece FRANCISCO MATTEI.[63] *Es entenado de Méndez. Tiene veintiún años y es soltero. Fue amarrado con su hermano Ángel; reconoce como de la partida a los hermanos Pacheco, Rosalí Santiago y Eugenio Rodríguez. Dice que quienes lo amarraron fueron Rosalí Santiago y Carlos Pacheco. Y cuando se retiraban los desató el de la camisa azul (Eugenio Rodríguez); por eso reconoce a este. En lo demás declara al igual que sus hermanos.*

Fiscal: ¿Qué otra cosa hicieron los de la partida?

---

o instrucción pública en Yauco lo menciona. De cierto no llega a las páginas de la *Historia de la Instrucción Pública en Puerto Rico hasta el año de 1898* (1910) de Coll y Toste. Casó en abril de 1898 con la yaucana Amalia Higinia Rodríguez Pacheco (1868–1926) y nombró a su primogénito Prudencio.

63. Francisco Mattei Pacheco (1879–1934) también aparece con fechas de nacimiento contradictorias; optamos por la que se consigna en su hoja de registro para servicio militar en 1918. Al igual que su hermano, se dedicó a la agricultura.

Testigo: Se pusieron a tocar una sinfonía y querían hacer bailar a mis hermanas, halándolas por las manos; pero ellas se resistieron.

F.: ¿Qué particularidad llevaba alguno de ellos en el traje?

T.: Rosalí Santiago iba vestido de americano y llevaba un cinto de balas.

F.: ¿Qué tiempo estuvo la partida?

T.: Como tres horas.

F.: ¿No llegó ninguna persona en auxilio de ustedes?

T.: Después que se fue la partida llegó el comisario, pero viró seguido.

Presidente: ¿Vio a alguno con un rémington en la mano?

T.: Casi todos los llevaban.

Pdte.: ¿Vio usted cuando le dieron la bofetada a su madre?

T.: No, señor.

[Se le manda retirar.]

Comparece ROSA RIVERA.[64] *Tiene treintaiséis años, es viuda, tía de las señoritas Méndez y vecina de Humacao.*

Fiscal: ¿Vivía usted en casa de Méndez?

Testigo: Estaba pasando una temporada.

F.: ¿Cuánto tiempo hacía que estaba allí?

T.: Año y medio.

Relata los hechos igual al de los demás testigos.

F.: ¿Conoció a los procesados?

T.: Vi a Rosalí Santiago porque me cogió por la garganta, creyendo que me iba a escapar; y Eugenio Rodríguez, porque al salir del cuarto para esconderme en otro donde había un gran canasto de ropa me tropecé allí con él, que me preguntó si era la esposa de Méndez. A este le vi cuando abrió una gaveta y se guardó en el bolsillo las tijeritas que se le han encontrado.

---

64. Sobre la fajardeña Rosa Rivera Rodríguez (1862?–>1920) solo podemos inferir, a falta de respuestas definitivas, que pudo ser una prima hermana y hermana de crianza de Prudencio Méndez. Estuvo casada con Emilio Borges, de Humacao, quien pudo haber muerto entre 1896 y 1897.

También conocí a los hermanos Pacheco.

F.: ¿Qué particularidad que le distinguía de los demás notó en Rosalí Santiago?

T.: Que iba valido de americano con una faja con balas en la cintura y hacía como que hablaba inglés.

El público se ríe y uno que estaba detrás de Rosalí dice: «Se las quería echar de inglés». Rosalí se vuelve y le dice: «¿A usted también le toca hablar ahora?». Este desparpajo en el procesado causa mala impresión en el público.

[Se manda retirar a la testigo.]

Comparece ROGELIO BORGES.[65] *Es hijo de doña Rosa Rivera. Tiene diecisiete años, es soltero y dependiente.*

Presidente: ¿Conoce usted a los procesados?

Testigo: Conozco a los Pacheco de vista y trato por haber ido algunas veces a trabajar a la casa. A Rosalí Santiago y a Eugenio[66] Rodríguez porque estuvieron aquella noche en la partida. A Simeón Rodríguez no lo conozco.

Fiscal: ¿Estaba usted esa noche en la casa de Méndez?

T.: Sí, señor; vivía allí con mi madre que vino de Humacao hace dos años.

F.: Relate usted lo que presenció allí aquella noche.

Hace un relato igual al de los demás testigos.

F.: ¿Vio usted matar a Méndez?

T.: Vi cuando cayó, pero no quién le disparó.

F.: ¿Quiénes le amarraron a usted?

T.: Me amarró Rosalí Santiago y se quedó custodiándome Carlos Pacheco, quien me dio una bofetada.

F.: ¿Por qué le dio la bofetada?

T.: Porque habiéndome dicho los otros que bajase a un cuarto bajo de la casa a buscar unos sacos, al querer bajar creyó Pa-

---

65. Apenas hay datos que añadir sobre Rogelio Borges Rivera (1882–1901): tras la ordalía siguió a su madre hasta Ponce y al poco tiempo murió de pulmonía.

66. Corregimos el original que lee *Enrique*, aunque aceptamos la posibilidad de una errata del propio testigo.

checo que me iba y entonces me dio la bofetada.

F.: ¿Conocía antes a los Pacheco?

T.: Sí, señor; por haber estado trabajando en la casa.

F.: ¿Y a Rosalí Santiago?

T.: Porque fue el que me amarró.

F.: ¿Y a Eugenio Rodríguez no lo vio usted?

T.: No lo vi.

F.: Recuerda cómo iba vestido Rosalí Santiago?

T.: Iba vestido de americano y llevaba un cinturón con cápsulas y un rémington.

F.: ¿Tocaron allí algún instrumento y bailaron los de la partida?

T.: Oí tocar una sinfonía, pero desde el sitio en que estaba no vi nada, pues ellos estaban en el cuarto y yo en la sala.

F.: ¿Los bandidos dispararon algunos tiros?

T.: Bastantes. Carlos Pacheco era el que más disparaba desde el balcón.

F.: ¿Iban disfrazados?

T.: No, señor; los hermanos Pacheco y otros iban tiznados.

Defensor: Dice usted que le dieron una bofetada porque iba a bajar a buscar unos sacos y al mismo tiempo confiesa que estaba amarrado; ¿cómo, estando amarrado, iba a buscar los sacos?

T.: Porque querían que fuese así a buscarlos.

D.: ¿Conocía usted a los Pacheco?

T.: Sí, señor; por haber tratado con ellos cuando estuvieron trabajando en la casa.

Presidente: ¿Pudo usted apreciar cuántos hombres formaban la partida?

T.: Como dieciocho o veinte.

Pdte.: ¿Vio quién le hizo el disparo a Méndez?

T.: No, señor.

Pdte.: ¿Los de la partida iban armados?

T.: Todos iban con fusiles menos uno que llevaba un machete.

Pdte.: ¿Vio usted si atropellaron a las señoritas Méndez?

T.: No las vi porque ellas estaban en su cuarto y solo mi

madre salió del cuarto y me vio amarrado.

Pdte.: ¿Sabe usted si había en la partida uno que llamaban la Bruja?

T.: Después he sabido que a ese *(señala a Eugenio Rodríguez)* le llaman así.

Pdte.: ¿Vio usted en la partida a ese procesado *(señala a Juan del Carmen Feliciano)*?

T.: No le vi.

Pdte.: ¿Le amarraron a usted antes del disparo hecho a Méndez?

T.: Después.

Pdte.: ¿Vio usted quién fue el que disparó?

T.: No, señor; porque yo estaba en la sala detrás de unos bandidos y el disparo fue en el comedor.

[Se retira el testigo.]

Comparece ROSA TORRES.[67] *Es soltera, de veintidós años, blanca, algo guapa; en la casa hacía el oficio de criada.*

Presidente: ¿Conoce a los procesados?

Testigo: Sí, señor, menos a ese *(señala a Feliciano)*.

Fiscal: ¿Vivía en casa de Méndez?

T.: Sí, señor; era la cocinera.

F.: ¿Qué pasó esa noche allí?

T.: Pues que llegó una partida, cogió y cercó a don Prudencio Méndez y le dispararon. Lo vi caer y corrí a esconderme en el cuarto de las señoritas. Pero ese *(señala a Rosalí Santiago)* me obligó a ir con una vela a alumbrar el cadáver que estaba en el comedor.

F.: ¿Qué más recuerda?

T.: Que después amarraron a los muchachos; entraron en los cuartos y robaron todo y se pusieron a tocar una sinfonía, que-

---

67. Rosa Torres Rodríguez (1880–19...?), quien a la altura del censo de 1920 seguía soltera y sirviendo a la familia, debió ser notablemente atractiva, al punto de mover tanto al periodista de *La Democracia* como, cual veremos, al fiscal Sánchez Montalvo y al juez Becerra a recalcarlo.

riendo que las señoritas bailaran con ellos.

F.: ¿Conoce a los Pacheco?

T.: Sí, señor; porque eran antiguos conocidos de la casa.

F.: ¿Y a los demás que están ahí?

T.: A Rosalí porque fue el que me hizo ir a alumbrar el cadáver y a Eugenio Rodríguez porque le vi en la sala y después en el cuarto cuando cogió las tijeras.

F.: ¿No trataron de bailar con usted?

T.: No, señor.

F.: ¿Vio usted que algún procesado cogiese por el brazo a doña Rosa pidiéndole dinero?

T.: No, señor.

F.: ¿Qué objetos se llevaron?

La testigo hace una relación igual a la de los demás.

F.: ¿Qué más hicieron?

T.: Pues dispararon muchos tiros antes de irse y nos amenazaron con volver, quemar la casa y matarnos a todos si decíamos algo.

Defensor: ¿A qué hora llegó la partida y cuándo se marchó?

T.: Llegaron a las diez de la noche y se marcharon a las doce.

D.: ¿Cómo, habiéndose refugiado en el cuarto, vio lo que pasaba en el comedor?

T.: Porque cuando salí del cuarto de las señoritas para esconderme en otro, ocurrió el suceso. Después Rosalí Santiago me obligó a ir al comedor con una vela.

D.: ¿Usted reconoció a los Pacheco a pesar de que iban tiznados?

T.: Sí, señor; y Carlos Pacheco llevaba una venda en la frente.

D.: ¿Quién fue el que disparó contra Méndez?

T.: No me fijé.

D.: ¿Como cuántos bandidos entraron?

T.: No sé el número, pero eran muchos.

Pdte.: ¿No ha oído usted decir quién fue el que dio muerte a Méndez?

T.: No, señor.

Pdte.: Habiendo en la casa varios jóvenes, ¿cómo se explica que a estos los amarraran y a Méndez lo mataran? ¿Cree usted que les era más fácil realizar el robo matando a Méndez?

T.: Sí, señor.

Pdte.: ¿Reconoce a Simeón Rodríguez como uno de la partida?

T.: Sí, señor; lo vi en la sala.

Pdte.: ¿Que más hicieron los malhechores?

T.: Pues robar, gritar, tocar la sinfonía y bailar; y después se fueron gritando y tocando la sinfonía.

Pdte.: ¿No trataron de abusar de usted?

T.: No, señor.

Pdte.: ¿Ni le dieron un beso ni un abrazo?

T.: No, señor. No me tocaron por ninguna parte.[68]

[Se manda retirar la testigo.]

Comparece el señor ANTONIO PACHECO.[69] *Era mayordomo de Méndez, de veinticinco años, soltero y vecino de Yauco.*

Presidente: ¿Conoce a los procesados?

Testigo: Conozco a los Pacheco porque iban a trabajar a casa. A los otros los veo hoy primera vez.

Fiscal: ¿Estaba usted en la casa cuando ocurrió el hecho?

T.: Cuando entró la partida estaba en el balcón. Cuatro entraron por el frente y el resto por detrás de la casa. Al ver que cogían a Méndez me tiré por el balcón y huí, escondiéndome en la finca.

F.: ¿A qué distancia de la casa se escondió?

---

68. No es el caso aquí, pero la mayoría de los informes sobre asaltos de tiznados excluye atropellos a mujeres. Es posible que las víctimas no quisieran testificar para evitar interrogatorios incómodos y vergonzosos, sobre todo ante hombres. *Cfr.* Picó, *1898*, 99.

69. La falta del segundo apellido entorpece la presta identificación de este testigo. Reducimos nuestros candidatos a tres Antonios respectivamente apellidados Santiago (1875–1945), Pietri (1876–>1930) y Martínez (1873–19...?), todos yaucanos y mayordomos en su momento. De primera instancia (por premura o falta de documentos), nada sugiere un parentesco con los procesados hermanos Pacheco (la tradición oral apuesta a que sí), así el apellido goza de proliferación en la zona.

T.: Como a diez o doce cuerdas.

F.: ¿Oyó usted tiros?

T.: Cuando huí oí un disparo y después algunas descargas.

F.: ¿Cuándo regresó a la casa?

T.: Volví por la mañana y entonces me contaron lo ocurrido.

F.: ¿Conoció a alguno de los procesados?

T.: No, señor.

F.: ¿Por dónde se entra a la casa?

T.: La casa está cercada con una cerca de alambre y se entra por un portón que esa noche estaba cerrado con un candado. Los bandidos rompieron el alambre para entrar en la casa.[70]

[Se manda retirar el testigo.]

Comparece FÉLIX RUIZ.[71] *Es labrador, de treintaitrés años, viudo y vecino de Yauco.*

Presidente: ¿Conoce usted a los procesados?

Testigo: A Feliciano lo conozco porque es del barrio Duey.

Fiscal: ¿Dónde vive usted?

T.: Vivo en Sierra Alta, colindante con el Duey.

F.: ¿Conoce usted a Rosalí Santiago?

T.: Sí, de Quebrada, y lo conozco desde niño que iba a la escuela con mis hermanos.[72]

F.: ¿Rosalí le dio a guardar a usted un fusil?

T.: Sí, señor; un fusil con bayoneta y un cinto de cápsulas.

F.: ¿Qué día ocurrió eso?

T.: No recuerdo el día, pero me parece que fue a mediados del año.

---

70. La edición procede a transcribir la sentencia en este punto, pero lo movemos para no interrumpir el flujo del proceso. Nótese que en adelante el mismo se enfoca más en el homicidio de San Martín y el robo a Quirós.

71. Félix Ruiz Figueroa (1861–1928); agricultor que en enero de 1898 fue víctima de las tropelías de Eugenio Rodríguez y Nicolás Feliciano por cuestiones políticas (arriba, nota 27). Viudo desde 1896, entró en una relación consensual con la hija de Quirós (abajo, nota 95) posiblemente en 1902.

72. A continuación hay un recordatorio de la redacción a efectos de que Rosalí Santiago en su declaración negó conocer al testigo.

F.: ¿Qué hizo usted del fusil?

T.: Como era un arma prohibida y temí que Rosalí no fuera el verdadero dueño, se lo entregué al comisario.

F.: ¿Sabe usted si antes ocupó a alguien para que se lo guardase?

T.: A Ramón Gómez.[73]

F.: ¿Conocía usted a Francisco Quirós.

T.: Sí, señor.

F.: ¿Oyó decir si en su casa se había cometido un robo?

T.: Sí, señor, y Quirós me habló de ese robo.

F.: ¿No le dijo nada de lo asaltantes?

T.: No, señor.

F.: ¿Sabe usted lo qué hizo el comisario del fusil que usted le entregó?

T.: Lo ignoro.

F.: ¿Qué concepto le merece Rosalí Santiago?

T.: Siempre me mereció el concepto de un hombre alegre, amigo de bailes y diversiones.

F.: ¿Vio alguna vez a Rosalí vestido de americano?

T.: No, señor.

F.: ¿Llegó usted a saber si el fusil que le entregó era de Quirós?

T.: No, señor.

Pdte.: ¿No le dijo Quirós quién le había robado el fusil?

T.: No, señor.

Pdte.: ¿Recuerda si en octubre estuvo Rosalí por su barrio?

T.: No lo vi.

Pdte.: ¿Tuvo usted noticias de que pululaban partidas?

T.: Supe que había una partida en Yauco,[74] pero no oí quiénes la componían.

Pdte.: El fusil se lo entregó Rosalí entre los meses de junio

---

73. Nominamos, a riesgo de errar, a Ramón Gómez Caraballo (1870–1921), un bracero del barrio Duey.

74. Aparte de lo mencionado arriba (nota 27), los primeros asaltos registrados en Yauco datan de agosto de 1898 («De Yauco», *La Correspondencia de Puerto Rico*, 30 de agosto de 1898, 1; Picó, *1898*, 97–98).

y diciembre, o sea, ¿después de la fiesta de San Juan y antes de Nochebuena?

T.: No tengo seguridad de la fecha.

Pdte.: ¿Dice usted que conoce a Juan del Carmen Feliciano?

T.: Sí, señor; porque es de mi barrio.

Pdte.: ¿Qué concepto le merece?

T.: El de un hombre trabajador y de buenas costumbres.

Pdte.: ¿Supo usted del hecho ocurrido en casa de don Prudencio Méndez?

T.: Sí, señor; pero no oí nombrar a nadie como autor de ese crimen.

[Se manda retirar el testigo.]

Comparece ADOLFO MICHELET.[75] *Es soltero, industrial y vecino de Ponce.*

Presidente: ¿Conoce a los procesados?

Testigo: Solamente a Rosalí Santiago.

Fiscal: ¿De qué conoce a Rosalí?

T.: Por haber estado trabajando en una hacienda de Lares en la que yo era mayordomo.

F.: ¿En qué época estuvo allí trabajando?

T.: En octubre del año pasado.

F.: ¿Por entonces oyó usted hablar de las partidas?

T.: De muchas.

F.: ¿Qué ocurrió allí con la policía y Rosalí Santiago?

T.: Dos días después de haberse marchado de la hacienda se presentó la policía buscándolo. Y yo le informé que se había marchado a la hacienda de Collazo.

F.: ¿La policía no le dijo por qué lo buscaba?

T.: Sí, señor; por estar complicado en la muerte de Méndez.

---

75. Aceptamos la posibilidad de que se haya querido decir «Micheli» y se hable de uno de los dos que hemos identificado preliminarmente: Adolfo Micheli Semidei (1867–19...?) o Adolfo Micheli Paoli (1869–1912), ambos corsos y residentes de Ponce en su momento. El primero destaca como un reconocido mayordomo a la altura de 1904; el segundo, eventualmente una figura muy querida en la República Dominicana.

Defensor: Es decir, que eso lo supo usted por referencia.

T.: Sí, señor.

D.: ¿En qué fecha estuvo la policía buscando a Rosalí?

T.: A principios de noviembre.

D.: ¿Cuánto tiempo estuvo trabajando allí?

T.: Como quince o veinte [días].

D.: ¿Vivía Rosalí en esos días en la hacienda?

T.: Vivía en casa de un arrimado.

D.: ¿La policía le incautó el baúl de Rosalí?

T.: Sí, señor; y vi que el jefe sacó del baúl y contó del baúl quince o treinta pesos que tenía guardados.

Pdte.: ¿Qué jornal ganó allí Rosalí?

T.: Ganaba de dos a tres reales diarios; y en los días que estuvo en la hacienda ganaría alrededor de cinco pesos.

D.: ¿No se fijó usted si cuando Rosalí llegó en busca de trabajo llevaba algún dinero?

T.: No, señor.

[Se manda retirar el testigo.]

Comparece LUIS ANTOMMARCHI.[76] *Es labrador, casado, de cincuenta años y vecino de Yauco.*

Presidente: ¿Conoce a los procesados?

Testigo: A Rosalí lo conocí en el depósito.[77] A Simeón Rodríguez, a Eugenio Rodríguez y a Feliciano los conocía de antes.

Fiscal: ¿Conoció usted a San Martín?

T.: Lo conocí de vista.

F.: ¿Le vio usted antes del suceso?

T.: Estuvo en casa poco antes de ser asesinado tomando agua.

F.: ¿Iba solo?

T.: Le acompañaban dos muchachos que llevaban una mula

---

76. Luis Antommarchi Semidei (1854–1929); yaucano, yerno de Francisco Batalla (abajo, nota 88) y administrador de la sucesión de este en Aguas Blancas.

77. Cárcel municipal.

cargada.

F.: ¿Qué hora sería cuando San Martín estuvo en su casa?

T.: Serían las once de la mañana.

F.: ¿Cuándo se enteró del hecho?

T.: Poco después supe por el comisario que en el camino habían asesinado a un hombre; fui a verlo y reconocí al hombre que estuvo en casa.

F.: ¿En qué posición estaba el cadáver?

T.: Tirado en una barranca.

F.: ¿No vio por allí a los peones ni a la mula?

T.: No, señor.

F.: ¿Ni oyó usted versión alguna sobre ese crimen?

T.: No, señor.

F.: ¿En qué fecha ocurrió ese hecho?

T.: En el mes de octubre.

F.: ¿Oyó usted hablar de partidas?

T.: Oí decir que se habían formado partidas incendiarias, pero no quiénes las formaban.

F.: ¿No indagó usted cómo ocurrió el hecho?

T.: No, señor; solo oí decir que lo había matado una cuadrilla.

[Se manda retirar el testigo.]

Comparece ÁNGEL SAN MARTÍN.[78] *Es comerciante, de treintaisiete años y vecino de Ponce. Es hermano del muerto don Manuel San Martín.*

Presidente: ¿Conoce a los procesados?

Testigo: No, señor.

Fiscal: ¿Cómo supo la muerte de su hermano?

T.: Por el rumor público.

F.: ¿Qué día ocurrió?

T.: El diecisiete de octubre.

F.: ¿Dónde vivía entonces?

---

78. Cualquier dato a ofrecer sobre Ángel San Martín Regueiro (1861–19...?), más allá de su participación en la política yaucana, sería redundante.

T.: En Yauco.

F.: ¿Había oído decir que pululaban por los campos partidas?

T.: No, señor.[79]

F.: ¿Supo usted la salida del pueblo de su hermano?

T.: Sí, señor; salió para el barrio Limaní[80] a la hacienda de don Juan Alonso, donde iba colocado de mayordomo.

F.: ¿De quién eran los objetos que llevaba en la mula?

T.: El fusil era de Alonso y los zapatos de mi hermano.

Pdte.: ¿Oyó usted hablar de la muerte de don Prudencio Méndez?

T.: Sí, señor.

Pdte.: ¿Supo usted quién lo había matado?

T.: Oí decir que había sido la partida que mató a mi hermano.

Pdte.: ¿Supo usted algo del robo hecho en casa de Quirós?

T.: No, señor.

[Se manda retirar el testigo.]

Comparece JUAN ALONSO.[81] *Agricultor, de sesenta años, soltero y vecino de Yauco.*

Presidente: ¿Conoce usted a los procesados?

Testigo: De vista conozco a ese *(señala a Simeón Rodríguez).*

Fiscal: ¿Conoció a San Martín?

T.: Sí, señor; en octubre le di una carta para el encargado de

---

79. Difícilmente un residente de Ponce olvidaría el incendio que redujo a cenizas todo un vecindario en Coto Laurel la noche del 18 al 19 de agosto del año anterior; fue uno de los primeros y más sonados casos de las incursiones sediciosas. La prensa se limitó a reseñar los daños del siniestro sin precisarle naturaleza y sin mención del ambiente de saqueo y festividad que recibió el destacamento militar estadounidense que acudió a ayudar e investigar («Noticias», *La Correspondencia de Puerto Rico*, 23 y 24 de agosto de 1898; Picó, *1898*, 97).

80. En Adjuntas, colindante con Yauco y Guayanilla.

81. Proponemos a Juan Alonso Menéndez (1838–1903), un ovetense que tuvo la desdicha de morir a los cinco días de casar con su concubina de años.

la finca para que le colocase de mayordomo.

F.: ¿En qué fecha salió?

T.: En octubre.

F.: ¿Quiénes le acompañaron?

T.: Un peón de la finca llamado Ramón Rodríguez y un muchacho.

F.: ¿Rodríguez era peón de confianza?

T.: Sí, señor.

F.: ¿Qué objetos llevaba la mula?

T.: Un fusil y varios comestibles.

F.: ¿Qué supo usted del hecho?

T.: Me contaron que en el camino le salieron ocho hombres; dos se apoderaron de las mulas y seis de San Martín.

F.: ¿Quién le refirió el hecho?

T.: Los peones lo contaron diciendo que no conocieron a los asaltantes.

Defensor: ¿Hacía mucho tiempo que estaba en la finca el peón Rodríguez?

T.: Trabajaba con intermitencias. Y siempre me dio buenas cuentas.

D.: ¿Le dijeron si los bandidos iban disfrazados y armados?

T.: No, señor.

[Se manda retirar el testigo.]

Comparece RAFAEL MEJÍAS.[82] *Soltero, agricultor y comisario del barrio Aguas Blancas.*

Fiscal: ¿Conoce usted a los procesados?

Testigo: Conozco a Simeón y Eugenio Rodríguez. A los Pacheco los conozco de vista.

F.: ¿Es usted el comisario del barrio?[83]

---

82. Una vez más a riesgo de errar, proponemos al yaucano Rafael Cándido Mejía Nigaglioni (1871–1962), ciudadano de prominencia, masón reconocido, hijo de un ex alcalde y futuro suegro de un superintendente de la Policía y ayudante general de la Guardia Nacional.

83. La comisaría o alcaldía de barrio era un cargo concejil alternante entre los vecinos propietarios, usualmente medianos, en cada división

T.: Sí, señor.

F.: ¿Cómo supo la muerte de San Martín?

T.: Por una esquela de don Francisco Mejía[84] participándome que en terrenos de su propiedad había aparecido un cadáver. Me trasladé al sitio y encontré el cadáver que tenía una herida de arma blanca en el cuello.

F.: ¿Cuando llegó vivía aún?

T.: Estaba bien muerto.

F.: ¿Supo usted si fue una cuadrilla quien le dio muerte y quiénes la componen?

T.: No, señor.

F.: ¿Sabía usted que pululaban partidas?

T.: Como comisario lo sabía y que habían asaltado las casas

---

municipal.* El agente representaba al alcalde municipal y servía de intermediario en los trámites relacionados con la autoridad del municipio. Si bien en sus comienzos bajo la gobernación de Miguel de la Torre,† el comisario de barrio se antojaba cual un policía más preso de sus deberes y responsabilidades que como ejecutor, ya entrada la segunda mitad de siglo XIX, tanto el folclor como la literatura se fueron ocupando de empoderarlo como un corredor o agente de influencias y favores políticos, gracias a aquellos que se aprovecharon de sus puestos y prerrogativas para lucro y privilegio personal y/o familiar.‡ En innumerables casos, para bien o para mal, las comisarías crearon cacicazgos. Véase más abajo en DE CAPILLA—, nota 28.

* Cuando menos en 1899 había 853 barrios contabilizados en la isla (Rafael A. Torrech San Inocencio, «Los alcaldes de barrio en Puerto Rico: una aproximación a la génesis de las estructuras de poder local en Puerto Rico», *Revista de Administración Pública* 35–36 [2002–2003], 119, tabla).

† Véase, p. ej., «Bando de policía y buen gobierno de 1824», en Coll y Toste, *Boletín Histórico de Puerto Rico* 2 (1915), 32–44.

‡ Véase el «A diestro y siniestro» en *La Democracia* del 22 de enero de 1898; el editorial abre con la pregunta, «¿Qué está pasando en Yauco?», para luego dar cuenta de los desmanes que inquietan la paz del pueblo, como los agravios a Félix Ruiz que ya mencionamos (arriba, notas 27 y 71) y de comisarios de barrio involucrados en juegos y riñas donde hubo como mínimo un muerto y algunos heridos o en campañas de proselitismo político. Esto último en particular aparece cual la continuación de la denuncia en el reportaje «Basta de contemplaciones» en la edición del 19).

84. Su tío.

de Vives[85] y Quirós; y que dichas partidas habían venido de otros pueblos.

F.: ¿Y de la muerte de Méndez qué supo?

T.: Dos días después de la de San Martín supe la de Méndez.[86]

F.: ¿Qué distancia hay del barrio Aguas Blancas al de Duey?

T.: Hora y media.

Presidente: ¿Conocía usted a los procesados?

T.: A Rosalí Santiago porque trabajó en mi finca; y a Eugenio Rodríguez porque vivía cerca de ella.

Pdte.: ¿Qué quiso usted decir cuando contestó al Fiscal que San Martín estaba bien muerto?

T.: Que lo encontré yerto; no he querido dar otro significado a la frase.

Pdte.: ¿Habló usted con Quirós del robo que se efectuó en su casa?

T.: No, señor; porque Quirós y yo estábamos enemistados.

[Se manda retirar el testigo.]

Comparece Ramón Rodríguez.[87] *Es jornalero, de veinticinco años, soltero y vecino de Yauco.*

Presidente: ¿Conoce usted a los procesados?

Testigo: Ni de vista.

Fiscal: ¿Acompañaba usted a San Martín cuando fue atacado?

T.: Sí, señor. Le acompañaba como peón de la hacienda de don Juan Alonso.

F.: ¿Conoce usted bien el camino?

---

85. Jaime Vives Ferrán (1865?–>1910); barcelonés, otrora juez municipal de Guayanilla e interventor en Yauco.

86. La aparente discrepancia de fechas desconcierta, cuando se espera que un comisario de barrio esté al corriente de los sucesos en su jurisdicción.

87. Otro caso en el que nos arriesgamos a errar. Reducimos los candidatos a dos: un Rodríguez Orengo (1874–1904), bracero de Quebradas; y un Rodríguez Vega (1872?–1900), jornalero.

T.: Sí, señor.

F.: ¿Quién más iba con ustedes?

T.: Un muchacho que iba a la hacienda a coger café.

F.: Relate usted lo que ocurrió desde que salieron de Yauco hasta llegar al sitio donde fue muerto San Martín.

T.: Salimos para la hacienda de Alonso a las ocho de la mañana con una mula en la que llevábamos un fusil, cien kilos de galletas y un rollo de tabaco. Íbamos a pie y nos detuvimos en la tienda de don Pancho Batalla[88] a tomar agua. Después de salir de la tienda, como a diez cuerdas nos encontramos con ocho individuos que venían de frente.

F.: ¿San Martín iba delante?

T.: No, señor; delante con la mula iba yo y el muchacho y un poco más atrás San Martín.

F.: ¿Y qué hicieron esos individuos cuando llegaron junto a ustedes?

T.: Dos se apoderaron de la mula; los otros seis rodearon a San Martín.

F. ¿Y qué hicieron los dos; no los sujetaron a ustedes?

T.: No, señor; cortaron la soga de la mula y yo eché a correr.

F. ¿Qué les dijeron al apoderarse de la mula?

T.: No dijeron nada. Yo eché a correr.

F.: ¿Qué fisonomía tenían? ¿Eran blancos o morenos?

T.: No les vi las caras.

F.: ¿Cómo, si tuvo tiempo para contarlos y ver que los dos que se apoderaron de la mula cortaron la soga, no lo tuvo para fijarse en sus caras?

T.: No me fijé ni vi cortar la soga.

F.: ¿Pero no acaba usted de decir que vio a dos coger la mula y cortar la soga? Le advierto que aquí se viene a decir la verdad y que se expone usted a ser procesado por perjurio.

---

88. Juan Francisco (*Pancho*) Batalla Bussot (1838–1899) fue un hacendado y comerciante catalán cuyas tierras colindaban con las de *Pancho* Mejía. Puede que a la sazón de los eventos sus negocios los manejara su hijo Juan Francisco Batalla Pacheco (1879–1956) o, como adelantamos, su yerno Antommarchi.

T.: Vi cortar la soga, pero no me fijé en sus caras.

F.: ¿Conoce usted a los procesados?

El testigo los examina y contesta que no los conoce.

F.: ¿Dice usted que enseguida huyó?

T.: Me fui corriendo hasta que a unas cinco cuerdas tropecé con la mula que llevaba las galletas, pero sin el fusil.

F.: ¿Durante el camino hasta llegar a la hacienda habló usted con alguien?

T.: No, señor.

F.: ¿Vio usted matar a San Martín?

T.: No, señor.

F.: ¿Cómo si no presenció la muerte de San Martín, al llegar a la hacienda se lo dijo al mayordomo?

T.: Cuando venía para el pueblo oí decir en Cuchilla Brava[89] que habían matado a San Martín.

Defensor: ¿Antes del día ese oyó usted hablar de partidas?

T.: Oí decir en el pueblo que habían[90] unas partidas.

D.: ¿Usted huyó enseguida que se acercaron los hombres?

T.: El miedo me hizo correr.

Pdte.: Recuerde bien: ¿de qué color eran los individuos que se les acercaron?

T.: Había pardos y blancos.

Pdte.: ¿No dijeron nada al acercarse; llegaron completamente mudos?

---

89. Otro punto de difícil identificación; y poco ayuda la única descripción de la época que ofrece un boletín del Servicio Geológico de los Estados Unidos, como: «montañas en la parte occidental del departamento de Ponce» (Henry Gannett, *A Gazetteer of Porto Rico* [Wash.: Govt. Print. Off., 1901], 24). No descartamos que se trate de Cuchilla Ranchera, una cresta de 530 metros (1,739 pies) al nornordeste del Bosque Estatal Susúa, donde a principios de 1898 se detuvo a Nicolás Feliciano por el macheteo de dos cerdos (*La Correspondencia de Puerto Rico*, 27 de marzo de 1898, 2). De paso destacamos que fue esa la única vez que se tuvo al elusivo Nicolás bajo custodia y que, aparte de alusiones a su nombre, es lo único que se sabe de él. Toda empresa para dar con actas de nacimiento o defunción ha resultado estéril.

90. El transcriptor es inconsistente; en ocasiones reproduce las declaraciones textuales y en otras, como cuatro citas más abajo, corrige.

T.: No dijeron una palabra.

P.: Si no le dijeron nada ni vieron ustedes que agredieran a San Martín, ¿por qué huyeron enseguida?

T.: Por miedo a que me agolpearan.

Pdte.: Primero dijo usted que al llegar dio cuenta al mayordomo de la muerte de San Martín y después dice que no la presenció.

El Fiscal llamó la atención del Tribunal sobre las contradicciones en que incurre el testigo.

Pdte.: ¿Vio usted si los malhechores iban armados?

T.: Llevaban palos y machetes.

Pdte.: Examine a los procesados a ver si los conoce.

El testigo los examina rápidamente y declara que no lo conoce.

Pdte.: ¿Con qué arma hirieron a San Martín?

T.: Con un machete le dieron una herida en la garganta.

Pdte.: ¿Cómo iban vestidos?

T.: En manga de camisa.

Pdte.: ¿De qué color eran?

T.: De color pardo.

Pdte.: ¿Qué edad más o menos tenían?

T.: Eran de distintas edades; unos tenían barba y otros bigotes.

[Se manda retirar al testigo.]

Comparece Evangelista Rodríguez.[91] *Jornalero, de diecisiete años, soltero y vecino de Yauco.*

Presidente: ¿Conoce usted a los procesados?

Testigo: No tengo el honor de conocerlos.

Fiscal: ¿Dónde vivía usted?

T.: Vivía en el pueblo.

F.: ¿Acompañó usted a San Martín?

T.: Sí, señor; en compañía del peón Ramón Rodríguez.

F.: ¿En el camino se detuvieron en alguna parte?

T.: En la tienda de Batalla a tomar agua.

---

91. Otro personaje de difícil, si no imposible, identificación; incluso buscando con la combinación común de *Juan Evangelista*.

F.: ¿Qué sucedió después de salir de la tienda?

T.: Como a diez cuerdas de distancia, al llegar a una quebrada, se nos presentaron ocho hombres que venían de frente. Nosotros íbamos delante con la mula. Seis pasaron atrás donde San Martín y dos se apoderaron de la mula.

F.: ¿Qué les dijeron esos hombres?

T.: No dijeron nada.

F.: ¿Vio usted cuando mataron a San Martín?

T.: No, señor; porque, en unión de Rodríguez, huí.

F.: ¿A qué distancia separado de ustedes venía San Martín?

T.: Como a una cuerda.

F.: ¿Vio usted matar a San Martín?

T.: No, señor.

F.: ¿Qué hicieron los dos hombres que les rodearon?

T.: Cogieron la mula, cortaron la soga y se llevaron el fusil, yendo a reunirse con los que rodeaban a San Martín.

F.: ¿Usted los vio reunirse?

T.: Sí, señor.

F.: ¿Qué armas llevaban?

T.: Machetes y palos.

F.: ¿Y no vio usted qué hicieron al reunirse todos?

T.: No vi más nada.

F.: ¿Por qué huyeron ustedes al ver que los dos de la mula se unían a los otros sin hacerles nada a ustedes?

T.: Porque creíamos que nos iban a matar.

F.: ¿Y por qué creyeron eso? Si no huyeron al principio, ¿por qué después?

T.: Porque vimos matar a San Martín y temimos que hicieran lo mismo con nosotros.

F.: ¿Luego es cierto que vieron ustedes matar a San Martín?

T.: Sí, señor.

F.: ¿Cómo lo mataron?

T.: Le dieron con un perrillo y después que lo mataron se alejaron todos por el camino que conduce al pueblo.

F.: ¿Los asesinos le amenazaron a ustedes para que no dijesen nada?

T.: Sí, señor... no, señor.

F.: ¿En qué quedamos; sí o no?

T.: No, señor.

F.: Si viera usted a los asesinos, ¿los reconocería?

T.: No, señor, porque traían las caras tapadas con pañuelos.

F.: ¿Todos las traían tapadas?

T.: No me fijé, pero había muchos tapados.

F.: ¿Cómo era el que le dio la herida a San Martín?

T.: Era grueso y algo bajo y tenía un bigotito.

Se le presentan los procesados Eugenio Rodríguez y Rosalí Santiago y dice que no se les parece.

F.: Señor Presidente, como hay contradicción en lo que declara este testigo y lo dicho por Ramón Rodríguez, pido que se celebre un careo entre ambos.

Se celebra el careo. Ramón Rodríguez niega que viera matar a San Martín, pero al afirmar Evangelista que ambos lo presenciaron, confiesa que es cierto, que lo vio matar, viniendo a estar de acuerdo con los detalles dados por este. El Fiscal pide que se consigne el resultado del careo, pues se ve que el testigo Ramón Rodríguez ha venido a falsear la verdad. El Defensor pide a su vez que se consigne también que tanto en las declaraciones como en el careo los testigos no han reconocido a ninguno de los procesados.

[Se manda retirar a los testigos.]

Comparece ISABEL LÓPEZ DELGADO.[92] *Es la viuda de don Francisco Quirós.*[93]

Fiscal: ¿Dónde vivía usted?

Testigo: En el barrio de Duey.

F.: ¿La partida estuvo dos veces en su casa?

T.: Sí, señor; la primera noche estaba en la sala con mi marido cuando subieron al balcón dos o tres hombres y llamaron a mi esposo, pidiéndole prestado un fusil que tenía. Mi esposo se

---

92. María Isabel López Delgado aparece con dos fechas de nacimiento —1849 y 1860—, ambas razonables. Su acta de matrimonio en 1885 tampoco ofrece una fecha de nacimiento. Murió en 1934.

93. Quirós murió el 7 de agosto.

los dio, diciéndoles que se lo devolvieran, pues no era de él.

F.: ¿De quién era el fusil?

T.: Se lo había prestado el alcalde para que se defendiera.

F.: ¿A qué hora ocurrió eso?

T.: Entre siete y ocho de la noche.

F.: ¿Conoció usted a alguno de los hombres que allí estuvieron?

T.: No, señor, porque yo estaba en la sala sentada en una hamaca y ellos hablaban con mi esposo en el balcón.

F.: ¿Quiere decir que esos individuos no entraron a la sala?

T.: No, señor.

F.: ¿El fusil tenía bayoneta?

T.: Sí, señor.

F.: Después que le entregó el fusil su esposo se marcharon?

T.: Se marcharon diciéndole: «No tengas cuidado, que te lo devolveremos».

F.: ¿Su esposo, cuando les prestó el fusil, sería porque los conocía?

T.: Me dijo que el que se lo había pedido era Rosalí Santiago, a quien él conocía.

F.: ¿Cuándo volvieron?

T.: Tres noches después, como a las ocho, se presentó una partida. Entraron tres en la sala; iban tiznados y sucios. Amarraron a mi esposo en la sala y después entraron en mi cuarto, abrieron los baúles y cogieron todo lo que pudieron llevarse. Iban armados de fusiles y dispararon muchos tiros por las ventanas.

F.: ¿No vio si afuera había más gente?

T.: No, señor.

F.: Desde que entraron hasta que se fueron, ¿qué tiempo medió?

T.: Como cuatro horas.

F.: ¿Conoció usted a los que entraron en la casa?

T.: No, señor; pero mi esposo me dijo después que habían sido Rosalí Santiago, Nicolás Feliciano y Eugenio Rodríguez, *La Bruja*.[94]

---

94. Aquí *La Bruja* es posiblemente una añadidura editorial.

F.: ¿Su esposo los conocía de antes?

T.: Sí, señor.

F.: ¿No maltrataron a su esposo ni a usted?

T.: No, señor.

F.: ¿Qué más hicieron los ladrones?

T.: Al marcharse se llevaron un puerco que teníamos debajo de la casa; pero como el animal se resistía a caminar, lo mataron de un tiro, dejándolo muerto.

Los procesados desfilan por delante de la testigo sin que los reconozca, a excepción de Rosalí Santiago y Eugenio Rodríguez, [de quienes] dice «se le parecen».

[Se manda retirar a la testigo.]

Comparece JUANA NIEVES QUIRÓS.[95] *Es hija de la anterior, soltera, de dieciséis años.*

Fiscal: ¿Estaba usted en la casa las dos noches que estuvieron en ella los malhechores?

Testigo: Sí, señor.

F.: ¿Qué hicieron la primera noche?

T.: Subieron al balcón, llamaron a mi padre y le pidieron prestado el fusil y este se los entregó.

F.: ¿Y por qué se lo prestó?

T.: Porque eran conocidos.

F.: ¿Usted los vio?

T.: Sí, señor.

F.: ¿Iban armados?

T.: No, señor. Llevaban las caras tiznadas. Eran bajitos, gruesos y llevaban bigotes.

F.: ¿Qué ocurrió la segunda vez?

T.: Tres noches después se presentaron y subieron a la sala. Iban armados con fusiles, revólveres y machetes. Entraron en el cuarto y se llevaron todo, disparando muchos tiros y matando a

---

95. Juana Nieves Quirós López (1884-1935); primogénita del infortunado Quirós. Casó tres años después de la tragedia y enviudó al poco tiempo. Casó de nuevo en 1927 tras años de convivencia con Félix Ruiz.

un cerdo que teníamos.

F.: ¿Cuánto tiempo estuvieron?

T.: Como tres horas.

F.: ¿Usted no los conoció?

T.: No, señor; pero después que se fueron nos dijo mi padre que los tres que habían entrado eran Rosalí Santiago, Eugenio Rodríguez y Nicolás Feliciano.

F.: ¿Su padre los conocía de antes?

T.: Sí, señor, porque eran vecinos del barrio.

El Presidente hace que desfilen los procesados por delante de la testigo y esta señala como parecidos a Rosalí Santiago y Eugenio Rodríguez.

El Fiscal pide que, no habiendo comparecido los testigos Ramón Gómez y doña Ana Pacheco, se lean las declaraciones que prestaron en el Juzgado.

Ramón Gómez declaró que Rosalí Santiago estuvo en su casa para que le guardase un fusil, a lo que el declarante se negó; y que después supo se lo había guardado Félix Ruiz.

Doña Ana Pacheco, viuda de Méndez, declara al igual de sus hijos, añadiendo que la insultaron con palabras indecentes y le pegaron; que se pusieron a bailar alrededor del cadáver, pretendiendo que sus hijas bailasen también; que pudo conocer entre los bandidos a los hermanos Pacheco y a Simeón Rodríguez; y que reconoció como de propiedad de su esposo varios de los objetos que se encontraron en poder de los procesados.

El Fiscal pide se dé lectura a la certificación de autopsia, hecha por el doctor Gatell[96] *y que dice así:*

---

96. Rafael Ángel de Jesús Gatell García de Quevedo (1862–1916) fue un médico cirujano ponceño que ejerció como médico titular de Yauco. Como muchos médicos de práctica privada, era llamado a rendir testimonio forense en las cortes, cuando había en la isla al menos tres médicos forenses en propiedad, uno por audiencia. Estos médicos con frecuencia se vieron obligados a viajar considerables distancias por carreteras en mal estado o por ríos hinchados con tal de no incurrir en desacato y ser multados. Los gastos de viaje no eran reembolsables y raramente el médico recibía pago por

«*Don Prudencio Méndez representa de treinta a treintaicinco años, color blanco, pelo y bigote canoso, estatura baja y grueso. En la región postero externa[97] del lado izquierdo del cuello, a ocho centímetros hacia atrás y abajo[98] del ángulo maxilar inferior existía un orificio circular de doce milímetros de diámetro rodeado de una gran zona de piel ennegrecida. En el lado derecho derecha de la cara había una extensa solución de continuidad de doce centímetros en su mayor diámetro de bordes muy abiertos, desgarrados y contundidos.*

»*Disecados los tejidos blandos que rodeaban la herida, notóse que el trayecto de esta fue de abajo para arriba, de izquierda a derecha y de atrás adelante; que el proyectil penetró en la cavidad bucal y salió por la mejilla derecha, producindo a su paso la fractura conminuta del malar derecho, del maxilar superior del mismo lado, de los huesos de la nariz, del esperroide,[99] del etmoide[100] y de la rama derecha del maxilar inferior*».

---

sus servicios.* En el caso de Gatell, en febrero de 1900 el Gobierno le debía $136.50 que no nos consta que cobró (*Gaceta de Puerto Rico*, 17 de febrero de 1900, 1). Sobre las vicisitudes de estos médicos, véase también la declaración del galeno fajardeño Esteban López Giménez (1845–1905) (identificado como *C. López*, ya sea erróneamente o bajo un seudónimo), en Carroll, *Report*, 315–16; así como en su propia memoria, *Crónica del '98: el testimonio de un médico puertorriqueño*, ed. por Luce y Mercedes López-Baralt (Río Piedras: Ed. Libertarias, 1998), 187–201.

* Mejor lo dijo un colega suyo con motivo del deceso del galeno:
El doctor Gatell pertenece a la generación del sacrificio; la que tuvo que hacer ciencia pura en la abstracción por medio de un agudo y sutil afinamiento intelectual, huérfana de todas las conquistas médicas contemporáneas que permiten llegar a la realidad clínica por medios más fáciles y sencillos. (Manuel Quevedo Báez, en Pedro S. Malaret, «La salud pública en Yauco», en *Álbum histórico de Yauco [Puerto Rico]*, ed. y dir. por Francisco R. Lluch Negroni, 132–37 [España: s. e., 1960], 136; *cfr.* Trujillo-Pagán, *Modern Colonization*, 117, tabla 6)

97. Entiéndase *posteroexterna*.

98. En el original, *abajo*. Tanto esta fórmula como la anterior se repiten más adelante en la Sentencia, lo cual denota que no fue una errata de transcripción.

99. Entiéndase *esfenoides*; errata del transcriptor.

100. *Etmoides*.

En vista de los datos que anteceden, concluye: primero, que la muerte fue la consecuencia fatal de la conmoción y contusión nerviosa;[101] segundo, que dado los caracteres del orificio de entrada y del destrozo producido, deduce que el arma vulnerante fue una de fuego de gran calibre, por ejemplo, un rémington; tercero, que la lesión fue inferida a boca de jarro; y cuarto, que la muerte fue instantánea.

---

101. El acta de defunción define la causa de muerte como «conmoción traumática».

Informe del fiscal [1]

E l fiscal, señor Sánchez Montalvo, modifica sus conclusiones en el sentido de que se absuelva a Juan del
Carmen Feliciano por no estar demostrada su participación en los hechos objetos de este proceso. [2]

El Fiscal empieza su informe manifestando el estado de su
espíritu, verdaderamente sugestionado por la misión que la
toca representar; «es la primera vez, y quiera Dios sea la última,
que en este puesto me vea en la necesidad de solicitar para los
procesados la última pena. Pero esos hombres han desconocido
todos los deberes sociales y morales, realizando hechos verdaderamente salvajes; hechos que nos presentan ante la Metrópoli y
ante el mundo, como un pueblo atrasado, como un pueblo semi-
salvaje, cuando en realidad no es así, cuando los que tales crímenes cometen son, por fortuna, muy pocos en esta isla».

Relata el Fiscal cómo esta causa se incoó a raíz de cometerse
el crimen por el Tribunal ordinario y cómo o ella se acumula-
ron todas las pruebas de convicción, incluso la confesión de los
mismos procesados. Cuando esa causa estaba ya para fallarse,
pidióla la jurisdicción militar por entender que ella era la que

---

1. Reproducimos de *La Democracia* del 28 de diciembre de 1899. Editamos solo donde lo juzgamos perentoriamente necesario.

2. El joven murió en Nochebuena a consecuencia de su anemia. El registro de defunción lo anota erróneamente como «José».

debía entender en el proceso; y sin que se haya podido explicar la causa se extravió estando en poder de la jurisdicción militar. Pasado un año volvióse a disponer que la jurisdicción ordinaria iniciase de nuevo el procedimiento. No obstante haberse extraviado las pruebas principales de convicción, el Juzgado ha trabajado con tan gran interés, que ha podido reconstruirse la causa con pruebas y datos suficientes para patentizar a los autores del crimen.

Relata el Fiscal minuciosamente todos los hechos; analiza una por una todas las declaraciones de los procesados y los testigos; y pone bien de manifiesto hasta la culpabilidad de los procesados.

Como pruebas indiciarias están la negación de los procesados; como si obedeciesen a una consigna, todos niegan; ninguno, a excepción de los Pacheco, conocía a Méndez ni dónde estaba la casa; y hasta algunos, a pesar de ser naturales de Yauco, dicen que no sabía existiese [dicha casa] ni el barrio. No se explica tampoco la ignorancia de los Pacheco, vecinos y conocidos de Méndez, de no enterarse del crimen hasta pasados dos días.

Otro indicio, que no deja lugar a dudas, son los objetos encontrados en poder de los procesados y reconocidos como de su propiedad por la familia Méndez. A Eugenio Rodríguez se le encontraron unas tijeritas reconocidas por las señoritas Méndez como de su propiedad, pues tenían una marca especial y declaran haber visto cuando el procesado se apoderó de ellas, guardándolas en el bolsillo. Se le encontró también un reloj cuya procedencia no ha justificado, así como la del dinero que dice empleó en su compra.

Simeón Rodríguez manifiesta él mismo que se le encontraron varios objetos que fueron también reconocidos por la familia Méndez como de los substraídos la noche del crimen. Datos estos importantísimos.

De todos los que entraron en la casa de Méndez, solo los Pacheco iban tiznados. Y se explica: pues estos hermanos, como vecinos del barrio y conocidos de la familia Méndez, eran los únicos que tenían motivos para disfrazarse.

Contra Rosalí Santiago no solo existe el reconocimiento que de él hacen las señoritas Méndez y todos los testigos, sino además la circunstancia de andar prófugo, huyendo de la policía desde el día siguiente de cometido el crimen.

Todos los testigos han reconocido sin titubear a los procesados, como los individuos que penetraron en la casa de Méndez y cometieron el crimen.

Ángel Mattei reconoció a Eugenio Rodríguez, que fue quien mató a Méndez y además porque, en unión de Carlos Pacheco, era de los que le apuntaban con los fusiles.

Antonia Mattei declara honradamente que no vio allí a Simeón Rodríguez, pero afirma que vio a los hermanos Pacheco, que eran de antiguo conocidos de él [entiéndase Méndez].

A Rosalí Santiago lo han reconocido todos los testigos y le vieron vestido de americano con un cinto de cápsulas.

Rosa Rivera reconoció a Rosalí Santiago por ser el individuo que la cogió por el cuello; y a Eugenio Rodríguez porque habló con ella y le vio en el momento en que se guardaba las tijeritas.

En cuanto a Juan del Carmen Feliciano, nada aparece contra él; ni se han encontrado objetos en su poder ni hay un solo testigo que diga haberle visto en casa de Méndez la noche del crimen. Este procesado tuvo la desgracia de que su padre y su hermano Nicolás formasen parte de la partida, y por eso solamente se ha visto envuelto en esta causa. El Fiscal modifica, pues, sus conclusiones en cuanto a este procesado, pidiendo sea puesto en libertad enseguida.

Concluye el Fiscal su informe calificando el hecho de robo con homicidio con las circunstancias agravantes de realizarse en cuadrilla, de noche y con alevosía. Lee dos sentencias del Tribunal Supremo en apoyo de su tesis.

Y termina el Fiscal pidiendo la pena de muerte para los procesados Rosalí Santiago, Eugenio y Simeón Rodríguez y Carlos y Hermógenes Pacheco, dejándose el procedimiento en suspenso en cuanto a Nicolás Feliciano por hallarse prófugo.

El Presidente, en vista de lo pedido por el señor Fiscal, declara en libertad a Juan del Carmen Feliciano.

La defensa

El defensor, señor González Font, hace un discurso muy galano pero que es más bien un recurso oratorio que una defensa. Confiesa que a raíz de la invasión se operó en el país una gran perturbación; que se formaron para deshonra de este morigerado país, partidas de malhechores; que la justicia debe castigar con mano fuerte esos crímenes porque los tribunales son la salvaguardia de la sociedad.[1]

---

1. Mejor defensa habría provisto el anónimo autor* de una apología que apareció en *La Democracia* el 21 de diciembre de 1898 con el título «No lo creemos» y en reacción al rumor de que las fuerzas estadounidenses emplearían explosivos contra las partidas sediciosas:

> Según un colega capitaleño, parece que se va a dar orden para que se aplique la reciente ley de explosivos a los procesos que se siguen en esta isla por incendios, robos en cuadrillas y asesinatos. Si la ley a que se refiere el colega es la que acordaron varias naciones para castigar los delitos del anarquismo, nos parece demasiado fuerte para el caso presente. Sin salirnos del Código penal español, hay en él penas severísimas para esos delitos. Los robos e incendios verificados últimamente en esta isla no obedecen a una perversión moral en nuestro pueblo que amenace a la sociedad tan hondamente que sea necesario echar manos de medios de represión tan violentos. Esas partidas formadas en el momento de la invasión tomaron crecimiento merced al abandono en que se dejaron nuestros campos, huérfanos de toda vigilancia y de toda fuerza militar. Eran partidas de bandidos de ocasión, no de criminales empedernidos. La prueba está que jamás se había visto cosa igual en Puerto Rico y que tan pronto como salieron a recorrer los campos columnas militares,

Se declara abolicionista; dice que lo ha sido desde su juventud; que antes defendió la abolición de la esclavitud y que hoy, que no existe esta, defiende la abolición de la pena de muerte;

---

esas partidas se eliminaron. Todavía quedan restos perdidos por aquellos sitios en que la vigilancia es escasa. Pero esos criminales caerán en poder de la justicia si se organiza pronto la guardia rural que se tiene en proyecto. El gobierno americano, desconocedor hasta hoy de las costumbres del país y encontrándose al pisar esta tierra con hechos vandálicos de tal naturaleza, ha podido imaginar que aquí el bandolerismo es una enfermedad social. Y esto no es cierto. Puerto Rico hasta hoy ha sido uno de los países más honrados del mundo. Aquí no se conoció jamás el bandolerismo, y la criminalidad, comparada con la densidad de nuestra población, ha sido siempre bien escasa. Y sería injusto hacer recaer sobre un pueblo entero la responsabilidad de crímenes aislados. Es cierto que varios hechos aislados reunidos pueden denigrar a un país, o a lo menos acusar la responsabilidad de los que tienen a su cargo la educación del pueblo. Pero aquí no hay causas que justifiquen esos desafueros. Nuestros campesinos han vivido pobremente, pero no han sufrido los rigores de la miseria como en otros pueblos de Europa donde el anarquismo ha echado raíces. De la cabeza de esos desgraciados que se encuentran hoy en los calabozos no ha surgido la idea del mal. Alguien con predominio sobre ellos les indujo al crimen y a la venganza. Estos son, pues, los responsables de la vergüenza que sobre este país puedan arrojar tales hechos. Los que entre esas masas incultas laboraron en sentido criminal son los verdaderos culpables, los que deberían estar arrastrando una cadena. Pero estos suelen ser los más listos, los que escapan siempre a la acción de la justicia. En cambio, entre los que llenan las cárceles podrá haber muchos inocentes a quienes su ignorancia puede haber perdido, por no saber defenderse, u otros que sean criminales inconscientes que hayan sido arrastrados al crimen por el mal ejemplo. Y esto debe tenerse en cuenta. Castíguese con todo el rigor del Código a los que hayan realizado actos tan infames, pero no se ponga aquí en vigor la ley de explosivos que equivaldría a echar sobre las masas inconscientes de este país el veredicto universal.

    * Nominamos lo mismo al director en propiedad del periódico, Mariano Abril y Ostaló (1861–1935), que al interino Gumersindo Rivas (abajo, DE CAPILLA—, nota 5) como el paladín de tan apasionada defensa que estimamos digna de reproducirse en su totalidad para fines de contexto, comparación y reflexión. Véanse juicios similares en Carroll, *Report*, 603–4; y Picó, *1898*, 151–52.

que no puede estar, por tanto, conforme con la pena pedida por el Fiscal; y concluye pidiendo al Tribunal absuelva a los procesados porque, en su criterio, no existen pruebas ni está comprobado lo dicho por los testigos.

El señor González Font cumplió con la misión del defensor, pero en el terreno legal no pudo destruir una sola de las acusaciones del Fiscal.[2]

Concluida la defensa, el Tribunal se retiró a deliberar.[3]

---

2. González Font defendió en su momento algunos de los casos más sonados ante las comisiones militares e influyó en la absolución de once de los veintiséis acusados por participación en partidas sediciosas procesados en Ponce hasta 1899. Su fracaso en este demuestra que no era lo mismo refutar acusaciones en una corte compuesta de militares desconocedores de Derecho* que en un tribunal de civiles donde cada integrante era un jurista. Puede que en sus últimos años se le tuviera como un profesional ejemplar,† pero lo cierto es que su reputación a principios de década, como relator de Audiencia e inspector de Instrucción Pública, entre otros puestos, dejó mucho que desear, con tildes de negligente, insensible y arrogante (*Gaceta de Puerto Rico*, 30 de diciembre de 1890, 1; «Comunicado», *La Correspondencia de Puerto Rico*, 7 de diciembre de 1892, 3; «Comunicados», *La Democracia*, 11 de junio de 1895, 3).

* Sobre las vicisitudes y peculiaridades de las comisiones, véanse Picó, 1898, 145–60, y Díaz Quiñones, *Once tesis*, 33–50.

† Incluso un panegirista anónimo tuvo a bien dedicarle versos como:

> Don Juan González Font, el licenciado,
> aunque alguno reniegue,
> es más puro que el manto de los cielos,
> que es un manto sin pliegues. («A diestro y siniestro», *La Democracia*, 3 de febrero de 1898, 2)

3. El juicio por jurado es una institución estadounidense introducida en 1901. Anterior a ello, a la usanza española, tres jueces (cinco cuando se trataba de pena capital) se reservaban el fallo. Más en «Charles H. Allen, Covering the Period from May 1, 1900, to May 1, 1901», en *Elihu Root Collection of United States Documents: Ser. A.–F.* (Wash.: Govt. Print. Off., 1901), 131–36; J. Tous Soto, «Apuntes para la reforma de nuestra legislación penal», *Revista del Ateneo* 1, n.º 1 (1905), 4–6.

Sentencia[1]

Pronunciada después del juicio oral en la causa contra Rosalí Santiago y otros por robo y homicidio, leída públicamente y aprobada por los señores magistrados de la Corte de Distrito de Ponce:

1.ª ¿Una partida de quince a veinte hombres armados de fusiles y machetes, entre los que estaban Rosalí Santiago, Eugenio Rodríguez (a) *El Brujo*, Simeón Rodríguez (a) *Bejuco*, Hermógenes y Carlos Pacheco y Juan Manuel Feliciano, este último fallecido, capitaneados por Nicolás Feliciano, declarado rebelde, concertaron efectuar un robo en la casa de don Prudencio Méndez? —*Sí*.

2.ª ¿En la noche del 28 de octubre y hora de las diez, esa partida, en la que iban tiznados los hermanos Carlos y Hermógenes Pacheco, se constituyó en la casa morada de don Prudencio Méndez, y formando semicírculo al frente de dicho señor, el que hacía de jefe, Nicolás Feliciano, le reclamó diez mil pesos y como contestase no tenerlos, Eugenio Rodríguez (a) *El Brujo*, que se hallaba al lado izquierdo y hacia atrás de Méndez, con un fusil rémington le disparó un tiro a boca de jarro en la región postero externa del lado izquierdo del cuello, ocho centímetros hacia atrás y abajo del ángulo del maxilar inferior, cuya bala, llevando

---

1. Leída en corte el 21, anunciada en la edición del 22 y publicada el 23. Editamos solo donde lo juzgamos perentoriamente necesario.

una dirección de abajo a arriba, salió por la mejilla derecha causando la muerte instantánea? —*Sí*.

3.ª ¿Constituida la muerte del señor Méndez, la partida sustrajo todos los efectos que encontró en la casa de aquel señor, no recuperados en su totalidad y sí valorados en seiscientos pesos? —*Sí*.

4.ª ¿Estos hechos constituyen un delito complejo de robo con homicidio, previsto y castigado en el artículo 521, número 1.º, del Código Penal? —*Sí*.

5.ª ¿Son autores de dicho delito, por participación directa los acusados Eugenio y Simeón Rodríguez, Carlos y Hermógenes Pacheco y Rosalí Santiago? —*Sí*.

6.ª ¿Son de apreciar en la comisión del hecho las circunstancias agravantes 3.ª, 9.ª, 16, 21 y 26 del Código Penal, o sea, las de alevosía, disfraz, de noche en despoblado y en cuadrilla, haber ejecutado el hecho en la morada del ofendido y haber hecho uso de armas prohibidas por los reglamentos? —*Sí*.

7.ª ¿Debe imponerse a los acusados Eugenio y Simeón Rodríguez, Carlos y Hermógenes Pacheco y Rosalí Santiago la pena de muerte en la forma que determina el artículo 100, y como responsabilidad civil indemnizar a los herederos de don Prudencio Méndez de mancomún o insolidum mil seiscientos pesos y parte proporcional de costas? —*Sí*.

8.ª ¿Por fallecimiento del que fue procesado en esta causa Juan Manuel Feliciano, debe declararse extinguida la acción penal ejercitada contra el mismo? —*Sí*.

9.ª ¿Por falta de prueba de los hechos imputados a Juan del Carmen Feliciano, debe este, ya puesto en libertad, ser absuelto de toda responsabilidad? —*Sí*.

10.ª ¿Debe suspenderse el procedimiento por lo que hace al acusado rebelde Nicolás Feliciano, hasta que se presente o fuere habido? —*Sí*.

11.ª ¿Apareciendo de las piezas de responsabilidad que los acusados carecen de bienes, procede declararlos insolventes? —*Sí*.

12.ª ¿De acuerdo con los principios que informan nuestro

sistema acusativo, retirada la coligación por el señor Fiscal en cuanto a Eugenio Rodríguez y Rosalí Santiago, por lo que hace al delito de robo con homicidio de Manuel San Martín, deben ser absueltos dichos acusados por ese hecho? —*Sí*.

13.ª ¿Una noche del año en curso, 1899, sin que pueda precisarse fecha, Eugenio Rodríguez (a) *El Brujo*, Rosalí Santiago y un desconocido, armados de fusiles y revólveres y con el rostro tiznado, penetraron en la casa en despoblada, de don Francisco Quirós, y luego de amarrado y disparar varios tiros se apoderaron de todos los objetos que hallaron en la casa y que han sido valorados en trescientos pesos? —*Sí*.

14.ª ¿Este hecho constituye un delito de robo comprendido en el caso 5.º del artículo 591, cualificado en el 522 del Código Penal citado, por haberse realizado o hecho en despoblado? —*Sí*.

15.ª ¿Son sus autores los acusados Eugenio Rodríguez (a) *El Brujo* y Rosalí Santiago? —*Sí*.

16.ª ¿Es de apreciarse en la comisión del delito las circunstancias agravantes 9.ª y 21 del ameritado texto, o sea, la de disfraz y ejecutar el hecho en la morada del ofendido? —*Sí*.

17.ª ¿Debe imponerse a cada uno de los acusados Eugenio Rodríguez (a) *El Brujo* y Rosalí Santiago la pena de diez años de presidio mayor, con trabajos forzados, accesorias del artículo 56 y parte proporcional de indemnización al perjudicado trescientos pesos? —*Sí*.

18.ª ¿Apareciendo de las piezas de responsabilidad que los procesados carecen de bienes, deben ser declarados insolventes? —*Sí*.

19.ª En su consecuencia: el Tribunal acuerda por humanidad:

1.º Absolver a Eugenio Rodríguez (a) *El Brujo* y a Rosalí Santiago del delito de robo con homicidio en la persona de Manuel San Martín.

2.º Condenar a Eugenio Rodríguez (a) *El Brujo* y a Rosalí Santiago, como autores por participación directa, de robo a mano armada a don Francisco Quirós, a la pena de diez años de presidio mayor con trabajos forzados, accesorias del artículo 56 y parte proporcional de costas, con indemnización de trescientos pesos al perjudicado.

3.º Rosalí Santiago, Eugenio Rodríguez (a) *El Brujo*, Simeón Rodríguez (a) *Bejuco*, Carlos Pacheco y Hermógenes Pacheco, son condenados a la pena de muerte, que se ejecutará en la forma que determina el artículo 100, y como responsabilidad civil a indemnizar a los herederos de don Prudencio Méndez, de mancomún e insolidum en mil seiscientos pesos oro, y parte proporcional de costas.

(*Firmado*)

Segunda parte

—al suplicio

Casación

Tanto Eugenio Rodríguez como Rosalí Santiago rieron al escuchar la sentencia, cual en desafío al Tribunal, y la comentaron jocosamente a su salida de sala.[1] El primero remachó lo absurdo de que se le condenara por causas que conoció después de encerrado, y el otro porfió en su inocencia y segura absolución en virtud de que tenía madre y hermanas menores, sin mencionar que era la primera vez que estaba preso. Simeón y los hermanos Pacheco, en cambio, se afligieron, pero dijeron confiar en Dios y en un fallo a su favor una vez el caso llegara al Tribunal Supremo. Este último dato sugiere que, así no conste en las referencias consultadas, los reos estaban al tanto de que a todo fallo de sentencia de muerte le correspondía una apelación, ya la incoara la Defensa o el Ministerio Fiscal.

El nuevo año recibió a los reos sin indicios de que su defensor incoara el recurso de casación (de hecho, González Font pareció desentenderse de ellos para enfocar sus esfuerzos en la causa por atentado contra el alcalde de Guayama).[2] En todo caso, tal

---

1. Algunos partes de prensa mantienen que los cinco acusados rieron (véase, p. ej., «Noticias», *La Correspondencia de Puerto Rico*, 27 de diciembre de 1899, 3).

2. No contamos con los detalles del supuesto atentado, pero tenemos la impresión de que no fue un asunto tan grave como se quiso hacer creer en la prensa. Al funcionario Celestino Domínguez Gómez (1855–1927) se le vio en otros puntos de la isla, de buen ánimo y salud. González Font también se

vez solo habrían oído decir que se continuaba la búsqueda del elusivo Nicolás Feliciano.[3]

La anhelada casación la incoó finalmente el Ministerio Fiscal de Ponce, con una petición de que solo se condenara a pena de muerte a Eugenio Rodríguez y a catorce años y ocho meses de cadena temporal a los demás.[4] Las lagunas en la prensa entre un proceso y otro nos niegan toda constancia de las reacciones de los reos, en particular de Eugenio. Convendría acogernos a la propia sentencia del 6 de marzo a fin de conocer como mínimo el contexto del recurso de casación:[5]

Tribunal Supremo de Justicia de Puerto Rico.

Sentencia.[6] —En la ciudad de San Juan Bautista de Puerto Rico,

---

aprestaba a defender a los acusados de un homicidio ocurrido en Adjuntas en diciembre de 1899. Del número de juicios orales celebrados en diciembre, solo los procesados que nos interesan recibieron sentencias de muerte; no fueron los únicos acusados por homicidio, pero sí los únicos con agravantes («Tribunales de Ponce», *La Correspondencia de Puerto Rico*, 25 de diciembre de 1899, 2).

3. Véase, p. ej., «Don Juan Mattei Rodrigues, Juez municipal de Yauco», *Gaceta de Puerto Rico*, 3 de enero de 1900, 3. Aunque acusado en ausencia en una retahíla de crímenes antes y después de los de San Martín y Méndez, nunca se dio con Nicolás. En la última noticia que se tiene de él, dos años después, se le sigue dando por prófugo y recordando como uno de los participantes en el homicidio de «un tal Prudencio Méndez» (hasta este parece haber sido olvidado) («Los sentenciados a muerte en Ponce», *La Correspondencia de Puerto Rico*, 26 de mayo de 1902, 2; «Los sentenciados a muerte: denegación de indulto», *La Democracia*, ídem, 3). Como establecimos (arriba, Juicio oral, nota 89), no hemos podido dar con partidas de nacimiento o defunción y la única descripción física es esa de «*alto, castaño, bien parecido*» que ofrece Antonia Mattei.

4. «Un condenado a muerte», *La Correspondencia de Puerto Rico*, 1 de marzo de 1900, 3.

5. Celebrado el 28 de febrero de 1900.

6. Reproducido de la *Gaceta de Puerto Rico*, 4 y 5 de abril de 1900, con revisiones menores; las más significativas son a nombres, como el de Rosalí Santiago, que aparece como *Rosaly*, y el de los hermanos Pacheco, que apa-

a seis de marzo de mil novecientos, en el recurso de casación que ante nos pende, interpuesto y admitido de derecho en beneficio de Rosalí Santiago y otros, contra sentencia pronunciada por el Tribunal del Distrito de Ponce, en causa por robo con homicidio y robo. Resultando que por dicho Tribunal se dictó la expresada sentencia en veintiséis de diciembre del año pasado, consignando los hechos en los siguientes resultandos:

—Resultando probado que un día, cuya fecha no puede precisarse, pero anterior al veintiocho de octubre de mil ochocientos noventa y ocho, una partida de quince o veinte hombres armados de fusiles rémington, revólveres y machetes, entre la que estaban Rosalí Santiago, Eugenio Rodríguez López (a) *El Brujo*, Simeón Rodríguez (a) *Bejuco*, Hermógenes y Carlos Pacheco Torres y Juan Manuel Feliciano Pérez, que falleció en dieciséis de noviembre último, capitaneados por Nicolás Feliciano Martínez, que no ha sido habido y está requisitoriado, con el estímulo de la situación anormal de la Isla a raíz de la ocupación americana y los continuos robos que se venían realizando, acordaron un plan para apropiarse por la fuerza del dinero y efectos que tuviera don Prudencio Méndez y Martínez [*sic*] en la casa que él habitaba en unión de su familia, sita en el lugar de «Las Cuarenta», barrio Algarrobo, del término municipal de Yauco, aislada y oculta en el fondo de la propiedad en que enclava.

—2.º Resultando probado que para la ejecución del proyecto concebido el veintiocho de octubre de mil ochocientos noventa y ocho y hora de las diez de su noche, esa partida, portando las armas dichas y yendo varios con el rostro tiznado de negro de humo, entre otros los hermanos Carlos y Hermógenes Pacheco, se dirigió a la casa del Sr. Méndez, llegando hasta ella por corte de los alambres que la circundaban, pues el portón estaba cerrado.

—3.º Resultando así mismo probado que a los pocos instantes y en momentos en que el Sr. Prudencio Méndez iba a recogerse para dormir en unión de la familia, la partida subió a la casa precipitadamente y entrando en el comedor contiguo a la sala y donde

recen unas veces como *Pacheco y Torres* y otras sin la conjunción. El deletreo de números, siempre y cuando no contravenga las convenciones aceptadas, también se ha revisado; así que, por ejemplo, *diez y seis* leerá *dieciséis* y *veinte y dos*, *veintidós*, mientras que *noventa y ocho* permanecerá como tal.

se hallaba aquél, desprevenido e indefenso, le rodearon formando [un] semicírculo al frente, en cuyo centro estaba el que hacía de jefe Nicolás Feliciano, quien le reclamó diez mil pesos, y como contestara que no los tenía, Eugenio Rodríguez (a) *El Brujo*, que hubo de colocarse al lado izquierdo y hacia atrás del reclamado Méndez, con el fusil rémington que portaba le disparó en el acto un tiro a boca de jarro en la región postero externa del lado izquierdo del cuello, ocho centímetros hacia atrás y abajo del ángulo del maxilar inferior, cuya bala, llevando una dirección de abajo a arriba, de izquierda a derecha, y de atrás hacia adelante, penetró en la cavidad bucal y salió por la mejilla derecha, causando una abertura de doce centímetros, con bordes muy abiertos y desgarrados, y produciendo a su paso la fractura conminuta del molar derecho del maxilar superior del mismo lado de los huesos de la nariz, esfenoides, etmoides y de la rama derecha del maxilar inferior, existiendo entre las esquirlas de los huesos algunos trozos de materia encefálica dislacerada, viniendo como consecuencia necesaria de la lesión, la inmediata muerte de la desgraciada víctima.

—4.º Resultando de prueba plena que los acusados y sus acompañantes, una vez perpetrado tan horrendo crimen, ataron fuertemente a los jóvenes hijos, familiar y criado del interfecto, e intimidando a las mujeres para que no salieran de la habitación donde se habían refugiado, procedieron a hacer un minucioso registro de la casa, y con fractura de baúles y roperos, sustrajeron y echaron en sacos cogidos también en el lugar del suceso un reloj y una leontina, cuatro aros, tres sortijas, dos ternos, un alfiler de señora con el retrato del Sr. Méndez, dos pares [de] pantallas, dos cadenas, un brazalete, un junquillo y una llave, todos esos objetos de oro, cinco pulseras de oro y plata, dos pares [de] tijeras, cuatro trajes de casimir sin hacer, y cinco de la misma tela ya confeccionados, seis trajes de dril, cuatro o cinco pares de zapatos, otros tantos sombreros, varios vestidos para mujer, toallas, sábanas de hilo y demás efectos, siendo apreciados todos, en unión de los daños causados a los muebles en seiscientos pesos oro.

—5.º Resultando probado que luego de efectuado el robo, aún no satisfecho el apetito de lucro de los malhechores, intimidaron con amenazas a las consternadas mujeres, esposa, hijas y familiares de Méndez para que enseñaran en qué sitio tenía la víctima enterrada la caja de hierro con el dinero, y como obtuvieran una respuesta negativa, el Nicolás Feliciano, tomando las manos de la infeliz viuda, dióle un revólver para que por la fuerza y usando palabras obscenas y ultrajantes para su sexo, fuera a rematar la víctima si aún le quedaba vida, y no habiendo obtenido su propósito dicho Feliciano, completó la obra de ignominia poniendo sus manos sobre el venerado rostro de la atribulada señora, que hubo de rodar por el suelo, intentando entonces, aunque infructuosamente el repetido Feliciano, que la sirvienta de la casa con una vela encendida al efecto alumbrara la cara informe del occiso, tras lo cual los acusados y compañeros no habidos, tomando una sinfonía que encontraron en la casa, se pusieron unos a tocarla y los demás a bailar a sus acordes alrededor del cadáver de Méndez, al que injuriaban con palabras deshonestas y sin miramiento alguno para con la esposa e hijos allí presentes, que por la fuerza tuvieron que sufrir sin la menor queja tan desmedidos sentimientos de crueldad de los malhechores.

—6.º Resultando justificado de igual modo, que después de realizados los hechos anteriores y en los que se invirtieron tres horas aproximadamente, los acusados y sus acompañantes amenazaron de muerte a los supervivientes de la casa si delataban los crímenes realizados, y tras algunos disparos de arma de fuego abandonaron la casa de don Prudencio Méndez, repartiéndose luego el botín, y habiéndose ocupado más tarde en poder de Simeón Rodríguez (a) *Bejuco* un par [de] pantaloncillos, una sábana pequeña y otra grande de hilo, una toalla felpuda grande y una navaja de afeitar; en el de Juan Manuel Feliciano unas tijeras finas de bordar, una sábana de hilo y una americana; y en el de Eugenio Rodríguez (a) *El Brujo* un saco lleno de ropa que no se detalla y otro par de tijeras, objetos todos estos que fueron reconocidos por los familiares del Sr. Méndez como parte de los que fueron sustraídos la noche del robo, siendo también ocupados en la casa del Simeón Rodríguez una escopeta, un paquete de pólvora, otro de municiones, otro de sebo, una caja [de] fulminantes y un cuerno ahuecado y lleno de pólvora; y en la de Juan Manuel Feliciano una barra de hierro en forma de bastón.

—7.º Resultando que iniciado el oportuno sumario en averiguación de los relatados hechos, por el extinguido Juzgado de Instrucción de esta ciudad, con fecha dos de noviembre de mil ochocientos noventa y ocho, se siguió por todos sus trámites hasta el seis de enero último, en que por auto fundado se inhibió el Juez Instructor ordinario a favor de los tribunales militares, que lo requirieron al efecto, auto confirmado por el de la ex Audiencia, su fecha trece de febrero, y en su consecuencia a ellos se remitieron las actuaciones practicadas y piezas de convicción.

—8.º Resultando que en diez de octubre último, el Honorable Procurador General,[7] por despacho telegráfico, ordenó a esta Corte de Justicia siguiera tramitando el sumario hasta su definitivo fallo, y no devolviéndose ni lo actuado ni los objetos que se ocuparon, se ordenó al Juez Municipal de Yauco la nueva iniciación de dicho sumario, a lo que dio comienzo en veintisiete de octubre próximo pasado.[8]

—9.º Resultando que en la mañana de un día no conocido mas sí perteneciente al año mil ochocientos noventa y ocho, al pasar Manuel San Martín por el barrio de Aguas Blancas de dicho pueblo de Yauco, y terrenos de don Francisco Mejía, le salió al encuentro una partida de seis u ocho hombres armados, y acometiéndole con palos y machetes, le causaron la muerte, sustrayéndole luego un par de zapatos de su propiedad que se justiprecian en cuatro pesos y un fusil de don Juan Alonso, su valor veinticinco pesos, ambas cosas no habidas. Hecho probado.

—10.º Resultando probado que una noche que no se determina del año en curso mil ochocientos noventa y nueve, Eugenio Rodríguez López (a) *El Brujo*, Rosalí Santiago y uno desconocido, llevando los tres sus caras tiznadas con negro de humo y portan-

---

7. Rafael Nieto Abeillé (1861–1916), jurista cubano educado en España, servía como fiscal en su tierra natal cuando se le nombró juez en San Juan. Llegó a ocupar varios puestos de importancia gracias a su fluidez en el inglés, lo que contribuyó a un buen entendimiento entre los gobernadores militares estadounidenses y los tribunales locales. Renunció a la presidencia del Tribunal Supremo por su descontento con el Acta Foraker, para regresar a Cuba, donde continuó su profesión hasta su muerte.

8. El citado telegrama eludió nuestros esfuerzos, pero tenemos constancia de que en el *Boletín Mercantil* del 19 de agosto se invitó al juez Becerra a atender «lo dispuesto en el párrafo 3.º de la orden general número 40». La orden general tampoco figura en las colecciones de órdenes generales atinentes a Puerto Rico que consultamos.

do fusiles y revólveres, se constituyeron en la casa morada de don Francisco Quirós y su familia, que, aislada en la finca, está sita en el término municipal de Yauco y barrio Duey, y luego de amarrarlo fuertemente y disparar varios tiros, procedieron a la sustracción de todo lo que hallaron en la casa, entre otros los siguientes objetos: una máquina de coser, siete pañuelos de seda, seis varas de cinta, un espejo pequeño, dieciséis cortes de de dril, la ropa de la esposa e hija, dos sortijas grandes de oro, cinco más pequeñas, cincuenta libras de arroz, veinticinco de bacalao, una caja [de] velas [de] esperma, un cuartillo [de] aceite, un paquete [de] fósforos, un garrafón anisado, seis frisas, un par [de] argollas de oro, dos docenas [de] platos, una docena [de] cucharas de plata, un cerdo que mataron porque no quiso caminar y cincuenta pesos en metálico, nada de lo que fue habido y sí ha sido justipreciado todo en trescientos pesos.

—11.º Resultando que el Juez Municipal procedió en un solo sumario a la averiguación de todos los hechos relacionados, remitiéndolo al Honorable Sr. Fiscal en dieciséis del pasado mes de noviembre, quien los elevó al Tribunal en veintidós con el oportuno escrito de conclusiones, cuyo trámite fue conferido a los defensores de los acusados, y, evacuado, se señaló el día veinte del actual para dar comienzo a las sesiones del juicio oral.

—12.º Resultando que antes de ese día se recibió certificación acreditando el fallecimiento de Juan Manuel Feliciano Pérez, y conferida vista al Sr. Fiscal, dictaminó se declarase extinguida la acción penal a aquel acusado».

Resultando que el Tribunal del Distrito de Ponce estimó que los hechos probados constituyen tres delitos distintos, a saber: uno de robo, con homicidio en la persona de don Prudencio Méndez; otro igual de robo y homicidio en la persona de don Manuel San Martín; y el tercero de robo a don Francisco Quirós, previstos y castigados los dos primeros en el número 1.º del artículo 521 de Código Penal, y el último en el número 5.º del mismo artículo, siendo autores del robo con homicidio en la persona de Méndez, Eugenio Rodríguez (a) *El Brujo*, Simeón Rodríguez (a) *Bejuco*, Rosalí Santiago y Carlos y Hermógenes Pacheco Torres, y del robo a Quirós, Eugenio Rodríguez López (a) *El Brujo* y Rosalí Santiago, sin que se haya justificado que estos tuvieran participación en el robo con homicidio de San Martín, como tampoco que Juan del Carmen Feliciano la tuviera en el robo con homicidio de don Prudencio Méndez, por lo que apreciando aquel Tribunal en el robo con homicidio de Méndez las circunstancias agravantes 3.ª, 9.ª, 16.ª, 21.ª y 26.ª del artículo 10 del Código Penal, y en el robo a Quirós las agravantes 9.ª, 16.ª y 21.ª de las expresadas, vistos los artículos citados y demás concordantes de aplicación condenó a Eugenio Rodríguez López (a) *El Brujo*, Simeón Rodríguez (a) *Bejuco*, Rosalí Santiago, Carlos Pacheco Torres y Hermógenes de los mismos apellidos, por el robo con homicidio de don Prudencio Méndez, a la pena de muerte, que se ejecutará en la forma que determina el artículo 100 del Código Penal, con las accesorias de inhabilitación absoluta perpetua y sujeción a la vigilancia de la autoridad durante la vida de todos ellos para caso de indulto, si no se remitieran expresamente, indemnización mancomunada y solidaria de mil seiscientos pesos oro a los herederos de Méndez y pago de cinco décimas partes de costas; condenó igualmente a Eugenio Rodríguez López (a) *El Brujo* y Rosalí Santiago por el robo a Quirós a la pena de diez años de presidio mayor con trabajos forzados, accesorias, indemnización mancomunada y solidaria de trescientos pesos a Quirós o sus herederos, y pago de dos décimas partes de costas; absolvió a Juan del Carmen Feliciano Martínez por el robo con homicidio de Méndez y a Eugenio Rodríguez López (a) *El Brujo* y Rosalí Santiago por el robo con homicidio de San Martín, con tres décimas partes de costas de oficio; declaró extinguida la acción penal en cuanto a Juan Manuel Feliciano Pérez por fallecimiento del mismo y suspendió el curso del procedimiento en lo relativo al ausente Nicolás Feliciano Martínez hasta que se presente o fuere habido.

Resultando que contra esa sentencia se preparó recurso de casación por infracción de Ley por parte de los condenados a la pena de muerte, y remitida la causa a este Supremo tribunal por virtud del recurso preparado y admitido de derecho no lo interpuso el Letrado defensor de aquellos por no encontrar motivos para hacerlos, habiéndolo interpuesto el Ministerio Fiscal, quien lo fundó en los números 3.º, 4.º y 5.º del artículo 849 de la Ley de Enjuiciamiento, citando como infringidos:

—Primero. El artículo 521 del Código Penal, en su número 1.º, por aplicación indebida respecto de Simeón Rodríguez (a) *Bejuco*, Rosalí Santiago y Carlos [y] Hermógenes Pacheco Torres, que no tuvieron participación en la muerte de don Prudencio Méndez, la que fue ejecutada únicamente por Eugenio Rodríguez (a) *El Brujo*.

—Segundo. El artículo 522 de dicho Código, en relación con el número 5.º del 521, por su inaplicación a Simeón Rodríguez (a) *Bejuco*, Rosalí Santiago y Carlos y Hermógenes Pacheco Torres en el robo con homicidio de Méndez.

—Tercero. Los artículos 1.º y 12.º del propio Código, por estimarse autores responsables a los cuatro individuos anteriormente expresados, no solo del robo cometido en la casa de Méndez, sino también del homicidio de este, que aquellos no ejecutaron.

—Cuarto. El artículo 10 del repetido Código, en su circunstancia 3.ª, por no haber concurrido en el robo con homicidio de Méndez los elementos que integran la alevosía, la cual en su caso solo sería apreciable respecto de Eugenio Rodríguez.

—Quinto. El mismo artículo 10, en su circunstancia 9.ª, pues esta, constituida por el empleo de disfraz, solo ha podido apreciarse en los hermanos Carlos y Hermógenes Pacheco Torres y no en sus compañeros condenados a muerte.

—Sexto. El artículo 10 también, en su circunstancia agravante 16.ª, por no poderse estimar como modificativa de responsabilidad criminal, sino como calificativa del delito de robo en cuadrilla respecto de los que no intervinieron en la muerte de don Prudencio Méndez.

—Resultando que el Ministerio Fiscal en el caso de la vista sostuvo el recurso, y que la defensa de los reos condenados a muerte recomendó al Tribunal las alegaciones hechas por aquel.

—Visto. Siendo ponente el juez asociado don Luis de Ealo y Domínguez.

—Considerando que siendo indiscutible, según los hechos consignados como probados en la sentencia que Eugenio Rodríguez López (a) *El Brujo*, Simeón Rodríguez (a) *Bejuco*, Rosalí Santiago, Carlos Pacheco Torres y Hermógenes de los mismos apellidos se reunieron con otros para asaltar la casa morada de don Prudencio Méndez, sita en el lugar de «Las Cuarenta», barrio Algarrobo, del término municipal de Yauco, en la que penetraron armados, apoderándose de varios efectos y alhajas, y estando también acreditado que para verificar el robo el Eugenio Rodríguez, sin oposición de los demás co-reos, disparó un tiro a Méndez con el fusil rémington que portaba, causándole la muerte, es indudable que esos hechos constituyen el delito complejo de robo con ocasión del cual resultó el homicidio de Méndez, delito complejo previsto y castigado en el número 1.º del artículo 521 del Código Penal, sin que obste a tal calificación que solo Eugenio Rodríguez ejecutara el homicidio, pues todos los individuos expresados tomaron participación en el robo del que resultó la muerte de Méndez, y todos por consiguiente son autores responsables del delito de robo con homicidio e incurrieron en la sanción penal que el Código les señala.

—Considerando que la circunstancia agravante 16.ª del propio artículo 10 del Código Penal ha sido bien apreciada por el Tribunal sentenciador en su triple aspecto de nocturnidad, de despoblado y en cuadrillas, pues sus elementos se perciben distintamente en el caso de que se trata y determinan en grado mayor de perversidad por no ser inherentes al delito.

—Considerando que aunque se estime que el disfraz empleado por los hermanos Carlos y Hermógenes Pacheco constituye respecto de estos únicamente la circunstancia agravante 9.ª del artículo 10 del Código, sin que por tanto perjudique a los demás condenados a muerte, esto no es suficiente para destruir la importancia y efectos de las también agravantes ya expresadas, de los números 3.º y 16.º del mismo artículo a que se refiere el recurso interpuesto, y de los otros números 21.º y 26.º de haberse ejecutado el hecho en la morada del ofendido y de uso de arma prohibida, que no son de materia del recurso y que como aquellas han sido estimadas con acierto en la sentencia.

—Considerando que la pena de muerte impuesta a Eugenio Rodríguez (a) *El Brujo*, Simeón Rodríguez (a) *Bejuco*, Rosalí Santiago y Carlos y Hermógenes Pacheco Torres es la procedente según la calificación aceptada de los hechos justiciables que la motivan, de la participación en ellos de dichos penados y de las circunstancias agravantes concurrentes, sin ninguna otra atenuante de responsabilidad criminal.

—Considerando que examinada la causa no encuentra esta Sala motivo de casación en la forma ni en el fondo que estimar a favor de los condenados a la pena de muerte.

—Fallamos: que debemos declarar y declaramos no haber lugar al recurso de casación admitido de derecho en beneficio de

Eugenio Rodríguez López (a) *El Brujo*, Simeón Rodríguez (a) *Bejuco*, Rosalí Santiago y Carlos Pacheco Torres y Hermógenes de los mismos apellidos, declarando de oficio las costas; lo que a su tiempo se comunique al Tribunal del Distrito de Ponce, con devolución de la causa, y pase esta al Sr. Fiscal a los efectos del artículo 953 de la Ley de Enjuiciamiento Criminal.

—Así por esta nuestra sentencia que se publicará en la *Gaceta* oficial lo pronunciamos, mandamos y firmamos.[9]

—JOSÉ S. QUIÑONES.[10] —JOSÉ C. HERNÁNDEZ.[11] —JOSÉ M.ª FIGUERAS.[12] —JUAN MORERA MARTÍNEZ.[13] —LUIS DE EALO Y DOMÍNGUEZ.[14]

---

9. El Tribunal Supremo sustituyó el Tribunal de Apelaciones o «Audiencia Territorial» (1831–1898) mediante la Orden General 19 del 2 de diciembre de 1898 (véanse transcripción abajo, apénd. III; original en inglés en Davis, *Report*, 92; y/o versión bilingüe en *Gaceta de Puerto Rico*, 8 de diciembre de 1898, 1). Sus primeros siete magistrados fueron los que se mencionan en las siguientes notas, más José de Diego y Rafael Nieto Abeillé.

10. José Severo Quiñones Caro (1839–1954); abogado y juez sanjuanero y primer presidente del Tribunal Supremo (1900–1909). Más sobre él en Antonio F. Castro, comp., *Decisiones de Puerto Rico*, t. 1: 1899–1903 (San Juan: Tip. «La República», 1906), v–vi; y Roberto H. Todd, «La Corte Suprema de Puerto Rico», *El Mundo*, 26 de junio de 1938, 9.

11. José Conrado Hernández Santiago (1849–1932); abogado aiboniteño y juez presidente de sala del Tribunal Supremo. Fue el único puertorriqueño que ocupó la magistratura en propiedad de la Audiencia Territorial (Castro, *Decisiones*, vi; Todd, «La Corte Suprema»).

12. José María Figueras Chiqués (1852–1910); abogado sanjuanero, miembro de Junta Superior de Instrucción Pública y juez del Tribunal Supremo. Más en Castro, *Decisiones*, vi–vii; y Todd, «La Corte Suprema».

13. Juan Morera Martínez (1841–1914); abogado humacaeño, miembro de la Junta de Gobierno del Ilustre Colegio de Abogados y paladín de la docencia que agenció el establecimiento del Ateneo. Presidió el Tribunal Supremo de 1900 a 1904. Fue además suegro de Todd, dato que este omite en la semblanza del juez (*cfr.* Todd, «La Corte Suprema»).

14. Luis de Ealo y Domínguez (1831–1902); abogado y juez nacido en La Habana que, además de haber sido alcalde de su residencial Arecibo (1873–1875) y juez asociado de la Corte Suprema (1898–1902), es recordado como cuñado de Cayetano Coll y Toste (1850–1930). (Véase más en Todd, «La Corte Suprema».)

—Publicación. Leída y publicada fue la anterior sentencia por el Sr. Juez Asociado del Tribunal Supremo don Luis de Ealo y Domínguez, ponente en este recurso, celebrando audiencia pública dicho Tribunal en el día de hoy, de que como Secretario certifico en Puerto Rico a seis de marzo de mil novecientos.
—*E. de J. López Gaztambide.*[15]

---

15. Eugenio de Jesús López Gaztambide (1859–1937); jurisconsulto bayamonés cuya trayectoria incluye el nombramiento de juez de distrito en San Juan, así como el de secretario del Tribunal Supremo.

Paréntesis
(para una brevísima historia
de la pena de muerte en Puerto Rico)

ara el desenlace de esta historia es necesario repasar (cosa somera, por limitaciones de espacio, tiempo y conocimiento) las circunstancias bajo las cuales llegó la pena de muerte a la isla y cómo se ejecutó hasta la fecha del caso que nos ocupa.[1]

En cuanto a lo que un sistema de justicia en el Caribe precolombino se refiere, todo lo que los cronistas de Indias han podido rescatar sugiere que no pasaba de ser uno de venganza privada.[2] La pena de muerte es, a fin de cuentas, un instrumento de castigo *reglamentario*, es decir, de una sociedad organizada poseedora de un derecho penal.[3] No quiere decir esto que

---

1. Invitamos a consultar los añosos pero no obsoletos artículos de José Japhet Velázquez y Niceto Blázquez, respectivamente: «La pena de muerte y sus resultados», *Revista de Derecho Puertorriqueño* 23, n.º 88–89 (1983–1984), 131–60, y «La pena de muerte según santo Tomás y el abolicionismo moderno», *Revista Chilena de Derecho* 10, n.º 2 (1983), 277–312; de igual manera el de Carlos Novoa M., «Castigo de Dios y pena de muerte», *Theologica Xaveriana* 141 (2002), 81–99.

2. Véase, p. ej., en Ramón Pané, *Relación acerca de las antigüedades de los indios* (1494) 16, la costumbre de los familiares de un paciente del bohíque de desquitarse con este último cuando el paciente moría.

3. El uso de la pena de muerte se remonta a tiempos inmemoriales; en

cierto modo, el temor de Caín (v milenio a. C.) de morir a manos de alguien parecería sugerir que el castigo ya existía, o que el propio fratricida bien ideó la proporcionalidad de su acto (Génesis 4:8–15; véase similar reflexión en Francisco de Paula G. Vijil, *Opúsculo sobre la pena de muerte* [Lima: Tip. Nacional, 1862], 3–5, 56). Desde un enfoque más histórico y tangible, el Código de Ur-Nammu* establece la fecha más antigua por la que ya se tenía uso o conocimiento de la pena capital. El simple hecho de que las primeras dos leyes del código dictaran la muerte para quien asesinara o robara refleja el excepcional valor dado a la vida humana y la obligación individual de conservarla. La fórmula se repitió en códigos posteriores e independientes, como el de Hammurabi (siglo XVIII a. C.), de los hititas (siglos XVII–XVI a. C.) y la Ley mosaica (siglo XV a. C.), entre otros. En esta última —para propósitos de argumento y dado que la ley moderna parte de ella—, el mandamiento de no matar sobresale como el más notable, si no más controvertible. A simple vista, «no matarás» significa «no quitarás la vida»; ¿pero qué validez o lógica puede tener cuando las Escrituras contienen tantos ejemplos de ejecuciones ordenadas por el mismo Dios?† El asunto es más complejo de lo que creemos y por ello amerita, por sucinta que pueda ser, una explicación justa antes de adjetivar el carácter de Dios a partir de un puñado de versos. Primero hay que aclarar que el «no matarás» que leemos no necesariamente significa *no matarás*; el mandamiento exacto es «no asesinarás», *lo' tirtsaj*.‡ «El matar no está prohibido en la Biblia de una forma total», explica el rabino Isaac Sacca:

> Uno puede defenderse cuando lo atacan, reaccionar y matar a su opositor antes que este lo mate a uno. La Biblia también contempla la pena de muerte en algunos casos; por ejemplo, al que asesina. Cuando se cumplen los requisitos, se enjuicia al culpable y puede ser ejecutado, debe ser ejecutado. Lo que está prohibido es el asesinato y cualquier forma de quitarle la vida a otro individuo, cuando la propia Tora no lo contempla. (En Fernando Savater, *Los diez mandamientos en el siglo XXI* [México: DeBolsillo, 2005], 90 [gramática ligeramente revisada])

Despojamos la Ley mosaica del aspecto religioso y vemos que no difiere mucho de los códigos anteriores, como tampoco de la *Yassa* u Orden de los mongoles (siglos XIII–XIV), en cuanto al atajo de conductas y/o actos reprochables para la sociedad (incesto, violación, zoofilia, sodomía, traición, parricidio, etc.), al punto de sancionar el exterminio del ofensor en aras de preservar la dignidad del pueblo. La cadena perpetua era inimaginable en los tiempos de Moisés, recalca Thomas McKenzie, pastor anglicano estadounidense. «Ni siquiera tenían prisiones. El castigo era rápido porque tenía que serlo». Tampoco que en los tiempos de Pablo las opciones fueran muy alentadoras. «Con el hambre, la esclavitud, el servicio militar forzado y la tortura desenfrenada bajo la custodia romana, la mayoría de nosotros habría

nuestros indoantillanos carecieran de la inteligencia o lógica para tener un código penal (los relativamente avanzados conocimientos astronómicos de tanto taínos como caribes denotan el uso de pensamiento crítico), sino que tal vez optaron por no adoptarlo o sus condiciones de vida lo hacían innecesario. Cabe como tercera posibilidad la que lo tuvieran y no necesitaran.[4] El primer y único caso registrado lo encontramos ya en época colombina: en la orden de Guarionex de Maguá de ejecutar a un subalterno por arruinar el elemento sorpresa en un ataque contra los españoles.[5] En todo caso, para fines de este trabajo y en

---

elegido la muerte. En estos casos, la muerte puede haber sido menos malvada que la alternativa» («The Death Penalty Is the Most Evil Option», *Thomas McKenzie*, 13 de agosto de 2018, http://www.thomasmckenzie.com/blog/the-death-penalty-is-unnecessary-and-therefore-immoral).

* Recibe el nombre del rey de Ur entre 2112 y 2095 a. C. por el hecho de que se le cita en el prefacio, pero bien cabe la posibilidad de que date del reinado de su hijo Shulgi (2111–2003 a. C.; r. 2094–2047 a. C.). No es el código legal más antiguo, pero sí el más temprano con un decreto de muerte descubierto hasta la fecha.

† La Biblia reúne un mínimo de 78 pasajes relativos a la pena de muerte; entre los más relevantes destacan 1 Samuel 15:1–3, Josué 6:21, 2 Reyes 2:23–24 y Jueces 14:18–19.

‡ El «no matarás» que conocemos es la traducción cual si el original fuera *lo' yumath*. Explica el filólogo Juan María Tellería Larrañaga:

תרצח לא *lo tirtsaj*, de la raíz verbal רצח *ratsaj*... indica la acción de matar a alguien de forma alevosa y premeditada. De todos los verbos hebreos que implican la idea de «matar» o «quitar la vida», este es el que connota una mayor violencia y una planificación deliberada de la muerte del prójimo. (*Teología del Antiguo Testamento: el mensaje divino contenido en la ley, los profetas y los escritos* [Barcelona: Edit. CLIE, 2019; eBook], n. 686)

4. En tal caso se habrían diferenciado de sus homólogos mesoamericanos. Véase, a modo de familiarización, Jaime Robleto Gutiérrez, «Aproximación a la normativa penal de las culturas maya y azteca», *Revista de la Facultad de Derecho de México* 58, n.° 249 (2008), 239–51. Conviene, sin embargo, tener en cuenta las alegaciones de Salvador Brau de que los indoantillanos, en efecto, y «según dicen los cronistas» (Oviedo, en todo caso; véase siguiente nota), castigaban el robo con la muerte (*Puerto Rico y su historia* [Valencia: Impr. de F. Vives Mora, 1894], 86).

5. Véase Fernando Colón, *Historia del almirante don Cristóbal Colón* (1571)

aras de la simplicidad, optaremos por suponer que la pena de muerte fue una importación europea que se ejecutó por primera vez en 1514.[6]

Llama la atención que en el proceso de más de doscientos cincuenta indígenas rebeldes interviniera una combinación de jurisdicciones militares y civiles. Si lo ocurrido en el Daguao (Naguabo) hubiera sido una operación militar, el resultado habría sido uno con un final más «civilizado» —por irónico que parezca—, pues, tras las muertes necesarias o inevitables, todo elemento sobrante habría sido reducido a simples prisioneros

75. Este suceso de 1497 plantea la interrogante de si los indoantillanos contaron, en efecto y después de todo, con un código penal, por rudimentario que fuera, o lo adquirieron de los conquistadores (lo mismo habría ocurrido a lo largo de la cuenca caribeña). El paso de Guarionex (*fl.* 1492–1502) —uno de los cinco grandes caciques de Quisqueya— de líder pacífico y amigable a enemigo acérrimo de los conquistadores fue paulatino, lo cual apoya más la idea de la venganza privada. Poco ayudan los testimonios postreros a los del padre Pané al efecto de que tanto taínos como caribes se reservaron el uso de la pena de muerte para ladrones y adúlteros. Mientras que un predispuesto elitista como Gonzalo Fernández de Oviedo y Valdés (1478–1557) asegura que los nativos quisqueyanos empalaban a los ladrones, sin distinción de persona o parentesco (*Historia general y natural de Indias* [1532] 5.3, 32.3), un apologista al hastío como Bartolomé de Las Casas (1474/84–1566) vacila al referir que en los casos de adulterio solo el hombre pagaba con la vida (*Historia de las Indias* [1552] 244). La salvedad «*según creo*» de Las Casas (enemigo de Oviedo, por cierto) da cabida a la duda razonable; pero podemos dar por hecho que a la altura del tercer y último ejemplo que presentamos, la pena de muerte era una costumbre aprendida. Refiere el jurista francés Charles de Rochefort (1605–1683) en su *Historia natural y moral de las Antillas* ([1658] 22) que cuando un caribe le confesó a su suegro haberle matado a su hija por adúltera, el viejo guerrero respondió con beneplácito y la convicción de que la hija lo merecía.

6. Nos amparamos para esta y las siguientes dos fechas en las reseñadas por Jalil Sued Badillo como las primeras registradas en el siglo XVI (*La pena de muerte en Puerto Rico: retrospectiva histórica para una reflexión contemporánea* [Puerto Rico: Publ. Gaviota, 2011], 11–16). Claro que hubo incidencias anteriores (p. ej., Adrián de Mújica *circa* 1499 [Las Casas, *Historia de las Indias* 170]); pero dado que intentar precisar el momento en que se usó por primera vez plantea más interrogantes que respuestas concretas, nos reiteramos en la simplicidad.

de guerra y tratado como tal. Sin embargo, al haberse dado evento para ejercicio legislativo, los sometidos fueron hallados culpables de crímenes de traición y entregados a la justicia. En resumen, los militares suprimieron a los indígenas y los legistas los ajusticiaron.

Ese mismo año se estableció también la justicia sumaria, lo que suscitó que cuatro esclavos negros rebeldes fueran ahorcados sin oportunidad de defenderse. El proceso sumario se extendió a otros tipos de delitos, como el de sodomía, que en 1519 llevó a catorce españoles así acusados a la hoguera.[7]

---

7. El empleo de la hoguera en Puerto Rico coincidió con la formación (en suelo isleño) del primer tribunal de la Inquisición en las Américas, con el obispo Alonso Manso (1460?–1539) como inquisidor general. Sean fundadas o no las leyendas negras en torno a la vida, obra y reputación del obispo,* nadie debate el pavor que comparecer ante el Tribunal del Santo Oficio generó en la población. En el proceso al que «se traían los delincuentes y se castigaban, quemando y penitenciando», siempre cabía la posibilidad de terminar en las llamas por lo que el Tribunal pudiera juzgar de herejía, rebeldía o crimen vil. Lo curioso es que tras la muerte de Manso, y por el resto del siglo XVI (cuando se restauró el Tribunal), no se persiguieron tanto los casos de sodomía como los demás y la mayoría de esos pocos terminaron siendo conmutados; por entonces, el Tribunal tenía un enfoque más político-religioso que solo religioso (Sued Badillo, *Pena de muerte en Puerto Rico*, 15–16; *cfr.* Coll y Toste, *Boletín Histórico de Puerto Rico* 1 [1914], 107 n. 1; J. Paniagua Serracante, «Lo verdadero y lo falso en la Inquisición en Puerto Rico», *El Mundo*, 11 de junio de 1939, 2; y William Mejías-López, «El Tribunal del Santo Oficio y su sistema opresivo en América: herejía, sodomía y brujería en Santo Domingo, Puerto Rico y Cartagena de Indias en tres novelas latinoamericanas», *Revista de Crítica Literaria Latinoamericana* 29, n.° 49 [1999], 119–41).

* Gran parte de la leyenda proviene de la pluma brausiana —*Puerto Rico y su historia* (1892), *Historia de Puerto Rico* (1904) y *La colonización de Puerto Rico* (1907)—, que no siempre estuvo respaldada por fuentes primarias. Coll y Toste, a menor grado, también retrató al obispo en dos de sus leyendas puertorriqueñas. Paul Miller, en su *Historia de Puerto Rico* (1922), tampoco hace mucho por vindicarlo. Para un contexto más histórico de Manso y la Inquisición en la isla, véase, p. ej., Eduardo Neumann Gandía, *Benefactores y hombres notables de Puerto Rico* (Ponce: Establ. tip. La Libertad, 1896), 1:201–8; y Pablo L. Crespo Vargas, *La Inquisición española y las supersticiones en el Caribe hispano a principios del siglo XVII* (s. l.: Palibrio, 2011), 141–50.

No tardó mucho para que la horca, adoptada de los ingleses, se convirtiera en el método predilecto por su fácil aplicación y el exhibicionismo que la matizó. Aunque por lo general se usó como un castigo ordinario e infamante reservado para esclavos rebeldes y ladrones, poco a poco fue incluyendo a otros «merecedores» y perdiendo su ignominia hasta ser vista como una muerte más humana que la guillotina francesa, pero no tan «noble» como el fusilamiento, reservado para conspiradores, bandoleros y piratas.[8]

En abril de 1832, el garrote suplantó la horca como un método más «humano» y en adelante como el único a usarse en toda ejecución.[9] La muerte de su promulgador, Fernando VII, en poco más de un año no anuló su palabra, pero tampoco impidió la reutilización de la horca y otros métodos. Los capitanes generales de turno supieron sacar provecho de las facultades omnímodas otorgadas por el infausto rey.[10]

Por tratarse Puerto Rico de una colonia ultramarina gobernada por militares, a menudo, incluso por siglos, pagó con el rezago y la indiferencia en la extensión de concesiones y decisiones trascendentales gestadas en la Península. Dos buenos ejemplos son la abolición de la esclavitud y la promulgación del primer *Código penal* español. La primera, en 1836, no fue inclusi-

---

8. En el primer grupo destaca el guadalupeño Pedro Dubois por su papel en la fallida excursión de Du Coudray-Holstein en 1822; en el último grupo, Roberto Cofresí y su banda en 1825 y José Joaquín de Almeida en 1832 (*cfr.* Sued Badillo, *Pena de muerte en Puerto Rico*, 82, 83, 85; Luis Asencio Camacho, *Corsario: última voluntad y testamento para la posteridad del capitán don Roberto Cofresí y Ramírez de Arellano de Cabo Rojo*, 3.ª ed. [Cabo Rojo: Pien Fu, 2016]).

9. Aunque abolida por el Real Decreto de 24 de enero de 1812, la horca coexistió con el garrote y otras penas. Véanse Real Cédula de 28 de abril de 1828 y Real Decreto de 28 de abril de 1832. Entre los primeros condenados al garrote figuran el habanero Bibian Hernández Morales (1796?–1839), otrora segundo de Cofresí y el verdadero último pirata del Caribe (Asencio Camacho, *Corsario*, xiv, 79, 111; *cfr.* Sued Badillo, *Pena de muerte en Puerto Rico*, 86). Más sobre el garrote abajo, nota 15.

10. Por Real Cédula de 28 de mayo de 1825 (idénticas a las otorgadas en 1810); derogadas en 1874. *Cfr.* Sued Badillo, *Pena de muerte en Puerto Rico*, 61.

va a la isla hasta casi cuatro décadas más tarde (1873); el segundo, de 1822,[11] no apareció hasta 1879 —y enmendado para ajustarse a las particularidades de las colonias ultramarinas post-abolicionistas.[12] La llegada de la *Ley de enjuiciamiento criminal* marcó otro hito en la isla con casi una década de atraso (1882 *versus* 1889) y con las modificaciones propuestas por la Comisión de Códigos de Ultramar.[13]

Fue sin duda el siglo XIX el de mayor arrecio en la pena de muerte en Puerto Rico, tanto por el exponencial crecimiento poblacional como por el alza en la criminalidad del tipo colectivo. Este último factor, entre otros, hizo necesaria la reducción de un catálogo de veinticuatro crímenes penados con la muerte a solo cuatro (traición, piratería, parricidio y robo con homicidio), siempre y cuando concurrieran en ellos dos o más agravantes.[14] El garrote recobró su sitial como único método de ejecución legal.[15]

---

11. Entiéndase el *Código penal español, decretado por las cortes en 8 de junio, sancionado por el Rey, y mandado promulgar en 9 de junio de 1822* (Madrid: Impr. Nacional, 1822); véase también José Antón Oneca, «Historia del Código Penal de 1822», *Anuario de Derecho Penal y Ciencias Penales* 2 (1965), 263–78.

12. Biblioteca Judicial, *Código penal vigente*, 6–7; Sued Badillo, *Pena de muerte en Puerto Rico*, 61–62.

13. Ministerio de Ultramar, *Ley de enjuiciamiento*, v–vi; Javier Alvarado Planas, «La Comisión de Codificación de las provincias de Ultramar (1866–1898)», *Anuario de Historia del Derecho Español* 66 (1996), 829–78.

14. Sued Badillo, *Pena de muerte en Puerto Rico*, 63; *cfr.* Carmelo Campos Cruz, «Eugenio María de Hostos contra la pena capital», en *Metáfora de la crueldad: la pena de capital de Cesare Beccaria al tiempo presente*, ed. por Luis Arroyo Zapatero *et al.*, 167–88 [Cuenca: UCLM, Edit. UCLM, 2016], 169 n. 7). El catálogo incluía crímenes de asesinato, bandolerismo, conspiración, deserción, motín, parricidio, piratería, robo y homicidio y agresión agravada, entre otros.

15. *Cfr.* arts. 100 (Biblioteca Judicial, *Código penal vigente*, 52) y 990 (Ministerio de Ultramar, *Ley de enjuiciamiento*, 266). El amplio uso del garrote en España ha llevado a la errónea creencia de que fue una invención de ese país; un grave desatino (véase, a tono, Juan Eslava, *Verdugos y torturadores* [Madrid: Temas de Hoy, 1993], 229). El aparato tiene sus albores en los días de la República romana, entre el 529 y el 27 antes de Cristo. La conjetura parte de

Hasta la aparición de *El Derecho penal de la Monarquía absoluta* de Francisco Tomás y Valiente,[16] el concepto del Derecho penal español se antojaba cual una suerte de bestia siamesa o nudo gordiano jurídico-teológico. Si bien explicó, reveló que semejante percepción centenaria no distaba mucho de la penosa y subyacente realidad:[17] la pena de muerte, con el aval de un clero

bajorrelieves alusivos a la muerte del político Publio Cornelio Léntulo en 63 a. C. mediante lo que se asemeja a un *laqueus* o garrote. De alguna manera, el instrumento halló su camino hasta Extremo Oriente, si acaso no es otro caso de invención común, como la balsa y otros útiles. Durante el Medioevo, con la llegada de la Inquisición, pasó a usarse además como aparato de tortura. Bajo dicho tribunal se usó particularmente para quitar la vida a reos condenados a ser echados en la hoguera y que se arrepentían antes, una práctica calcada de las arcaicas ordalías de fuego en las que la decapitación o ahorcamiento anterior le evitaba al reo la agonía de ser quemado vivo. Conforme la humanidad se adentró en la Edad Moderna, el garrote se fue configurando como una forma de ejecución predilecta por suponer ser un método más humano. No todos pensaron igual. Los ingleses favorecieron la horca; los franceses, la guillotina —ambos con la misma idea de que sus métodos eran más humanos. Sobre la abolición de la pena capital mediante la horca, véanse, p. ej., «Artículo de oficio», *Gaceta de Madrid*, 26 de abril de 1832, 1; «Abolición de la pena de muerte en horca», *Boletín Histórico de Puerto Rico* 3 (1916), 14; o Sued Badillo, *Pena de muerte en Puerto Rico*, 117–18.

16. Publicada en 1969 y considerada la mayor de las obras del desaparecido jurista e historiador español, constituye una ineludible referencia para el conocimiento de los rasgos básicos del derecho real y la doctrina jurídica criminal y teológica en el contexto social y político de la Monarquía católica. Al igual que Sued Badillo, señalamos y lamentamos la desatención a lo propio con relación a las Indias. Hasta cierto punto, lo más cercano disponible es *Cincuenta años de inquisición en el Tribunal de Cartagena de Indias, 1610–1660* (Cartagena: Pontificia Univ. Javeriana, 1997), la colaboración, en cuatro volúmenes, de Anna María Splendiani, José Enrique Sánchez Bohórquez y Emma Cecilia Luque de Salazar, además de la ya citada *Inquisición española* de Crespo Vargas.

17. Nacionalismo y religión fueron elementos inseparables durante la Restauración (o *Reconquista*); y los abusos, la orden del día. El ascenso del matrimonio de Fernando II de Aragón e Isabel I de Castilla en 1479 marcó el principio de la España monárquica y su indiscriminado poder de decidir qué era bueno y qué no desde una perspectiva religiosa no exenta de errores e injusticias, máxime en la asimilación del delito al pecado.

obligado a prestar un juramento de lealtad al monarca de turno, fue uno de los más importantes instrumentos de imposición de autoridad real y maquinaria protectora del orden social.[18]

Por supuesto que, como en toda empresa, la pena de muerte tuvo sus defensores y detractores; estos últimos aparecerían a partir del siglo XVIII. Los defensores se amparaban en el llamado de los primeros teólogos de la Iglesia a defender y justificar la pena en casos graves —o en el de los del Medioevo que sostenían que las Sagradas Escrituras respaldaban el poder de las autoridades legítimas para aplicar el castigo.[19] En resumen, era lícito matar al malhechor en cuanto se hiciera por la salud de toda la sociedad y la tarea correspondiera solo a quien le estuviera confiada la conservación.[20] Y si el propio Catecismo pregonaba que

---

18. (Tomás y Valiente) *El Derecho penal de la Monarquía absoluta (siglos XVI, XVII, XVIII)*, 2.ª ed. (Madrid: Edit. Tecnos, 1992), 23; ídem, «El Derecho Penal como instrumento de gobierno», *Estudis* 22 (1996), 249–62; Sued Badillo, *Pena de muerte en Puerto Rico*, xii. Añádasele que Europa vivía sumida entre dos tribunales inquisitorios —el del Santo Oficio en España y el Consistorio de Ginebra—, así haya dado la impresión de haber sido un solo organismo. Los recientes estudios tienden a atenuar la tétrica fama que ha rodeado a la Inquisición. Véanse también Antonio Montpalau, *Descripción política de las soberanías de Europa* (Madrid: Miguel Escribano, 1786); Gerard Dufour, *La Inquisición española: aproximación a la España intolerante* (Barcelona: Montesinos, 1986); José M.ª García Marín, «Inquisición y poder absoluto (siglos XVI–XVII)», *Revista de la Inquisición* 1 (1991), 105–19; y Enrique Álvarez Cora, «El Derecho penal ilustrado bajo la censura del Santo Oficio», ídem 11 (2005), 91–105.

19. Incluso los apóstoles reconocieron la necesidad y respeto que merecía la existencia de la pena de muerte siempre que provinieran de *autoridades civiles legítimas;* resulta irónico que muchos acabaran siendo víctimas del sistema (véase, p. ej., Eusebio de Cesarea, *Historia eclesiástica* [313?] 2.25.8). Sobre el tema desde la óptica bíblica, véase David Miller, «La pena capital y la Biblia», *ApologeticsPress*, s. f., http://www.apologeticspress.org/espanol/articulos/3408. Más abajo, nota 20.

* *Cfr.* Pablo en Romanos 13:1–5; Pedro en 1 Pedro 2:13–17. De hecho, el mismo Pedro se convirtió en el primer inquisidor de la Iglesia cuando sentenció a Ananías y esposa por intentar mentirle a Dios (Hechos 5:1–11).

20. *Cfr.* Tomás de Aquino, *Suma teológica* (1267?) 2-2, 64.3. La lista es harto

extensa; aludimos a algunos de los más influyentes. Clemente alejandrino (150–215?), por ejemplo, se distingue como el primer autor cristiano que justificó el sistema penal con argumentos racionales como que el mal, cual una extremidad dañada, debía amputarse para beneficio del resto del organismo (*Misceláneas* [200?] 1.27.171).* Ambrosio, obispo de Milán (340–397), tampoco la condenó, pero recomendó no alentarla (*Epístola a Estudio* [387?] 25.3). Agustín (354–430), discípulo del anterior y obispo de Hipona, no halló contradicción entre la pena de muerte y el mandamiento de «no matar» por interpretar al verdugo como «una espada de Dios» (*La ciudad de Dios* [426] 1.21; cfr. *Del libre albedrío* [388] 1.4.9). Tomás de Aquino (1225–1274) reconoció que la vida de algunos «hombres pestilentes» impedían el bien común (*Suma contra los gentiles* [1265?] 3.146). El filósofo escocés Juan Duns Escoto (1266–1308) la defendió en casos de homicidio, adulterio y blasfemia (*Comentario a las Sentencias* [1303] 4.15, c. 3). Lotario de' Conti di Segni (1161–1216), el especialista en Derecho canónico mejor conocido como Inocencio III y por su celosa persecución de herejes, rechazó el «juicio de sangre», pero instó a reconocer su licitud siempre y cuando estuviera libre de odio (Denzinger, *Manual de símbolos* 425). Felipe Melanchthon (1497–1560), seguidor de Martín Lutero (1483–1546), llamó a los cristianos a punir malhechores con la espada y hacer guerras (*Confesiones de Augsburgo* [1530] 16). Sobre el tema en general, véanse, p. ej., Avery Dulles, «Catholicism and Capital Punishment», *First Things* 112 (2001), 30–35; Hernán Giudice, «Argumentos racionales sobre la pena de muerte en la patrística», *Teología y Vida* 70 (2011), 307–22; y Juan José García, «La pena de muerte», en *Philosophica: enciclopedia filosófica on line*, ed. por Francisco Fernández Labastida y Juan Andrés Mercado (2011), http://www.philosophica. info/archivo/2011/voces/pena_de_muerte/pena_de_muerte.html.

    * La permisión u ordenanza de Dios de aniquilar pueblos ha sido argumento clásico y favorito tanto de defensores de la pena capital como de ateos, agnósticos y otros (por una vasta retahíla de razones no discutidas aquí). A simple vista, pasajes como 1 Samuel 15:1–3 —por usar un ejemplo clásico— parecen poner de manifiesto la crueldad e ira irracional de Dios. El pasaje relata el exterminio del pueblo amalecita (niños, mujeres y ancianos incluidos) como consecuencia del atroz ataque de dicho pueblo guerrero a mujeres, niños, ancianos y enfermos en la retaguardia israelita en la ausencia de hombres (Deuteronomio 25:17–19). Los israelitas no podrían vivir en paz en la tierra prometida mientras existieran los amalecitas y sus saqueos, vilipendios y prácticas idólatras; y la única forma de protegerse como pueblo de Dios era aniquilando a aquella y otras naciones similares, con todas sus posesiones, costumbres y recuerdos. Muchas practicaban el sacrificio de niños, torturaban a sus prisioneros de guerra y vejaban a mujeres, violando el mandato de no quitar la vida de inocentes y justos (Éxodo 23:7; Isaac Asimov,

Dios había confiado a las autoridades civiles el poder sobre la vida y la muerte, ¿quién para cuestionar?[21] Ciertamente el teólogo y apologista católico más importante del siglo XIX, Jaime Balmes,[22] no lo hizo. Como otros antes que él, el pensador catalán no cuestionó la legitimidad de la pena extrema —de hecho,

---

Asimov's Guide to the Bible: Two Volumes in One—The Old and New Testaments [Nueva York: Wings Books, 1981], 103, 144–46).

21. Véase Catecismo del concilio de Trento de 1566, Tercera parte, n.º 333. Por siglos, en particular los filosóficos XVII y XVIII, figuras como el benedictino español Benito Jerónimo Feijóo y Montenegro (1676–1764), su homólogo y compatriota jerónimo Fernando de Ceballos y Mier (1732–1802) y el jurista novohispano y confeso ilustrado cristiano Manuel de Lardizábal y Uribe (1739–1820) ayudaron a anclar la teoría de la legitimidad y efectividad del punitivismo desde la perspectiva del clero. Para alguien como Feijóo, la clemencia judicial le hacía al reo más mal que bien, ya que lo exponía a reincidir y morir sin salvación para su alma, cuando morir en la horca le permitiría como mínimo la entrada en el purgatorio («Balanza de Astrea...», *Teatro crítico universal* 3 [1729]). Ceballos, en cambio, en su crítica a la creciente consciencia beccariana en favor de «parricidas, sodomitas, ladrones y otros malvados», no tuvo a menos denunciar: «Dios no debe a ninguna criatura la vida que le ha dado y puede quitársela con tanta alabanza y gloria cuanta merece porque se la dio» (*La falsa filosofía* [1775]; más del tema en Gonzalo Quintero Olivares, «Beccaria y el Iluminismo italiano en la cultura jurídica hispana», en *Metáfora de la crueldad*, 53–77). El filosofismo de las mencionadas centurias revolucionarias (el XVII con su incuestionable religiosidad y grandes especulaciones; el XVIII con sus disensiones y discursos empíricos dirigidos a reformar las instituciones penales y procesales),* en lo que corresponde a España, probó el desbarajuste de un sistema jurídico penal de por sí desbarajustado.

* Entiéndase los esfuerzos por una y otra parte encarnados en la filosofía política de Hobbes (1588–1679), el liberalismo de Locke (1632–1704), la ilustración de Montesquieu (1689–1755), Voltaire (1694–1778) y Rousseau (1712–1778) y el idealismo de Kant (1724–1804), Hegel (1770–1831) y Krause (1781–1832), entre una nutrida procesión de pensadores. Véase un excelente compendio en Eugenio Cuello Calón, «Vicisitudes y panorama legislativo de la pena de muerte», *Anuario de Derecho Penal y Ciencias Penales* 6, n.º 3 (1953), 493–512.

22. Aunque único en su filosofía del sentido común, del cual no tiene mucho, cuando se le estudia más a fondo, Jaime Luciano Antonio Balmes y Urpiá (1810–1848) puede considerarse tomista en lo que a vida y muerte atañe.

no creyó prudente abolirla del todo de los delitos políticos—; y si intercedió alguna vez por algún reo, no fue porque el infeliz mereciera el favor (a la Iglesia le era dado exigir al Estado leyes para reprimir la herejía con la pena capital), sino para resaltar la paciencia de la Iglesia para con los pecadores. Balmes tampoco responsabilizó al catolicismo de los excesos que en nombre de la Iglesia se pudieran haber cometido; en todo caso, exhortó a que cuando se hablara de la Inquisición se mirara a Roma y no a España.[23]

En el neotomismo[24] que dominó la mayor parte (para algunos, la segunda mitad) del siglo XIX español, la pena de muerte surgía como una institución necesaria y avalada por la empírica universal;[25] entiéndase que donde había pena de muerte por lo general había cierto orden moral. La preocupación por los efectos de un cambio en ello la plasmó el propio Balmes en el apogeo de su gloria:

> Si llegasen a surtir efecto las doctrinas de los que abogan por la abolición de la pena de muerte, cuando la posteridad leyere las ejecuciones de nuestros tiempos, se horrorizaría del propio modo que nosotros con respecto a los anteriores. La horca, el garrote vil, la guillotina, figurarían en la misma línea que los antiguos quemaderos.[26]

En la mentalidad puertorriqueña de entonces, cualquier co-

---

23. (Balmes) *Protestantismo comparado con el catolicismo* (1842) 3:37 n. 25. Si se refería a la Roma de sus días, hablaba indirectamente de Juan Bautista Bugatti (1779–1869), el maestro de justicia de la Santa Sede que entre 1796 y 1865 tendría sobre 500 ejecuciones a su haber.

24. Optamos por este término sobre *neoescolástica* a fin de que no se le confunda con la denominación del renacimiento salmantino del siglo XVI.

25. Usamos al abrir este apartado el ejemplo de Guarionex de Maguá para, de manera sutil, intentar demostrar la inherencia de la retribución en culturas aisladas y sin aparente comunicación con el resto del mundo. Aceptamos que los taínos pudieron haberla imitado de sus vecinos suramericanos; ¿pero estos de quién?

26. *Protestantismo comparado* 3:37.

nocedor de Derecho a favor de la pena capital, al ser abordado en el tema, seguramente defendería su postura remitiéndose a los postulados de juristas de primer orden como Gómez de la Serna y su colega Montalbán:[27]

> Pero si bien estamos convencidos de la necesidad de la pena de muerte, no podemos menos de alabar que en el Código se haya limitado a pocos delitos y lamentarnos de que aún se haya conservado en los políticos... Además de la humanidad y de los sanos principios del derecho penal que nos hacen desear la economía de la pena de muerte, nos fortalece en esta opinión su cualidad más ventajosa, que es la de ser la más ejemplar de todas, esto es, la que produce mayor impresión, porque tanto más viva es esta, cuanto menos frecuente la repetición de su espectáculo. A la ejemplaridad reúne la pena de muerte las ventajosas circunstancias de destruir el poder de dañar, y la de ser en muchas ocasiones análoga al delito que castiga; mas por otra parte es irreparable y desigual.[28]

Igualmente reconocería la lógica de Vicente y Caravantes[29] respecto a la resistencia del hombre, civilizado o salvaje, a abandonar la pena capital—;

> La justicia social es un deber y la pena es un elemento de este, un medio necesario para conseguirlo, y, por consiguiente, legítimo. La pena es un sufrimiento; la privación de un bien. Todo bien puede ofrecer materia de penalidad y el bien que quita la pena

---

27. Pedro Gómez de la Serna y Tully (1806–1871) y Juan Manuel Montalbán Herranz (1806–1869), dos de los juristas españoles más importantes del siglo, escribieron juntos tratados de Derecho civil y penal para enseñanza universitaria.

28. (Gómez de la Serna y Montalbán) *Elementos del Derecho civil y penal de España: precedidos de una reseña histórica*, 6.ª ed. (Madrid: Impr. de D. F. Sánchez, 1861), 3:99–100 (gramática revisada); *cfr.* Campos Cruz, «Hostos contra la pena capital», 171.

29. Entre lo poco que se conoce acerca del aragonés José de Vicente y Caravantes (1820?–1880) destaca que fue un feroz defensor de la pena de muerte que a menudo recurrió a citar casos con morboso detallismo.

capital es la vida corporal. ¿Dónde están, pues, se dice, los motivos particulares que harían ilegítimo este medio de castigo?... ¿Cómo, pues, se acusa a la sociedad en presencia de la historia, de asesinatos jurídicos? ¿Cómo se tacha esta pena de ilegítima, cuando no se oye ni el grito de la conciencia, ni la conmoción de la reprobación pública?[30]

—incluso cuando una autoridad de la talla de Joaquín Pacheco,[31] uno de los principales redactores (sin mencionar comentarista) del *Código penal* de 1848, reconocía el peligro de la pena una vez se ha obrado—;

Por eso mismo es tan necesario limitarla al menor número de casos posible: por eso es menester cuidar con tanto esmero de no imponerla sino cuando ha llegado a su complemento la humana certidumbre, y es moralmente imposible que seamos víctimas de un error, de una ilusión. Cuando hay duda sobre el hecho, la muerte no puede legítimamente decretarse.[32]

—o si una mujer, una competente conocedora de Derecho penal,[33] sabía distinguir la indefectibilidad en ciertos casos:

El hombre predispuesto a matar a otro por un cálculo cualquiera, es duro, cruel, poco impresionable, ante el espectáculo de una escena de dolor. Además... el reo procura morir con entereza, y para

---

30. (Vicente y Caravantes) *Código penal reformado; comentado novísimamente, precedido de una breve reseña histórica del Derecho penal de España* (Madrid: Impr. de Alejandro Gómez Fuentenegro, 1851), 143, 172 (gramática revisada).

31. Joaquín Francisco Pacheco y Gutiérrez Calderón (1808–1865); político, jurista y escritor sevillano de oscilantes afiliaciones políticas. Fue catedrático de Derecho penal del Ateneo madrileño.

32. (Pacheco) *El Código penal concordado y comentado*, 3.ª ed. (Madrid: Impr. de M. Tello, 1867), 1:314 (gramática actualizada).

33. Concepción Arenal Ponte (1820–1893) fue, además de escritora y pionera del feminismo en España, una reformadora que abogó por el uso de la electricidad en lugar del garrote en aras de asegurarse una muerte instantánea e infalible.

el perverso endurecido que le ve no debe parecerle un gran mal el que se sobrelleva tan bien.[34]

Cuando los currículos de Derecho de las principales universidades de España defendían argumentos como estos, no debe sorprender que buen número del privilegiado puñado de isleños educados en ellas mirara con indiferencia las ejecuciones avaladas por el Estado. Incluso aquellos que reconocían la crueldad de la pena capital fueron demasiado tímidos para censurarla y combatirla.[35] Cabe mencionar que por mucho tiempo la isla careció de librerías o bibliotecas de Derecho para el crecimiento y competencia de sus abogados y que estos en su mayoría dependieron de muestras de literatura jurídica española, francesa y alguna que otra hispanoamericana.[36]

Entre los isleños que defendieron la pena capital no hubo uno más vocal que el aguadillano José de Diego.[37] El católico de

---

34. (Arenal) *El reo, el pueblo y el verdugo; o La ejecución pública de la pena de muerte* (Madrid: Establ. tip. de Estrada, Díaz y López, 1867), 11.

35. En la España del día prevalecían dos corrientes de pensamiento: el (neo)tomismo y el krausismo. El primero favorecía la pena de muerte por el valor expiatorio que connotaba; mientras que el otro, un movimiento racionalista armónico de la burguesía liberal de izquierda, la rechazaba. No tuvo este último movimiento mayor adversario que el neocatólico Juan Manuel Ortí y Lara (1826–1904), un implacable defensor de las tradiciones tomistas. La filosofía kantiana también gozaba de una fuerte presencia consciencial gracias a la traducción de 1873 de los *Principios metafísicos del derecho* de Kant* por Gabino Lizárraga y Aranguren (1842–>1876), miembro del Ilustre Colegio de Abogados de Madrid.

 * Libro dado a conocer en la isla («Libro», *Gaceta de Puerto Rico*, 9 de diciembre de 1873, 4).

36. No está de más recordar que Francia fue otro defensor de la pena de muerte. Entre los países hispanoamericanos que por entonces la conservaban destacan Colombia, Ecuador, Honduras, México y Perú («La pena de muerte», *La Correspondencia de Puerto Rico*, 12 de junio de 1899, 2). El primer libro de Derecho puertorriqueño no se publicó hasta 1887 (abajo, nota 44).

37. José Toribio de Diego y Martínez (1866–1918); jurisconsulto, político y literato. Discípulo y amigo de Matienzo Cintrón.

corte tomista[38] y conocedor de la *Nuova Scuola* lombrosiana (que le achacaba la conducta criminal más a la genética que al entorno social)[39] lo mismo defendió a unos del garrote vil bajo do-

---

38. Este es un fallo personal al que llegamos al contraponer la lógica de De Diego a la de Tomás de Aquino cuando este último sostiene que en la ley divina no se manda ninguna cosa ilícita (*Suma teológica* 2-2, 64.3). De Diego ve en la muerte de Jesús la venia de Dios a la pena de muerte. Jesús nunca pecó, pero en su sacrificio atrajo a sí el pecado del hombre, por lo que, por analogía, decayó en dignidad y se hundió en la esclavitud de las bestias como lo hace el hombre al pecar, conforme al razonamiento tomista (*ibidem*, 64.2). Para un excéntrico como De Diego, cual sugerimos y veremos más adelante, matar al asesino, *un pecador más allá de toda redención*, es provechoso, toda vez que el hombre malo por naturaleza es peor y más dañino que una bestia salvaje. En ese sentido, el Caballero de la Raza asume el rol de la persona privada que el Aquinate llama a realizar lo que es útil al bien común: «Luego es laudable que incluso las personas privadas maten a los malhechores» (*ibidem*, 64.3; más abajo, apénd. VI.)

39. La Nueva Escuela de antropología criminal nació en 1876 con la teoría de que la conducta criminal respondía a una involución o retroceso de la evolución. César Lombroso (Ezequías Marcos Lombroso [1835–1909]), un médico criminalista italiano al servicio del Ejército de su país, reputadamente estudió 6,000 delincuentes y realizó 400 autopsias antes de «descubrir» que los cerebros criminales presentaban anomalías análogas a las de los animales.* Controvertible por demás, su teoría del criminal nato no tardó en propagarse y ser aceptada tanto en Italia como en el resto de Europa, pues por una parte libraba al Estado de la carga de responsabilidad en el manejo de criminales y por la otra daba un aire de intelectualidad que muchos codiciaron o pretendieron. La llegada de la Nueva Escuela a España en la segunda mitad de los 1880 (años por los que De Diego se doctoraba en Barcelona) facilitó el arrecio de las condenas. Para más sobre Lombroso y la introducción de su escuela en España, véanse, p. ej., Diana Bretherick, «The "born criminal"? Lombroso and the origins of modern criminology», *History Extra*, 14 de febrero de 2019, https://www.historyextra.com/period/victorian/the-born-criminal-lombroso-and-the-origins-of-modern-criminology/; «Los criminales en la vida y en la ciencia», *La Correspondencia de Puerto Rico*, 18 de diciembre de 1910, 4; Luis Maristany, «Lombroso y España: nuevas consideraciones», *Anales de Literatura Española* 2 (1983), 361–81; Andrés Galera, «La antropología criminal española de fin de siglo», en *Investigaciones psicológicas 4: Los orígenes de la psicología científica en España: el doctor Simarro*, ed. por J. Javier Campos y Luis Llavona, 155–61 (Madrid: Univ. Complutense, 1987); y Ricardo Campos y Rafael Huer-

minación española y a otros de la horca bajo la estadounidense, pero nunca vaciló en exigirla en casos de «criminales incorregibles», carentes de virtudes espirituales.[40] Como muchos, declaraba pesarse, pero lo creía necesario por las alarmantes cifras de crímenes anuales. (Aunque su actividad empezó en los años posteriores a la historia que nos ocupa, juzgamos importante incluir el dato.)

Por otro lado, los esfuerzos por abolir la última pena en la isla, tal vez por eso del arma de doble filo que puede ser el razonamiento religioso, fueron más tímidos en comparación. Los primeros intentos de los que tenemos registro se dieron a manera de apelaciones individuales, esporádicas y de debatible genuinidad o interés (como las de los padres dominicos en San Juan, 1582, en aras de salvar a una mujer condenada al garrote por conspirar en el asesinato de su esposo).[41] El derecho del asilo

---

tas, «Lombroso but not Lombrosians?», en *The Cesare Lombroso Handbook*, ed. por Paul Knepper y P. J. Ystehede, 309–23 (Londres: Routledge, 2013).

* Vendría bien hacer la salvedad de que así se llame a Lombroso el padre del positivismo criminológico, su trabajo no se puede llamar del todo original —claro que siempre cabe la posibilidad de la coincidencia. Ya a mediados de siglo XIX un lingüista y frenólogo catalán, Mariano Cubí y Soler (1801–1875), había llevado la idea de la craneología a España, siguiendo los pasos del verdadero padre de la frenología, Franz Joseph Gall (1758–1828), un anatomista austriaco. Sorprende más que muchos españoles ignoraran el hecho. Recomendamos la siguiente lectura para una familiarización del tema de estas pseudociencias de moda por la época: Walter L. Arias G., «La frenología y sus implicancias: un poco de historia sobre un tema olvidado», *Revista Chilena de Neuro-Psiquiatría* 56, n.º 1 (2018), 36–45.

40. La mayoría de los seguidores de Lombroso era liberales, republicanos, socialistas y anticlericales. En su espiritualidad (hay quienes postulan y aseguran que espiritismo), De Diego estuvo dispuesto a aceptar la creencia en la vida después de esta en la que el alma podía purgar los errores. Era un pensador pragmático, mas no exento de prejuicios.

41. Los esfuerzos por salvar a Luisa García fueron en vano, pero dejaron huellas para otros a seguir o ahondar —visto desde nuestra cómoda y ventajosa perspectiva. Sin que se le reste valor al esfuerzo de la orden religiosa por arriesgar su prestigio y credibilidad por un reo que reunía tres estigmas (mujer, mestiza y homicida), la ausencia de datos en el caso de tres esclavas

en sagrado probó ser otra manera de desalentar sentencias de muerte hasta la imposición de restricciones, en 1770, a fin de evitar o minimizar la posibilidad de que criminales probados siguieran quedando impunes.[42]

En concreto, los esfuerzos más audaces se gestaron a partir de la segunda mitad del siglo XIX, como cuando un joven Eugenio María Hostos Bonilla, estudiante de Derecho en la meca de la pena extrema, esgrimió en una carta a la prensa bilbaína su demanda por la inmediata suspensión de los juicios militares y el derramamiento de sangre a la postre del Grito de Lares. No solo logró la amnistía para nueve dirigentes sentenciados, sino que en adelante luchó por proscribir la pena capital en tierras además de la suya.[43] En 1872, por entonces un peregrino en Chile en busca de adeptos para la causa libertaria de las Antillas, remitió para un periódico peruano del cual fue fundador un artículo donde ventiló su firme repudio:

> Toda violación, ilegítima o legal, de un derecho, es un acto contra la civilización... Todo derecho es ilusorio cuando la sociedad

---

negras condenadas a la hoguera por brujería poco después da cabida a cuestionar si los dominicos habrían estado igual de comprometidos con cualquier empresa que atentara contra una vida humana (Sued Badillo, *Pena de muerte en Puerto Rico*, 19–20, 95–97).

42. Puede que los orígenes del derecho de asilo en sagrado se pierdan en la niebla del tiempo, pero se sabe que en la Roma del siglo IV de nuestra era se tenía noción de él y se le reconocía como un instrumento para proteger a desvalidos contra la injusticia y la violencia. No tomó mucho para que se revisara y dictara su uso para proteger a oprimidos y no a delincuentes, fórmula con la que se extendió por toda Europa y, más adelante, a las colonias españolas ultramarinas. En estas últimas tuvo gran utilidad contra la Inquisición.

43. Podría considerarse al mayagüezano una anomalía entre sus congéneres; por lo general, a la mayoría de los estudiantes de Derecho de la época le era indiferente o demasiado riesgoso debatir el tema. Ya él mismo lo había tanteado en su artículo inaugural de 1867, «La estadística criminal de Puerto Rico» en la revista *Las Antillas* (abajo, nota 45); sin necesidad de mencionar el asunto, supo dar a entender lo erróneo de facultar al Estado para castigar al ciudadano. *Cfr.* Campos Cruz, «Hostos contra la pena capital».

se atribuye el de matar a un hombre; cuando caduca para este el de vivir.[44]

Hostos, en este último ensayo de alocución, reafirmaba lo ya expuesto por su amigo Manuel Corchado Juarbe,[45] en marzo de 1871, ante el Ateneo Catalán: un enérgico llamado a la abolición, «porque las penas deben juzgarse en realidades y la muerte no es una realidad».[46]

---

44. (Hostos) «La pena de muerte y el Perú», *La Patria*, 4 de septiembre de 1872, en Campos Cruz, «Hostos contra la pena capital», 178. Años después cuando se convierte en el primer puertorriqueño en publicar un libro de Derecho —no en la isla, pues no había las condiciones intelectuales o de libertad para ello—, cavila:

> En todo tiempo y lugar se ha ejercido el derecho de disponer de la vida de los hombres, cuando estos han alterado con sus crímenes el orden social. Independientemente del ejercicio de ese derecho en los casos de la actividad política y religiosa, el Estado se lo ha reservado siempre, aun en los grados más altos de la civilización; y, exceptuando algunos países pequeños de Europa y de la federación americana, ni esta ni nación alguna, aunque haya adoptado el sistema penitenciario de reforma y redención del criminal, ha abolido la pena de muerte ni ha dejado de aplicarla como una consecuencia del derecho de penar que teórica y prácticamente se reconoce al Estado, como la institución general de derecho, responsable de él. Por consiguiente, el Estado no puede reconocer el supuesto derecho de la inviolabilidad de la vida. (*Lecciones de Derecho constitucional* [París: Soc. de Ed. Literarias y Artísticas, 1908], 153–54 [en la edición original de 1887, pág. 86])

45. Manuel María Corchado Juarbe (1840–1884); abogado isabelino, abolicionista, defensor del espiritismo y orador de primera. El diputado por Mayagüez ante las Cortes españolas dedicó varios discursos y escritos a atacar la pena de muerte, como *La pena de muerte* (1871), *La pena de muerte y la prueba de indicios* (1877) y *La justicia y sus manifestaciones* (1879) (Córdoba Chirino, *Los que murieron*, 252; Campos Cruz, «Hostos contra la pena capital», 187). Fundó y editó junto a José Coll y Britapaja (1840–1904) la efímera revista *Las Antillas*, de la que Hostos fue un colaborador regular (Tomás Sarramía, «Las Antillas [1866–1867]: una revista puertorriqueña en España», *Revista del ICP* 89 [1992], 84–86).

46. (Corchado) *La pena de muerte* (Barcelona: Impr. de L. Domenech, 1871), 12; véase también Carlos Rojas Osorio, *Pensamiento filosófico puertorriqueño*

. . .

Sin lugar a dudas, el silencio de tres lustros antes de la próxima gran expresión tocante al tema demuestra la cautela con que se manejaba el asunto, si bien puede que por un lado dé fe de los considerables avances a partir del discurso de Corchado Juarbe. En el dado término, diez de doce condenados a muerte recibieron indultos o conmutaciones;[47] pero por significativa que pudiera ser la reducción, no vislumbraba una erradicación de la pena por lo pronto.

El nuevo esfuerzo que pretendió dar la estocada final al mal lo tuvo a su haber otro isleño educado en España y ex diputado a Cortes[48] mediante un ensayo publicado en el mismo vientre de la bestia. Sus *Apuntes sobre la pena de muerte* (1885) contaban con todos los elementos necesarios para llevar un mensaje contundente: estaba al corriente de los tiempos y seguía una línea recordativa y emuladora del debate socrático, si no beccariano,[49] en cuanto a la futilidad de la pena de muerte se refiere:

(San Juan: Isla Negra Eds., 2002), 22. El discurso apareció además en la revista *La América* del 28 de abril de 1871, págs. 7 a 9.

47. Figura según recogida por Sued Badillo para los años 1871–1883 (*Pena de muerte en Puerto Rico*, 90–91). Por mucho que no quisiéramos correlacionar dichos destinos con factores raciales o nacionales, la realidad de que nueve indultados/conmutados fueran blancos y seis de ellos extranjeros no ayuda mucho a despejar la duda. Cabe hacer la salvedad de que por lo menos un negro condenado por asesinar a un mayordomo figuró entre los indultados. ¿Acaso el sistema de tribunales se estaba volviendo más eficiente, con abogados más comprometidos con la función de los recursos de casación? Las dos ejecuciones confirmadas fueron las de Tomás Verdejo (más adelante) y un soldado no identificado (abajo, nota 59).

48. Entiéndase el vegabajeño José Rafael López Landrón (1863–1917), que además de orador, ensayista y político, es mejor recordado como el poeta independentista por excelencia.

49. César Bonesana, marqués de Beccaria (1738–1794), fue un filósofo y jurista milanés que alcanzó fama mundial gracias a su sencillo pero estremecedor tratado *De los delitos y de las penas* (1764), obra que en adelante sirvió de plantilla para un sinnúmero de códigos penales. El Código español no fue la excepción, si bien ignoró por completo el párrafo 27 (de los cuarenta que componen el tratado), dedicado a la pena de muerte.

. . .

Bajo el punto de vista filosófico, la pena de muerte se hace insostenible. Así lo reconocen ya sus mismos adeptos. La vida no la concede el Estado, sino la reconoce. La Naturaleza la produce y los padres la trasmiten. Solo esta puede destruirla.[50]

Puede ser que los tribunales finalmente prestaran oídos a los

---

50. (López Landrón) *Apuntes sobre la pena de muerte* (Madrid: Impr. de E. Teodoro, 1885), 19.*†‡ Su sentencia es beccariana en esencia:

¿Es verdaderamente útil y necesaria la pena de muerte para asegurar la tranquilidad de la sociedad, y mantener en ella el buen orden?... ¿Cuál es el mejor modo de precaver los delitos?... La pena de muerte no se funda en ningún derecho... (*Tratado de los delitos y de las penas, escrito en italiano por el marqués de Becaria, y traducido por don Juan Rivera* [Madrid: Impr. de F. Villalpando, 1821], 29, 72)

* Resulta curioso que, tras reconocerle tal potestad a la Naturaleza, López Landrón le reclame a Jehová por la futilidad del diluvio (*ibidem*, 31).

† López Landrón bien pudo haberse inspirado en el discurso de 1879 del jurista e historiador Manuel María de Dolores Torres Campos (1850–1918), *La pena de muerte y su aplicación en España*, argumentativo de que la pena de muerte no podía sostenerse en teoría (esto en respuesta a la teoría retributiva kantiana). Torres Campos a su vez parece haber hecho lo propio con los discursos *Del derecho del Estado para castigar y la legitimidad de la pena de muerte* (1871), de Fernando Calderón de la Barca y Collantes (1811–1890), y *Estudios sobre la pena de muerte* (1872), de Sebastián González-Nandín Ágreda (1808–1880). El primero de estos dos juristas, descendiente del insigne literato barroco y tenaz adversario de la pena de muerte, pronunció su discurso como presidente del Tribunal Supremo de Justicia en Madrid; mientras que el segundo, otrora presidente de sala del mismo tribunal, la defendía. Abolicionista por convicción, el barcelonés Torres Campos incluso se valió del ejemplo de Carl Joseph Anton Mittermaier (1787–1867), a quien consideraba el primer criminalista de Europa en el siglo XIX, para destacar cómo el alemán, un estudioso que defendió la pena de muerte por la mejor parte de cincuenta años, terminó por rechazarla con vehemencia por juzgarla teóricamente insostenible (como mínimo, abogó por una reforma al Código para disminuir el número de condiciones en que se pudieran imponer la pena).

‡ Félix Matos Bernier (1869–1937) se hará eco de esa sentencia: «El derecho que tenemos a vivir no lo da la ley. El derecho a la vida no lo concede la sociedad. Nadie puede disponer de lo que no le pertenece» (*Pedazos de roca* [1894], en Rojas Osorio, *Pensamiento filosófico*, 84).

reclamos, visto que al extender el rango de arriba hasta los días del Gobierno autonómico y la Guerra hispano-estadounidense, se aprecia un exponencial aumento de indultos y condenas conmutadas.[51] No que los discursos anteriores sirvieran de disuasivos; los asesinatos continuaron en alza. Al menos dos parecen haber sido por motivos políticos, cual si los perpetradores se supieran inmunes o, como mínimo, a salvo del garrote.

Por el apuñalamiento del polémico José Pérez Moris[52] se procesó a un mulato que lució más como chivo expiatorio y que acabó con su sentencia conmutada gracias a las incongruencias de la pesquisa.[53] En cambio, el crimen de un personaje tan querido

---

51. Sued Badillo recoge una cincuentena de casos para el lapso tricenal 1868–1898, en el que hubo doce ejecuciones verificadas, doce condenas conmutadas, catorce indultos, nueve amnistías y tres sin confirmar (*Pena de muerte en Puerto Rico*, 89–91) (una de estas últimas la de un artillero acusado de matar a su superior [abajo, nota 59]).

52. Ocurrido la noche del decimotercer aniversario del Grito de Lares, en medio de la calle y ante un testigo a quien se tenía por amigo. Enemigos nunca le faltaron al ultraconservador José Manuel Pérez Moris (1840–1881), gracias a su acérrima postura para con el librepensamiento puertorriqueño. Desde joven, el asturiano demostró una extraordinaria agudeza mental que le ganó el respeto y admiración de todo quien le conociera. Tras una adolescencia en Cuba, donde se inició en las comunicaciones como aprendiz de telegrafista y luego como escritor, llegó a Puerto Rico en 1870 y aceptó el puesto de jefe electricista en la Oficina de Telégrafos capitalina antes de probar fortuna en el periodismo a instancias de amigos. Colaboró con el *Boletín Mercantil* hasta asumir la dirección del mismo en 1871; a partir de entonces se dedicó a combatir toda empresa libertaria en la isla. En 1872 publicó un recuento del Grito de Lares —uno de los mejores y más completos a la fecha— que fue casi de inmediato censurado por cuenta del desdén que por igual le profesaba al «laborantismo» y la masonería.

53. Los motivos del crimen nunca quedaron esclarecidos y libraron al presunto asesino, Federico Bellón Devarieux (1836–1889), de morir en el garrote. Extraoficialmente, se cree que el obrero, un discapacitado, actuó como brazo de Ignacio Díaz-Caneja Alonso (1837–1902), paisano, socio y amigo íntimo de Pérez Moris y supuesto amante de la esposa de este. Sobre el caso, véanse, p. ej., Manuel García Salgado, *Discurso pronunciado ante la Excelentísima Audiencia de Puerto Rico* (Puerto Rico: Impr. y Lib. de Acosta, 1882); Coll y Toste, «Asesinato de Pérez Moris», *Boletín Histórico de Puerto Rico* 11 (1924), 94–124; y José

en la Ciudad Señorial como el procurador Heraclio Tirado Tizol quedó impune.[54] No en vano un anónimo colaborador del *Boletín Mercantil* tuvo a bien quejarse:

> A seguir esa especie de abolición tácita de la pena de muerte que entre nosotros de algunos años a esta parte impera, llegará un día, Dios no lo quiera para bien de esta sociedad, en que la vida del hombre honrado penda irremediablemente de un puñal homicida, de una venganza cobarde, o de un puñado de dinero. ¡Que no llegue, que no llegue tan triste día para nosotros![55]

La razón de por qué unos sí y otros no, cuando no parece influir la gravedad de los crímenes, parecería obedecer a casaciones, si no suerte. Hay que reconocer que en casos como el de *Tachuela* Pérez Moris, viciados de cabo a rabo, la duda razonable fue piedra angular. Diferente fue el de un panadero de San Juan

---

Curet, *Crimen en la calle Tetuán* (San Juan: Edit. UPR, 1996).

54. Así nos hacen creer las lagunas en la prensa. La historiografía también tiene mucho por recoger tocante a la vida y obra del ponceño Heraclio Balbino Tirado Tizol (1834–1881), un hombre de gran talento natural y firmeza en sus convicciones políticas, como lo describe un compueblano y contemporáneo suyo (Eduardo Neumann, *Verdadera y auténtica historia de la ciudad de Ponce* [San Juan: ICP, 1987], 170). El pobre seguimiento que dio la prensa de la época al asesinato del entonces recién nombrado procurador apenas deja entrever que se detuvo a una pareja de sospechosos antes de soltar y olvidar el caso. Es hasta después del asesinato del juez Adolfo Sánchez Cotorruelo (1842–1893) que se vislumbra que tanto este como aquel fueron víctimas de crímenes por encargo (véase, p. ej., J. M. Amadeo, «La religión», *La Correspondencia de Puerto Rico*, 5 de mayo de 1902, 1). Así el dato no tenga relevancia de momento, cabe destacar que Tirado se distinguió también como uno de los primeros puertorriqueños que profesaron el protestantismo en la isla.

55. «El crimen de Ponce», *Boletín Mercantil*, 17 de septiembre de 1882, 2. Las palabras del periodista anteceden el sentir de De Diego: «La eliminación de la pena capital para los delincuentes natos es la institución de la pena capital para los hombres honrados» (en Gazir Sued, «A referéndum la pena de muerte», *El espectro criminal: el imaginario prohibicionista, las alternativas [des]penalizadoras y los derechos humanos en el Estado de Ley*, 2.ª ed. [San Juan: La Grieta, 2015], 478).

cuya ejecución un joven Ángel Rivero Méndez tuvo que presenciar en los albores de su carrera militar.[56]

Remonta el caso a una tarde marzal de 1881 en que Tomás Verdejo Escalera, un negro cuarentón que apodaban *Pompa*,[57] irrumpió en un colegio de niñas y, sin mediar palabras, persiguió y apuñaló a una jovencita de doce antes de intentar envenenarse. Una intervención médica frustró el suicidio, pero no el homicidio. Se trató de una cruel e injustificable venganza del hombre a la postre de haber sido abandonado por su concubina.[58] Entre tecnicismos, la sentencia al garrote se prolongó hasta enero de 1883. Rivero, que por entonces era un recién casado alférez que combatía mosquitos en un arrabal cercano, recibió la orden de dirigir el piquete a dar fe del ajusticiamiento de *Pompa*. No le tomó mucho al futuro último gobernador español de la isla llegar a aborrecer de la pena capital.[59]

---

56. Véase recuento en María de los Ángeles Castro Arroyo, ed. y comp., *Remigio, historia de un hombre: las memorias de Ángel Rivero Méndez* (San Juan: CIHUPR, Edit. UPR, APR Historia, 2008), 147–48, 151–52. Los detalles que omite o desconoce Rivero los ofrece la prensa de la época (abajo, nota 58).

57. Sued Badillo lo registra como blanco (*Pena de muerte en Puerto Rico*, 91), tal vez debido a una fuente viciada; gajes del oficio como los que enfrentó Picó.

58. Detalles en «Gacetillas», *Boletín Mercantil*, 11 de marzo de 1881, 3; «Noticias locales», ídem, 29 de diciembre de 1882, 2; «Ejecución», ídem, 17 de enero de 1883, 2; y (España) *Sentencias del Tribunal Supremo en materia criminal, salas segunda y tercera, primer semestre de 1882* (Madrid: Impr. del Minist. de Gracia y Justicia, 1883), 292–96.

59. Sin embargo, así como para reafirmar el dicho alusivo a *quien no quiere caldo...*, en 1893 le tocaría presenciar el fusilamiento de un artillero acusado de ajusticiar a su sargento por abusador;* y es seguro que habría atestiguado su tercer suplicio en el caso del espía William Freeman Halstead (1869–1905) si este no hubiera sido súbdito británico.†

* Así no lo dijera, Rivero, como artillero, habría lamentado más la tragedia de Lorenzo Homar Jaime, de 23 años, que la de *Pompa*. Más detalles en Castro Arroyo, *Remigio*, 313–14; véanse también «Desgraciado accidente», *Boletín Mercantil*, 12 de abril de 1893, 2; «Noticias», *La Democracia*, 13 de abril de 1893, 3; y «Ejecución», *Boletín Mercantil*, 16 de abril de 1893, 2. El nombre del artillero elude a Sued Badillo (*Pena de muerte en Puerto Rico*, 91), mas no

Las ejecuciones en septiembre de 1891 de dos obreros jua-
nadinos, por el asesinato y descuartizamiento de un anciano en
Villalba dos años antes, acabaron con el período de clemencia
que siguió la muerte de *Pompa*. Claro que no había manera fácil
de convencer a un abolicionista que ciertos crímenes como ese
cometido por José Chavarría y Evangelista Figueroa Maldonado
simplemente no tenían perdón humano;[60] allá Dios si acaso Él
podía y quería.

Aquello que Corchado Juarbe y López Landrón hubieran podido dejar por decir lo aportó un compueblano y pariente del último, José María Arnau Igaravídez,[61] en su turno ante el Ateneo
Puertorriqueño en enero de 1892. La imagen de aquel doble garroteo en Ponce aún fresca en su mente, sin mencionar el aura
de su propia excarcelación días antes, brindaron al respetado
escritor y orador recurrente en el foro la esencia de su crítica al
Código Penal vigente. Si absurda le resultaba la corrección por
la pena, asquerosa le era la trinidad del presidio, el cadalso y la

---

queda sin un correspondiente espacio en blanco para una posible futura in-
clusión.

† Rivero, *Crónica*, 21–35; véase también «Reseña del consejo de guerra celebrado ayer», *Boletín Mercantil*, 6 de mayo de 1898, 2.

60. Por horroroso que resultara el crimen por el que se ajusticiaba a José
Vidal Chavarría Matos (1841–1891) y Juan Evangelista Figueroa Maldonado
(1841–1891), el pueblo repudió el proceso. Otros tres coacusados vieron sus
sentencias conmutadas y un cuarto, Lorenzo Otero Olmedo (1851–1891), murió de tuberculosis mientras esperaba en prisión («Sentencia», *Boletín Mercantil*, 28 de diciembre de 1890, 2; «Noticias de la isla», *La Correspondencia de
Puerto Rico*, 9 de mayo de 1891, 3; «Noticias de la capital», ídem, 24 de mayo
de 1891, 2; «Los condenados a muerte», ídem, 30 de septiembre de 1891, 2; *cfr.*
Sued Badillo, *Pena de muerte en Puerto Rico*, 91 [allí se lista a Otero Olmedo cual
ejecutado]). El tema reavivó la crítica por el rezago de Puerto Rico entre países abolicionistas de la pena capital, algunos tan cercanos como Venezuela
(1863) y Costa Rica (1877), o Ecuador, cuya última ejecución fue en 1884.

61. Arnau Igaravídez (18...?–1895), poeta y periodista que por entonces
dirigía *La Nación Española*, destacó además como un defensor de la mujer y
de la clase obrera. Sus ideales le llevaron a la cárcel en repetidas ocasiones.
De hecho, en septiembre de ese mismo 1892 enfrentó cargos por delitos de
imprenta.

cárcel que le negaba al hombre talleres y escuelas con que redimir el alma. En su momento de abordar la pena de muerte, tuvo a bien decir:

> La pena de muerte quiere realizar la corrección. Y la pena de muerte, para realizar la corrección, empieza por destruir al individuo a quien le es impuesta la corrección. Y claro está, que destruido el individuo, resulta imposible la corrección. Y parece mentira que una cosa tan sencilla, que ni pocas ni muchas complicaciones ofrece, haya podido ejercer acción dogmática en las leyes penales de pueblos civilizados. La pena de muerte no realiza la corrección, porque en los cadáveres nada se corrige.[62]

Cierto, puede que el número de indultos y conmutaciones aumentara conforme la manecilla del reloj decenal avanzara —hasta en casos como el mencionado arriba—, pero no vislumbraba la erradicación de una amenaza latente. La noticia divulgada en la Península sobre la muerte de un reo que extinguió quince años por un crimen que no cometió y por el que estuvo a punto de ser ejecutado en Portugal puso de nuevo en perspectiva el riesgo de una ejecución por error.[63, 64]

---

62. (Arnau Igaravídez) *El hombre ante el Código Penal: estudio filosófico-jurídico-social* (San Juan: Impr. del Boletín Mercantil, 1892), 18.

63. No hemos podido establecer la identidad del reo más allá del apellido o apodo *Parada*, si bien sospechamos de un tal Manuel Gonçalves apodado así. El «crimen» del tal Parada fue jurar públicamente desquitarse de un sacerdote a quien creía autor de una pifia, un desliz que algún oyente que también había tenido desavenencias con el religioso aprovechó. El padre fue asesinado esa misma noche y Parada cargó con la culpa mientras que el verdadero criminal eludió la justicia hasta que en su lecho de muerte quince años después confesó lo que ya en cartas bianuales le había estado diciendo anónimamente al rey de Portugal: «*¡Parada es inocente!*». La liberación de Parada marcó la abolición de la pena capital en el reino luso («Un error judicial célebre», *La Correspondencia de Puerto Rico*, 1 de febrero de 1897, 2).

64. Siempre quedará la incógnita de si al peñolano José Tomás Medina Hernández (1866–1897), sentenciado por robo con homicidio, pero víctima de la anemia mientras esperaba, se le habría dado el beneficio de la duda. La fiscalía de la Audiencia ponceña había pedido la pena («Noticias», *La Corres-*

En el primer tercio de 1898, apenas semanas de haber entrado en vigor el régimen autonómico con la esperanza de un final para la pena de muerte,[65] la judicatura mayagüezana procesó a un quinteto de sangermeños por el robo con homicidio de un billetero en Maricao, mas sin aparentes consecuencias.[66]

Puede que para algunos los nombres de Eduardo Baselga y Damián Castillo ocupen un lugar especial como los últimos mártires puertorriqueños bajo la rojigualda. Según la cuenta, fueron dos líderes de un movimiento libertario acusados de conspirar en pos de un golpe de estado y fusilados tres semanas antes del desembarco estadounidense. Si tan solo no hubiera sido una patraña que ni la prensa local tuvo a bien desmentir....[67]

La guerra contra las partidas sediciosas en el otoño recrudeció la amenaza del regreso de la pena de muerte, toda vez que por considerarse la isla bajo ley marcial (nos atenemos a lo

---

pondencia de Puerto Rico, 7 de junio de 1897, 2).

65. En todo caso, «suspender las ejecuciones de pena capital cuando la gravedad de las circunstancias lo exigiesen...» (Carta Autonómica, art. 42).

66. Para cuatro de ellos se pidió la pena de muerte, pero todos fueron absueltos sin explicación alguna («Noticias», La Correspondencia de Puerto Rico, 31 de marzo y 1 de abril de 1898). Sus nombres no llegaron a la atención de Sued Badillo (cfr. Pena de muerte en Puerto Rico, 91).

67. Más desconcertante que el silencio de Rivero en su diario lo es el pregón que gozó la noticia en rotativos estadounidenses de costa a costa con titulares como «Conspiracy at Porto Rico» (San Francisco Call, 1 de julio de 1898, 1), entre otros calcos. Según el New York Herald —la fuente—, la noticia se originó en Santomas, e identificó al dúo como influyentes ciudadanos de San Juan en pos de asesinar al general Macías. Sorprende todavía más el silencio de los verdaderos Baselga y Castillo —Eduardo Baselga y Cháves (1838–1906) y Damián Castillo (18...?–1899)—, dos altos funcionarios republicanos en Madrid.* Claro que todo se reduce a un intento de manipulación amarillista en aras de romantizar y equiparar la situación en la isla con la que se vivía en Cuba; no obstante, no es raro dar con referencias tanto norteamericanas como locales que la toman por cierta.

* La noticia en su versión más completa involucró a otros diputados como José Muro y López-Salgado (1840–1907) y Miguel Morayta Sagrario (1834–1917), y al veterano periodista Antonio Catena Muñoz (1840–1913); por lo menos Morayta fue un reconocido alentador de la insurrección en Cuba.

abstracto del asunto de *ley marcial*; no a sus implicaciones legales o ilegítimas),[68] el general Henry aplicó las leyes de guerra, aunque ajustadas para procesar civiles mediante comisiones militares.[69] El relativo éxito de la medida auguró resultados nefastos que el alcalde de Aguada, Antonio Sánchez Ruiz, intentó atajar a la primera oportunidad que tuvo de reunirse con el comisionado especial Henry Carroll[70] en noviembre. Sancionar la vigencia del sistema judicial español, sostuvo, equivalía a insistir en un Puerto Rico anacrónico. Urgía que se instituyera

> el juicio con jurado como en otros países y se acabe con las audiencias de lo criminal. En el Código Penal, que se proceda a abolir la pena de muerte y también la de prisión perpetua, por ser incompatibles con el espíritu democrático estadounidense.[71]

El letrado aguadeño hablaba tanto por idealismo como por agradecimiento: en lo primero lejos de imaginar que el *espíritu democrático estadounidense* se encaminaba a cerrar 1898 con diez

---

68. La actividad de las partidas sediciosas suscitaron un estado de guerra virtual; no obstante, sobre ese aspecto que sobrepasa el enfoque de este trabajo, véase, entre otros, Carmelo Delgado Cintrón, «Derecho y colonialismo: la trayectoria histórica del Derecho puertorriqueño», *Revista Jurídica de la Universidad Interamericana de Puerto Rico* 49, n.os 2–3 (1980), 150 n. 69.

69. No solo de desarticular partidas y procesar a sus miembros se ocuparon las comisiones militares, si bien esas actividades formaron el grueso de su misión. Legítimas o no, cumplían su propósito pese a las incompatibilidades con el sistema judicial local. Ponce y Mayagüez vieron los casos más sonados y tuvieron en sus sendos defensores civiles, González Font y Tomás Bryan Souffront (1875–1926), retos mayores que los asuntos en juicio.

70. Neojerseíta, amigo íntimo y correligionario de McKinley, Henry King Carroll (1848–1931) fue un abogado, escritor y reverendo metodista enviado a Puerto Rico para redactar un informe sobre las condiciones de vida y hacer recomendaciones sobre el futuro gobierno de la isla. Su informe colige la capacidad e importancia de Puerto Rico de autogobernarse y advierte sobre las repercusiones de engañar al pueblo sacándole de un yugo para ponerlo bajo otro (Carroll, *Report*, 56–58).

71. *Ibidem*, 314; más en la siguiente nota.

veces el número de ejecuciones en España;[72] y en lo segundo, por saberse él mismo librado de convertirse en una estadística de España a la postre de su pifia del 18 de agosto de entregar a Aguada sin la venia del gobernador Macías.[73]

---

72. Ocho veces, si aceptamos las 82 que tabula DeathPenaltyUSA.org («U.S.A. Executions-1607–1976: Index by date 1898», deathpenaltyusa.org/usa1/date/1898.htm); pero once, si tomamos las 109 según estudios de la Universidad de Illinois a principios de siglo XX.* En cuanto a datos españoles, véase (España) Ministerio de Gracia y Justicia, *Estadística de la administración de justicia en lo criminal durante el año 1898 en la península e islas adyacentes* (Madrid: Impr. y Fund. de Hijos de J. A. García, 1900), 158 (para la isla, Sued Badillo, *Pena de muerte en Puerto Rico*, 91). Sánchez Ruiz no pecaba de iluso del todo; por entonces había cuatro estados de la Unión sin pena de muerte en sus códigos y otros en vías de abolirla. De igual manera también había aquellos que, para evitar linchamientos todavía peores que las ejecuciones codificadas, la restaurarían; uno fue Colorado. Véase al respecto la aproximación de John F. Galliher, Gregory Ray y Brent Cook, «Abolition and Reinstatement of Capital Punishment during the Progressive Era and Early 20th Century», *Journal of Criminal Law and Criminology* 83, n.º 3 (1992), 538–76.

  * James W. Garner, «Crime and Judicial Inefficiency», *Annals of the American Academy of Political and Social Science* 29 (1907), 162. Aun cuando el articulista no puede certificar las estadísticas según divulgadas por el *Chicago Tribune*, les reconoce un parecido con las de otro estudio independiente.

73. Entiéndase que cuando un piquete estadounidense entró proclamando la toma del pueblo —una violación al protocolo de paz que se repitió a lo largo de la isla—, Sánchez Ruiz (1866–1961), animado por una multitud jubilosa y olvidando que apenas cumplía seis meses en el nombramiento, arrió la bandera rojigualda e izó la de estrellas y franjas. Para colmo, durante una pesquisa de la Guardia Civil esa misma noche resultaron muertos dos civiles. Se arrestó al funcionario con órdenes de remitirlo a San Juan para enfrentar cargos y un posible fusilamiento, pero a la salida de Arecibo con destino a Bayamón, el custodio lo ayudó a escapar y desaparecer.* El nuevo régimen le permitió retomar el puesto en octubre (Picó, *1898*, 82; ídem, «La necesidad de investigar el 1898» [ponencia, UIPR-San Germán, 22 de octubre de 1987], 6; véanse también «Noticias» en *La Correspondencia de Puerto Rico* del 28 de agosto y 22 de octubre de 1898). Cabe destacar que Aguada tampoco fue área de operación de las partidas sediciosas.

  * Desconocían ambos que Miles ya le había telegrafiado a Macías para prohibirle que tomara represalias (Marrion Wilcox, «Diary of the War», *Harper's Weekly*, 10 de septiembre de 1898, 899).

Quizá Sánchez Ruiz vivió y murió idealizando a sus salvadores, pero lo cierto es que pese a lo mucho que se ha hablado del exterminio de tiznados a manos de las temidas comisiones militares, no hay evidencia de fusilamientos, sino de condenas a prisión de dos a doce años de trabajos forzados.[74]

McKinley había dejado claro que respetaría las leyes españolas en la isla siempre que no contravinieran los ideales de justicia estadounidenses.[75] Aparte de constar así en el Código Lieber, que bien conocía como ex militar y abogado, lo disponía la Décima Enmienda. Cualquier materia no delegada por la Consti-

---

74. *Cfr.* Picó, *1898*, 147, 154. Incluso en la causa contra el cagüeño Rafael Ortiz (1875/78–19...?) por el asesinato de un voluntario de Nueva York en febrero de 1899 se conmutó la sentencia de muerte por cadena perpetua en una penitenciaría federal. Pese a que el cochero mestizo, pobre y no reconocido por su padre tenía todas las de perder (*cfr.* Carroll, *Report*, 597–99), el general Henry, en una movida de política propagandista de benevolencia* (nada diferente de España tras el Grito de Lares), le recomendó personalmente al presidente conmutar la sentencia. La aceptación de McKinley constituyó la primera intervención directa del mandatario en un caso de pena de muerte. Arcadio Díaz Quiñones ha tenido a bien llamar el gesto *los deberes y dolores del «colonialismo negociado»* (*Once tesis*, 9).

* Puede que intentar dar con una respuesta definitiva plantee más interrogantes, pero merece el esfuerzo. Como bisnieto de vicepresidentes y jueces supremos (uno además fundador de la Sociedad Bíblica Americana) y nacido y criado en Territorio indio, Henry estuvo desde temprana edad expuesto a/inmerso en el trato con gente en asuntos *fuera* del ambiente militar y conocía la empatía. Como gobernador de la isla, fue quizás el que más simpatizó con el pueblo hasta el punto de infantilizarlo con un trato severo pero atento (*cfr.* Rivero, *Crónica*, 490–91). Sabía al puertorriqueño sincero, amable, inteligente y capaz de aprender a valerse por sí mismo, mas bajo constante supervisión y alejado de malas influencias (*cfr.* Picó, *1898*, 189–90). Como comandante, era consciente de los desmanes de la soldadesca cuando no era vigilada; tal vez por ello justificó la reacción de Ortiz, si bien reconoció que el sistema carcelario de la isla no proveía los castigos ni las rehabilitaciones acordes cuando no diferenciaba entre un reo de asesinato y otro de delitos menores. Su esposa Julia McNair (1844–1917) no difería mucho de él y no nos extrañaría descubrir que tuviera que ver con la solicitud de clemencia.

75. Las normas de la Orden General 101 (arriba, INTRODUCCIÓN, nota ii) se hicieron extensivas a Puerto Rico mediante la proclama de Miles.

tución en el gobierno federal descansaba en los gobernadores estatales o en el pueblo; por ende, ciertos aspectos de la administración de Puerto Rico le correspondían a los gobernadores militares —derecho de conquista—; y estos, al no hallar contravenciones, no objetaron. Tal fue el caso con la pena de muerte, una práctica que los Estados Unidos sancionaban desde siglo y medio antes de su fundación.

Como mínimo, el presidente y los gobernadores militares sabrían que la isla contaba con un efectivo sistema judicial que sancionaba la pena capital, así como que por cerca de una década no había habido ejecuciones. Hasta contar con traducciones del Código Penal y la Ley de Enjuiciamiento Criminal (dato que eludió a Carroll),[76] sabrían que a lo sumo toda ejecución sería *en garrote y pública*;[77] pero con toda probabilidad —para añadir a lo adelantado en la Introducción—, ignorarían la naturaleza del garrote o pensarían que nunca lo verían en acción.[78]

---

76. Aunque había una traducción del Código Penal impresa en La Habana (1898), tal parece que no estuvo disponible a Carroll; las más conocidas son aquellas de 1900 (Código Penal) y 1901 (Ley de Enjuiciamiento).

77. Código Penal, artículo 100. Tocante al factor de la publicidad, explica Tomás y Valiente:

> Esta es la raíz por la cual todas las ejecuciones a penas capitales, las llevadas a cabo por la Inquisición y las llevadas a cabo por la justicia real —*civil* digamos [énfasis añadido]— se llevan a cabo de manera pública. Con la mayor publicidad posible, como una fiesta, como un acto teatral, con procesiones, anuncios, bandos, trompetas, en patíbulos bien visibles... Para aprender. El terror como estrategia de gobierno. La ley penal y su ejecución como política. («Derecho Penal como instrumento», 256)

78. En un caso opuesto al de Rafael Ortiz, el neoyorquino Dominick Schweigert (abajo, DE CAPILLA—, nota 7), un ex soldado de la 5.ª caballería procesado por doble homicidio, encaró una sentencia de muerte que se conmutó por cadena temporal.* Ante lo que puede lucir como doble vara debemos recordar que cada acusado fue procesado por tribunales diferentes: Ortiz, quien en su sano juicio degolló a un abusador, por militares, mientras que Schweigert, borracho, que disparó contra uno y acuchilló a otro, por jueces mayagüezanos.

* Aunque bajo otras circunstancias, no era la primera vez que un

Ciertamente George Whitefield Davis,[79] sucesor de Henry, no lo esperó; y ello plantea algunas preguntas en cuanto a la «timidez»[80] o desentendimiento del profesante anglicano,

---

militar estadounidense enfrentaba la pena de muerte. En agosto de 1898, un voluntario del 6.º de Illinois fue hallado culpable de timar a un comerciante de Ponce y, si bien la ofensa ameritaba el castigo más severo por no mediar una muerte (*cfr.* Código Lieber, art. 47), de entrada se recomendó ejecutar al ofensor a modo de advertencia. Louis de Haas (1879–19...?) acabó siendo sentenciado a trece meses en una penitenciaría federal antes de un indulto presidencial (David F. Trask, *The War with Spain in 1898* [Lincoln: Univ. of Nebraska, 1996], 365, 366; «DeHass of Co. D Sixth Pardoned Out», *Monmouth Evening Gazette*, 29 de octubre de 1898, 1). Por otro lado, si el ilógico rumor, según denunciado por *La Correspondencia* del 14 de agosto, a los efectos de que las tropas estadounidenses en Coamo habían ahorcado a un par de ladrones hubiera probado ser cierto, los soldados responsables habrían sido ejecutados sin miramientos.

79. Davis (1839–1918), un ingeniero civil de Connecticut y veterano de la Guerra Civil, es recordado también como uno de los artífices del Monumento a Washington, así como del Canal de Panamá.

80. Más bien «dejadez». Cada gobernador militar después de Miles se desligó de la promesa de respeto a las leyes y costumbres locales cual pregonó aquel en su proclama. Brooke, aunque retuvo la asesoría del Consejo de Secretarios, abolió el Tribunal de lo Administrativo-Contencioso, así como el Parlamento Insular y la Diputación Provincial, so el pretexto de incompatibilidades con el nuevo régimen; Henry menoscabó la función y autoridad del Consejo de Secretarios al instituir un sistema de departamentos liderados por estadounidenses. La desconfianza por ignorancia (choque cultural no siempre fundamentado) fue denominador común en ambos casos. Davis no fue diferente en cuanto a actitudes y prejuicios (continuó la política de Brooke hasta la renuncia del Consejo); sin embargo, desconcierta a más que en asuntos tan triviales como el derecho al voto (una aquiescencia de su predecesor) llegara a juzgar al puertorriqueño de incapaz de ello y situarlo debajo del chino en cuanto a inteligencia, cuando en temas serios como el de la pena capital bajo *un sistema que le era desconocido*, se mantuviera a raya en aras de no incitar el desorden (*cfr.* Davis, *Report*, 26–29; invitamos a ver también, en aras de un acercamiento, a Jaime L. Rodríguez Cancel, «El gobierno militar estadounidense en Puerto Rico y la Ley Foraker: antesala de la americanización [1898–1900]», *Ámbito de Encuentros* 12, n.º 2 [2019], 73–95). Cabe señalar que las únicas dos alusiones a la pena de muerte en el informe de Davis pertenecen a la Orden General 19 de Brooke (Davis, *Report*, 92).

cuando podríamos imaginar que a su edad, sin mencionar época, tuvo que haber tenido alguna noción (cuidado si de primera mano) de las añadiduras que hacían a tales eventos (aquellos fuera de la jurisdicción militar) lucir más como circos de lo morboso que ceremonias solemnes.[81] Hacía más delicado el asunto su cercanía a la Semana Santa. Por supuesto que siempre cabe el espacio para el beneficio de la duda y suponer que el general estuviera ajeno a la festividad mientras se preparaba para su próxima entrega de mando.[82]

Independientemente de la cercanía de la Semana Mayor, el fallo del Tribunal Supremo al recurso de casación de Eugenio Rodríguez y compañía había activado el protocolo del Código Penal tocante a ejecuciones. Por ende, la de los cinco se efectuaría

en garrote sobre un tablado. La ejecución se verificará a las 24 horas de notificada la sentencia, de día, con publicidad, y en lugar destinado generalmente, al efecto, o en el que el Tribunal determine cuando haya causas especiales para ello. Esta pena no se ejecutará en días de fiesta religiosa o nacional.[83]

81. A título de ejemplo, en una típica ejecución estadounidense,
las publicaciones que surgían en torno a [una] tenían poco que ver con el sermón religioso y más con los sensacionalistas detalles de los crímenes del condenado. Los comerciantes locales vendían artículos conmemorativos y alcohol. Surgían peleas entre los espectadores por el mejor lugar para presenciar el espectáculo. Maldecían tanto a la viuda como al ajusticiado. Trataban de derribar el patíbulo o destrozaban la cuerda con la intención de obtener un recuerdo material del evento. El desorden y el caos continuaban bien entrada la noche después de que «se hubiera aplicado la justicia». (Joseph A. Melusky y Keith Alan Pesto, *Capital Punishment* [Santa Bárbara: Greenwood, 2011], 2)
Canadá no era diferente; en el ahorcamiento de una mujer en Quebec en marzo de 1899, la policía tuvo disparar al aire para evitar que el gentío derribara las puertas del recinto y un sacerdote reprender a aquellos en torno al cadalso para que mantuvieran la cordura.

82. La Semana Mayor de 1900 empezó el 8 de abril. Suponemos que como mínimo Davis se enteró de la inminencia de la ejecución el 30 de marzo; fue el día que telegrafió al secretario de la Guerra (abajo, apénd. IV).

83. Biblioteca Judicial, *Código Penal vigente*, art. 100.

. . .

¡Vaya forma de profanar la cuaresma! La renuencia inicial de los comerciantes ponceños a vender los materiales necesarios fue el primer reto a vencer en la erección del cadalso en el mismo lugar donde Chavarría y Figueroa Maldonado entregaron sus almas a principios de década: un sector del barrio Canas a cosa de una milla del casco urbano, a pasos del cementerio. La consternación ciudadana creció conforme la plataforma tomaba forma en torno a cinco postes. Los periódicos no tenían que pregonar la noticia para que la ponceñía supiera que el ajusticiamiento de los asesinos de Prudencio Méndez estaba próximo a marcar una efeméride.

Tan tentadora como especulativa, la idea de un indulto de último momento debió cruzar la mente colectiva: *¿Sería que alguno de los infelices gozaría del mismo inmerecido favor que Barrabás?*

De capilla—

N ada sugiere que los reporteros de *La Democracia* que visitaron a los reos el 2 de abril les participaran datos de las gestiones en progreso; pero podemos suponer que de algún modo los reos intuirían que aquella visita respondía a algo excepcional.[1]

Se trató de un encuentro ameno, dadas las circunstancias, de tres a cuatro de la tarde, en la misma celda de los reos. El plazo pautado por política de la cárcel prestó lo suficiente para recoger una idea concreta de la situación de los infelices:[2]

> Rosalí Santiago tiene veintiún años. Es de formas atléticas, trigueño, con ligero desarrollo de bigote, de regular estatura, cabeza redonda y está picarazado de viruelas. Dice que debe al juez de Yauco, instructor de las primeras diligencias de la causa, el no haber podido comprobar su inocencia. Confía en que será absuelto.

---

1. No todos los reos sabían leer ni tendrían fácil acceso a periódicos —al parecer, tampoco habían recibido visitas de familiares (menos de su defensor)—, pero tendrían sus fuentes de inteligencia. Si ignoraban el fallo del Tribunal Supremo al recurso de casación se debe a que este no se publicó hasta el 5 de abril; no obstante, ya desde marzo circulaba el rumor («La sentencia confirmada», *La Democracia*, 9 de marzo de 1900, 2; «Noticias generales», *La Correspondencia de Puerto Rico*, 22 de marzo de 1900, 3; «Noticias del día», *Boletín Mercantil*, 3 y 28 de marzo de 1900).

2. «En la cárcel de Ponce», *La Democracia*, 3 de abril de 1900, 2.

Tiene madre y hermanas y es la vez primera que está preso.

Eugenio Rodríguez, el *Brujo*, tiene treinta años; se le acusa del disparo que causó la muerte de Méndez. Es soltero y tiene familia. Manifiesta que los motivos de su prisión los vino a conocer en la cárcel. Supone que por odios aparece complicado en este ruidoso asunto. Está enfermo; le dan calenturas con frecuencia; es de constitución delgada, pero se conserva fuerte. Proclama su inocencia y espera confiado.

Simeón Rodríguez, conocido por el apodo de *Bejuco*, es alto, delgado, tiene cincuenta años. Tiene una escoriación en el lado derecho de la nariz que le echa sangre. Dice que él es de barrio distinto al en que vivía el infortunado Méndez; que está preso hace diecisiete meses. Relata el modo de cómo fue preso. Tiene cuatro hijos pequeños y una hija que está casada. No ha sido procesado nunca.

Los hermanos Pacheco resultan distinguidos entre sus compañeros; son de Yauco, de profesión albañiles. Su padre es el señor Eduardo Pacheco, persona acomodada.

Hermógenes es un joven pálido que contará apenas veinticuatro años. Cuando fue preso tenía un año de casado. Tiene semblante triste y proclama su inocencia. Dice que tiene amigos muy buenos en Yauco que pueden proclamar su hombría de bien. Entre estos cita a los Mariani,[3] Ortiz,[4] Mejía (don Francisco) y Franceschi. Interrogado acerca de lo que él espera del término de su causa, dijo que aguardaba una solución satisfactoria. Dice que sufrieron mucho cuando en la Corte de esta ciudad se les leyó la sentencia pidiendo la pena de muerte para ellos, pero que confían en Dios y esperan.

El otro Pacheco (Carlos), hermano de Hermógenes, es trigueño. Su mirada no es franca. No mira de frente. Evita que se le analice. Uno que lo conoce nos dijo que era efecto de su carácter. Como su hermano, se dice inocente. Manifiesta que ha vivido siempre de su profesión; no es casado, pero tiene una mujer con la que vive. Espera confiado en su absolución.

Una hora estuvimos en conversación con estos infelices que

---

3. Una destacada familia de caficultores y dueños de las haciendas Santa Clara y Asunción en Yauco y Desideria en Guánica.

4. No pudimos identificar a la familia o persona en alusión.

ignoran su estado y que no conocen la última palabra del Tribunal Supremo. Una honda tristeza se apoderó de nosotros ante aquel cuadro de juventud tan mal gastada. Nos exigieron que diéramos a conocer sus impresiones al público y que les volviéramos a ver. Les complacemos publicándolas y les volveremos a ver, no sabemos dónde.

Dentro de unas cuantas horas se descorrerá para esos desgraciados el velo que oculta su destino.

Vendrá como hecho positivo el epílogo del drama sangriento y tras este el misterio de la eternidad.[5]

Acordados el *qué, cómo, cuándo* y *dónde,* solo restaba el *quién,* tarea que complicó la sorpresiva renuncia del ejecutor de justicia oficial de la isla, Ceferino Arango,[6] y la remoción de quien

---

5. Cabe destacar que ninguna de la documentación consultada remite los nombres de los reporteros; sin embargo, la breve alusión a «Rivas» en el «Última hora» de *La Democracia* del 5 de abril* parece sugerir que Gumersindo Rivas (1842–1914) fue uno de ellos. De hecho, la prosa del artículo evoca el estilo del veterano redactor y director interino del rotativo en la ausencia de Mariano Abril. Rivas, *«periodista de ocasión o hecho por las circunstancias»,* como lo definió su colega Luis Bonafoux Quintero (1855–1918) («Gumersindo Rivas», *La Correspondencia de Puerto Rico,* 26 de mayo de 1914, 4), además de miembro de la Sección de Puerto Rico del Partido Revolucionario Cubano, fue en su momento director de un periódico revolucionario venezolano bajo el gobierno de Cipriano Castro (1858–1924). Tras el derrocamiento y destierro de Castro, Rivas regresó a Puerto Rico y luego partió a Francia, donde murió.

* El «Última hora» atañe a la carta de Hermógenes Pacheco (reproducida más adelante), cuya nota acompañante leía:

Estimado señor: Por primera y última vez me dirijo a usted para suplicarle inserte en su ilustrado periódico las siguientes líneas que, según creo, serán las últimas que leerá el pueblo de Puerto Rico, dictadas por el que suscribe. Este es un favor que espero merecer de su nobleza, y por lo que le anticipa las gracias su humilde s. s. q. b. s. m. [*seguro servidor que besa sus manos*] («Los sentenciados a muerte: en capilla», *La Democracia,* 6 de abril de 1900, 2)

6. Ceferino Arango Martínez (1853–>1915), negro, bizco, alto e imponente, destaca como el verdugo local más reconocido del entresiglos puertorriqueño. El camagüeyano veterano de la Guerra de los diez años inmigró

en 1890 y aceptó el puesto a cambio de indultos a su condena por homicidio. Como otros verdugos no solo en la isla, se confesaba aborrecedor de su faena (Chavarría y Figueroa Maldonado fueron sus primeras ejecuciones) y solo actor en nombre de la justicia; debía buena parte de la triste fama que gozaba a sus múltiples fugas, aprehensiones y liberaciones a lo largo de la década. En el momento de su última captura en 1898, en Cidra, se le tomó por miembro de una partida sediciosa desarticulada por tropas estadounidenses (*La Correspondencia de Puerto Rico*, 11 de noviembre de 1898, 1). Si bien aceptó la misión de ajusticiar a los reos de Ponce con la asistencia del ex soldado Schweigert (abajo, nota 7), cambió de parecer por cuenta del número. Es importante señalar que, a radical diferencia de Europa, donde el oficio del llamado *ejecutor* (o *ministro*) *de justicia* se confería a blancos mediante ofertas o por tradición familiar, los verdugos en las colonias ultramarinas, por Real Orden de 31 de mayo de 1852, provenían de entre presos negros o mulatos que adquirían el oficio a cambio de remisiones, solo para el continuo escarnio de sus congéneres o de la sociedad.* La falta de estudios en Puerto Rico† obliga a remitirnos a la experiencia cubana a fin de calcar algo de los requisitos que debían reunir los candidatos. Como mínimo debía ser un hombre sano y fuerte (por el esfuerzo que conllevaba accionar el garrote para provocar una muerte inmediata) y psicológicamente apto para tolerar ver a un congénere gemir, moverse o convulsionar en caso de no morir de inmediato (Jorge L. Ordelin Font y Raúl J. Vega Cardona, «Los verdugos en Santiago de Cuba: pobres, presos y negros», *Revista de Historia del Derecho* 44 [2012], 153).‡

  * Dada la abyecta reputación de la actividad, prevalecía entre las autoridades una preocupación por garantizar la sobrepoblación y superioridad de la raza blanca. Los verdugos europeos, en cambio, particularmente los españoles como José González Irigoyen (1812–1896), Nicomedes Méndez López (1842–1912) y Gregorio Mayoral Sendino (1861–1928), así como las dinastías francesas Sansón (1684–1847) y Deibler (1853–1939), eran reconocidos cual celebridades que competían entre sí y se jactaban del número de condenados que los solicitaban como sus ejecutores. La Real Orden de 31 de mayo de 1852 resolvía la inquietud surgida siete años antes en Cuba por haber

      razones fundadas... para preferirse que el verdugo sea de color y evitar que el desprecio y odio que intencionalmente recae sobre el ministro de justicia, por la ignominia que suele imprimir en sus ejecuciones recaigan en un español traído precisamente de la Península (en Ordelin Font y Vega Cardona, «Los verdugos», 167; para la orden en contexto, véase *Legislación ultramarina*, concordada y anotada por Joaquín Rodríguez San Pedro [Madrid: Impr. de Manuel Minuesa, 1866], 7:169)

    No obstante lo discutido, Cuba continuó empleando verdugos blancos hasta 1889, cuando el titular, un militar español «*de buena presencia y de cabello*

habría sido su asistente (que a su vez había asumido el cargo de ejecutor) por no contar con el tiempo mínimo de sentencia cumplido.[7] Así fue como de asistente del último ejecutor nombrado,

---

y bigotes rubios», pero sin experiencia en el empleo, se amilanó y fue necesario recurrir a su ayudante, un ñáñigo matancero, para completar la faena (Ordelin Font y Vega Cardona, «Los verdugos», 173–75; más en Eduardo Varela Zequeira y Arturo Mora y Varona, *Los bandidos de Cuba [primera serie]*, 2.ª ed. [La Habana: Establ. tip. de La Lucha, 1891], 9–14).

† Hasta que el tema obtenga el estudio que merece tendremos que elucubrar en torno a las migajas de información que ofrecen el relato collista «La hija del verdugo» (*Leyendas puertorriqueñas* [1924], 97–104), las notas fácticas de Jalil Sued Badillo y Ángel López Cantos (*Puerto Rico negro* [Río Piedras: Edit. Cultural, 1986], 162) y el palique XLI de Nemesio Canales, «La muerte del verdugo» (*Paliques* [1913; s. l.: Edit. Universitaria, 1952], 100–1). Este último esboza algo de la vida del aguadillano Pedro Feliciano Duprey (1878–1911), el verdugo puertorriqueño con más ejecuciones a su haber.

‡ *Cfr.* Elías Neuman, *Pena de muerte: la crueldad legislada* (Buenos Aires: Edit. Universidad, 2004), 148–53, *vs.* Eslava, *Verdugos y torturadores*, 35–38, *vs.* Francisco Pérez Fernández, «La figura institucional del verdugo como espejo público (siglos XVIII–XX): el ejecutor de sentencias y sus variantes psicológicas», *Revista de Historia de la Psicología* 34, n.º 3 (2013), 57–80.

7. Entre lo poco que se conoce sobre Schweigert destaca que contaba con un historial delictivo en su residencial Albany que no pareció impedirle alistarse como voluntario en el verano de 1898 antes de llegar a la isla como un soldado de la 5.ª caballería. En octubre de 1899, ebrio y en medio de una discusión con Faustino Rivera Reyes, un mayagüezano de 56 años, y Toribio Torres Pérez, un caborrojeño de 28, acuchilló al primero y le disparó al otro. Inicialmente sentenciado a muerte por el Tribunal de Mayagüez, un recurso de casación le conmutó la pena por diez años en presidio. Apenas cumplía dos meses cuando se ofreció para la tarea de verdugo, a falta de voluntarios, a cambio de un indulto. Hasta el 2 de abril, cuando salió con rumbo a Ponce para cumplir con su misión, se le reconoció como ejecutor; pero un telegrama del general Davis con los pormenores de la inelegibilidad lo obligó a regresar a presidio en la madrugada del 3 («El verdugo en Ponce», *La Democracia*, 3 de abril de 1900, 3; y *Boletín Mercantil*, 2 y 3 de abril de 1900). *La Correspondencia de Puerto Rico*, en franca manifestación, razonó en lo bueno que «fuera que este contratiempo inesperado viniera a estimular los sentimientos humanitarios de la Autoridad superior de la Isla, evitando a la culta ciudad de Ponce un espectáculo tan triste y repugnante que quisiéramos ver desaparecer de nuestros códigos» [«Sin verdugo», 2 de abril de 1900, 3]).

Justino Navarro García, pasó a ocupar la plaza.

El naguabeño de veintinueve años, trigueño aindiado, delgado, de cara manchada y algo intimidante por cuenta de una prominente verruga en la quijada, extinguía una condena de catorce años, ocho meses y un día por homicidio, más los agravantes que diera la mujer con la que vivió hasta marzo de 1897.[8] A cambio de ajusticiar a los reos en Ponce, el otrora marino recibiría la libertad.

No bien se regó la noticia en el presidio,[9] la población penal se amotinó y atacó a Navarro, pero este no sufrió más daños que un golpe en la pierna con un banquillo. Más le hirió el hecho de que fuera de manos de un supuesto amigo.[10] Pero no se inmutó; prefería lidiar con su vergüenza en libertad que con dignidad tras los barrotes.

Le asistiría el yaucano Vicente Nazario Rivera, el *Quebradillas*, de unos cuarentaitantos, moreno, alto, de cara poco simpática y hablar menos agradable.[11] El otrora zapatero extinguía una condena de catorce años, ocho meses y un día por un crimen

8. La mujer se enamoró de un cabo de presidio y ello que el oficial, por celos, desquite o ganas, le atizara una tunda a Navarro. Un día, este último no pudo contenerse y se desquitó de su abusador. Lo extraño es que, pese a añadirle causas, no le evitó al reo acogerse a indultos que poco a poco redujeron su condena a dos años, cuatro meses y nueve días por cumplir a la fecha en que aceptó la oferta.

9. En Puerta de Tierra, hoy sede del Archivo General de Puerto Rico.

10. Detalles adicionales abajo, apénd. v.

11. José Elías Levis Bernard (1871–1942), el escritor aguadillano mejor recordado por sus novelas obreras *El estercolero* (1899) y *Estercolero* (1901), tuvo la oportunidad de conocerlo en 1902 y de pintar al respecto la siguiente viñeta:

Acabo de ver al verdugo. He tenido algunos momentos de conversación con este siniestro personaje... Tiene 45 años. Su fisonomía es repulsiva; un discípulo de Lavater* sabría enseguida a qué atenerse. Es un hombre embrutecido y tiene aspecto de fiera humana. Tuve deseos de hacerle un examen frenológico, pero renuncié a ello. («Una visita a las cárceles», *El Iris de Paz*, 7 de junio de 1902, 6)

* Juan Gaspar Lavater (1741–1801); escritor, filósofo y teólogo suizo-alemán reconocido como el padre de la fisiognomía.

cometido en 1889,[12] y tras el cual anduvo prófugo por una década; fue capturado por una de sus víctimas de robo que ahora era miembro de la Policía Insular.[13] Su participación en la ejecución le rebajaría cinco años a su condena; cumpliría el restante en la cárcel.

El traslado de los ejecutores a partir de las cuatro de la mañana del 5 de abril se efectuó ordenadamente, aunque no franca de faltas. Para empezar, alguien, por descuido u omisión, los dejó sin alimentos para el camino y no fue hasta una breve parada en Coamo temprano en la tarde que probaron bocado... y gracias a la misericordia del guardia que los escoltaba que compartió su propia pitanza. En la siguiente parada en Juana Díaz pasaron más de dos horas sin auxilio alguno. Cada escala fue un circo; la ciudadanía los miró con curiosidad, enterada de lo que pasaba, pero en ningún momento los agravió.

Para desconocimiento de ellos, por entonces circulaba en Ponce un rumor respaldado por hojas sueltas que pregonaban la disponibilidad y determinación de una nuera de Prudencio Méndez a ajusticiar a los reos si seguían abortando la designación de los verdugos.[14]

---

12. Entiéndase el homicidio de su compueblano Vicente Santiago Flores (1867–1889) en Maricao.

13. Dediquémosle de una vez unas palabras a la creación de este organismo que empezó como una fuerza de 313 efectivos independiente de otros cuerpos policiacos. En el momento de su creación (órdenes generales 13 del 7 de febrero y 25 del 21 de febrero de 1899), con un costo anual de $165,000, se designó al alemán Frank Techter (1865–1926) como jefe, con una coronelía, cuando durante la guerra del 98 apenas ostentó un tenientazgo de Voluntarios de Nueva York. Para más detalles, véanse Davis, *Report*, 19, 98, 99, 109; y *Órdenes generales de 1899* (Tip. Boletín Mercantil, 1903), 21–22; *cfr.* (James H. McLeary) *First Annual Register of Porto Rico* (San Juan: San Juan News, 1901), 66, 159; *Register of Porto Rico for 1903, Prepared and Compiled under the Direction of the Hon. Charles Hartzell* (San Juan: Louis E. Tuzo, 1903), 140–42; y Roberto H. Todd, «Cómo se organizó el Cuerpo de la Policía Insular», *El Mundo*, 11 de junio de 1939, 16.

14. En este caso no fue más que un morboso chisme de pueblo que a la larga se desmintió («Por la verdad», *La Democracia*, 12 de abril de 1900, 2). No

. . .

Viernes 6; de Dolores. La llegada de los verdugos a Ponce[15] en las horas bajas fue un evento de nota matizado con una cordial recepción con refrescos y algo de licor para compensar las malas atenciones del camino. Los cabos de galera luego los condujeron a las celdas reservadas. Pese a que el alcaide[16] procuró todas las previsiones posibles en cuanto a los reos y dispuso el traslado de estos, por parejas, a celdas individuales momentos antes de la entrada de los verdugos en el perímetro, no se pudo evitar que Carlos y Rosalí, que ocupaban celdas frente por frente a la reservada para los verdugos, al instante de verlos les apostrofaran y maldijeran, gesto que repitieron a cada oportunidad.

Si la llegada del impronunciablemente apostrofado *Quebradillas* y compañía no inmutó a los reos, la entrada de los reporteros de *La Democracia*, al filo de las siete, detrás de una comitiva compuesta por dos funcionarios del Tribunal, el alcaide Ríos y

obstante, valga la aclaración de que así el empleo de mujeres verdugo fuera una idea descabellada en el Caribe, no era una quimera. Por la época se sabía de dos a lo sumo: Elizabet (*Lady Betty*) Sugrue (1750?–1807), una temperamental viuda irlandesa que mató a su hijo por error y que aceptó el puesto de ejecutora para evitar ser ajusticiada; y la belga María Regé, una cuarentona en la segunda mitad de los 1880, gruesa, fea, de aspecto varonil (*«un verdadero antídoto contra la lujuria»*), que en ocasiones suplantó a su esposo verdugo. Ambas fueron impávidas y diestras en sus funciones («Women Executioners», *Oaks Republican*, 10 de marzo de 1899, 2; Aliatar, «Casos y cosas de los ejecutores de la justicia», *Vida Penitenciaria* 3, n.º 65–66 [1934], 5–6).

15. La cárcel ocupaba los predios del llamado Castillo u otrora Cuartel de Infantería (1849), uno de los más imponentes edificios construidos en el Ponce decimonónico. En 1900 era además sede de la Corte Municipal; en 1905 pasó a serlo del Tribunal de Distrito. Hoy lo es de la Escuela de Bellas Artes de Ponce.

16. Marcelo Ríos Rivera (1846–1906) fue alcaide en Ponce, en su natal Mayagüez (1903) y en Humacao (1904). En ese último empleo enfrentó cargos de retención de depósitos de presos y fue separado de funciones sin conocidas secuelas o que mínimamente no le impidieron ser nombrado juez de paz en Añasco en 1905 (*Boletín Mercantil*, 1 de octubre de 1904, 4; «El crimen de Añasco», *La Democracia*, 10 de julio de 1905, 2).

algunos cabos de galera, sí.

El secretario de sala, Genaro Vidal,[17] y el escribiente Manuel Cortada[18] saludaron antes de proceder el primero a leer en voz alta las dos sentencias: la ya conocida y la aprobación del Tribunal Supremo a la ejecución. Rosalí se tapó los oídos; Eugenio permaneció estoico; Carlos proclamó una vez más su inocencia y reafirmó no haber estado en el lugar de los hechos. Acto seguido, Vidal entregó una copia a cada reo—,

Eugenio despedazó la suya como un perro rabioso; Simeón tiró la suya al piso cual si tirara basura.

—y el alcaide dispuso que, de manera ordenada, cada uno, en grillos, fuera trasladado a capilla, en la que en adelante nadie podría entrar sin aprobación del juez Becerra.

Las capillas —celdas particionadas por paneles— ubicaban a un costado de la cárcel. Los reos habían visto el movimiento de pedazos de madera el día anterior, sin sospechar el propósito de ello. Para cuando llegaron a ellas, ya había, esperándolos en cada una, un padre de la orden de los paúles[19] y una pareja de

---

17. Genaro Vidal Vidal (1856–1903) es otro personaje que la historiografía ha descuidado. El aguadillano de ideales separatistas sirvió como secretario de salas de Audiencia bajo los dos gobiernos, primero en Mayagüez y luego en Ponce. En 1892 fue parte de un puñado de masones mayagüezanos irradiados bajo tachas de «traición y ambición», una mella que no le impidió ser readmitido en Ponce y continuar un destacado servicio masónico a la comunidad.

18. Hubo varios *Manuel Cortada* en el Ponce de la época; reducimos los candidatos al de *Guilbe* (*Guilve* o *Gillbée*) por apellido materno, nacido en 1867, caficultor y empleado municipal.

19. La orden de los padres paúles (propiamente, la Congregación de la Misión de San Vicente de Paúl) traza su presencia en la isla a partir de 1873, con su llegada como guías espirituales para las Hijas de la Caridad; en Ponce, desde 1892. Fue una de las pocas que se resistieron a abandonar la isla tras el cambio de soberanía y la separación de Iglesia y Estado que sumió a la primera en la precariedad. El grupo que atendió a los reos lo formaron los padres, todos españoles, Saturnino Janices y Valencia (1870–1918), presente en la isla desde 1890 y tan reciente como febrero de 1900 nombrado director

soldados del Batallón Puertorriqueño en un ambiente saturado de escapularios, rosarios, velas y agua bendita.

Eugenio y Hermógenes ocuparon la primera; Carlos y Rosalí la segunda; y Simeón la última. Salvo por los exabruptos de los Rodríguez, el orden fue absoluto. Se les ofreció un desayuno de pan y café con leche que ninguno rechazó. Tras el desayuno aceptaron unos tragos de brandy por eso de probar algo más fuerte con que digerir la realidad del momento. Desde su ingreso en capilla habían quedado autorizados a pedir lo que quisieran.

Los padres, solemnes en sus sotanas negras y bonetas de cuatro picos, los alentaban con frases de cariño y amor y la seguridad de que los acompañarían hasta el final como amigos y hermanos que eran por ser todos los hombres hijos de Dios.

Por mucho que quisieran desentenderse del momento, los reporteros habían venido a cumplir una misión. Conferenciaron un poco con el alcaide y los funcionarios del Tribunal antes de acercarse a cada uno de los reos con igual respeto que la vez anterior, a lo mejor más, en aras de recoger sus impresiones.

Cada reo aprovechó su respectivo aparte para hablar con libertad, unos más que otros. Hermógenes, locuaz y amante del dramatismo, les leyó la parte final de la sentencia y manifestó su pesar de verse tratado de ladrón y asesino.

—Si hubiera querido robar —dijo—, *estuviera* rico, pues he sido hombre de relaciones con personajes importantes.

Se apartó por un momento de la reja para acercar una silla, la que tomó y alzó en el aire con una mano, un alarde de fuerza infantil que en el fondo conmovió a sus visitantes. Reconoció luego el buen trato del alcaide Ríos, quien había sido como un padre durante el último año y meses. Los cabos de galera tam-

---

de la Asociación de Hijas de las María; Juan Alonso y Ruiz (1865–1915?), presente desde 1897; el padre encargado, Francisco Vicario y Arce (1865–>1920), por entonces también recién nombrado director de los Socios Católicos y del Corazón de Jesús; Cipriano Peña y Nogal (1870–1930), director de la Cofradía del Carmen; y Manuel Rodríguez Álvarez (18...?–19...?), director de la Asociación de San José.

bién habían sido como hermanos. Pensar en la muerte —añadió con un suspiro—, le afligía el corazón.

Su compañero Eugenio, en cambio, conservaba la serenidad. Confesó que si bien había visto el movimiento de paneles, nunca lo relacionó con la fatal noticia. Le impactó, sí; pero no quiso darles el placer de que lo notaran. A preguntas de qué esperaba, dijo que solo permanecer junto a sus desgraciados amigos mientras llegaba la absolución.

Rosalí, en la capilla contigua, conversaba con Cortada. Decía no querer ni necesitar nada; le bastaba la desgracia de su posición actual. Pidió papel para hacer una suscripción a favor de su madre y hermanos. Los reporteros se suscribieron a la colecta.

Mientras tanto, Carlos, al fondo, yacía en su catre con un pañuelo en la cabeza. Alzó la vista al oír a sus visitantes e intentó levantarse, pero la jaqueca le sometió. *¿Qué deseaba?* Solo ver a su familia; era el más afligido del grupo. Agradeció que lo hubieran puesto en la capilla inmediata a la de su hermano, cosa que si su familia fuera a verlos, los encontraran juntos. Por último pidió ser enterrado en Yauco al lado de su hermano.

Rosalí secundó la petición, pero que antes, si era posible, le mostraran su cadáver a la autora de sus días. Deseaba conservar en un pañuelo que guardaría en su puño los recursos conseguidos y las reliquias recibidas de los sacerdotes, para que todo pasara a manos de su madre.

Simeón *Bejuco* lamentaba su situación en que se hallaba por la ingratitud de su pueblo; juraba y proclamaba su inocencia. Era entre el grupo el que con mayores bríos hablaba. Repitió su coartada del juicio y de la entrevista anterior de vivir en un barrio distinto al de Méndez. Luego habló sobre su captura y el tiempo que llevaba preso sin saber de su familia. (El dato motivó al menor de los Pacheco, Hermógenes, al otro lado del recinto, a repetir que a la fecha de su captura tenía apenas un año de casado.) Simeón ignoró la interrupción y habló de tiempos felices junto a su familia, incluso de días en que se acostaron a dormir sin comer por no pedir al vecino un poco de sal. Solo tenía un enemigo, confesó; un tal Monserrate López. No detalló la raíz del asunto. Quería ver a su familia, pero a la vez no, porque no deseaba que lo vieran así. Se sostuvo en la esperanza de un indulto de último minuto. «*¿Qué opina el pueblo de nosotros?*», preguntó al final. El pueblo los compadecía.

A eso de las diez en punto, Eugenio le pidió a uno de sus visitantes que le sirviera de amanuense para dedicarle una carta a Luisa López. «Mi querida madre», dictó,

> Dios quiera que al recibir las presentes líneas se encuentre disfrutando de una completa salud, en unión de mis queridos hermanos y demás familia; deseando que Dios le dé bastante fuerza y valor para que soporte el sentimiento que le dará la presente, en donde me es forzoso darle cuenta de la última suerte que me espera.
>
> ¡Oh, madre mía! grande es mi dolor en mi corazón, en el momento que por fuerza tengo que comunicarle lo presente; pero supongo faltaría al deber de hijo; sabrá madre adorada, que en estos momentos estoy destinado a morir y quizás de este día al que viene, un hijo de sus entrañas solo un frío cadáver...
>
> Mi sentimiento es grande, madre mía; no tanto por mi fatal destino, solo sí porque los dejo a usted y a mis hermanos,[20] hijos y demás familia, sumida en el más grande dolor una vez impuestos del desastroso fin que ha tenido un ser desgraciado y nacido de sus entrañas; mas, yo le ruego que sepa sufrir con paciencia, pues los hombres, como es natural, nacimos para morir, y tarde o temprano tenemos que entregar nuestra existencia de la suerte que cada cual Dios le tenga destinado.[21]

---

20. Eugenio tenía cuatro hermanos de, como adelantamos (JUICIO ORAL, nota 33), quince que fueron.

21. El pasaje ratifica la reflexión del galeno Francisco del Valle Atiles (1852–1928) en cuanto a la confusa religiosidad del puertorriqueño de sus días:

> La creencia en Dios es general entre los campesinos; puede asegurarse que en nuestros campos no es conocido el ateísmo... [S]i no es discutible que a veces coinciden en un individuo una gran perversión moral con un gran desarrollo intelectual, tampoco se puede negar que solo la falta de cultura de las facultades de la inteligencia explica los ejemplos de malhechores de la peor especie, en los que la devoción coexistía con

Mañana quizás seré un cadáver, madre mía; y en estos últimos instantes mi pensamiento está con usted y estoy seguro que está invocando el santo nombre de Dios para que reciba mi alma y la coloque al lado de los justos; yo también lo hago aún, y con resignación espero lo que mi suerte me tenga destinado.

Yo le encargo, querida madre, que me considere a Petronila y a mis queridos hijos, quedando seguro de ellos quedo tranquilo, pues lo más que me agobia en este último instante es en el deplorable estado en que quedan esos desventurados. Yo muero satisfecho y seguro que ustedes los tratarán con clemencia.

¡Adiós! ¡adiós! madre de mi corazón; se despide para siempre vuestro hijo, y le pide su bendición, y ruegue a Dios por el eterno descanso de mi alma, que yo en este instante último de mi vida pienso mucho en usted y mis hijos, parece que le ven a mi lado...

Reciba, querida madre, un abrazo que desde esta capilla le envía su hijo que le ama de corazón.

El escribiente, de quien solo tenemos el enigmático *H. To-RRES*, firmó: «*A ruego de Eugenio Rodríguez, Cárcel de Ponce, 6 de abril de 1900*».

Eugenio luego le pidió que se la entregara al alcaide justo cuando este llegaba en compañía de los jueces Becerra, Casalduc y Soto Nussa. Los reos los recibieron con deferencia, sin rencores. Quien en todo caso les falló —reiteró Rosalí en su turno—, fue el juez de Yauco con su pobre labor de defensa.[22] Ahora solo

la inmoralidad; prueba de que estos desgraciados solo habían recibido de la instrucción religiosa poco de lo esencial, y ateniéndose a ello y faltos de la luz que una inteligencia educada les habría dado, creían de buena fe que eran compatibles las plegarias a la Virgen, con una vida de robos y crímenes, y hasta que las influencias celestiales podrían venir en ayuda de ellos para sacarles airosos de las más innobles empresas. (*El campesino puertorriqueño: sus condiciones físicas, intelectuales y morales, causas que la determinan y medios para mejorarlas* [Puerto Rico: Tip. de J. González Font, 1887], 127, 155; véase también abajo, apénd. II)

22. Juan Mattei Rodríguez de la Seda (1861–1920), como cualquier juez municipal, carecía de tales poderes. En todo caso, el sumario lo habría preparado el juez *in partibus* de Ponce, Alfredo Miguel Aguayo Sánchez (1866–1948). Como juez de instrucción y primera instancia, a Mattei le competía

quedaba dar cara a la situación mientras albergaban la esperanza de un indulto.

Qué peticiones tenían, preguntaron los magistrados. Rosalí sostuvo que su suerte se debía a una intriga y que quería hablarle al pueblo para decirle *quién* era el responsable; le rogó al juez Casalduc que no le abandonara a sus deudos, que eran pobres; y acto seguido pidió papel a fin de plasmar su última voluntad:

Mi querida madre:

Con el más profundo sentimiento se despide de usted su querido hijo, [al] que le ha llegado el último día de cumplir la misión que estaba sufriendo en este mundo. ¡Ay, madre mía!, nunca creí haberme visto en un sufrimiento tan grande. ¡Ay, qué vida, madre querida!, quién hubiera creído que por una infame calumnia se me arrebatara la vida, qué sino tan deplorable, cuánta mi desgracia.

¡Oh, madre mía!, le suplico tenga mucha resignación y no se apure, que Dios está en el cielo y sabe que soy inocente. Si yo hubiera sido culpable o hubiera cometido algún crimen, créame, madre querida, que no me pasara [*sic*] lo que me está pasando hoy.

Querida madre, sabéis que el de la calumnia ha sido don Pedro Negroni, por la diferencia que habíamos tenido cuando la invasión, pues no quise acompañarle con machete en mano al encuentro con los americanos. Querida madre, conócelo bien y sabes que él ha sido el que me ha entregado a la ley.[23]

---

realizar el examen preliminar siempre que el delito tuviera la gravedad suficiente para llevar el caso a la jurisdicción del tribunal de distrito. Puesto que estos jueces no recibían indemnización por dichos exámenes, ello a menudo repercutía en investigaciones apresuradas e incompletas en las que más que menos acusados acabaron siendo procesados injustamente. En ocasiones se señaló una falta de respeto a los intereses de la comunidad. Nada sugiere que los reporteros o los magistrados corrigieran a Rosalí.

23. Los pocos datos conocidos sobre Negroni impiden confirmar o desmentir tales acusaciones. Nos consta que a la altura de marzo de 1900 el ex policía municipal era un cabo de la Policía Insular destacado en Lares* y a la espera de cobrar la recompensa de $100 por la captura de Rosalí Santiago. Al no lograr cobrarla, acudió a la Fiscalía General de los Estados Unidos, pero esta en cambio negó tener jurisdicción, tal vez por no aclararle además que

Mis queridos hermanos, sabéis y conocéis a ese individuo para que no se fíen de él hoy o mañana; sabéis, pueblo, que ese ha sido el malvado que me ha entregado a la ley.

La ley no ha sabido corresponder a la inocencia de un ciudadano como yo, pues nunca he sido hombre de malos antecedentes, ni tiene mi barrio ni mi pueblo que decir lo más mínimo de mi proceder ni de mi conducta.

Oh, querido pueblo, si algunos antecedentes he tenido yo en algún tiempo, esta es la hora de decir todo, y el que tenga algún resentimiento conmigo, que lo diga.

Adiós, queridísima madre y hermanitos; reciban de su hermano un millón de besos y abrazos del que se despide de ustedes para siempre. En estos momentos mi corazón destrozado derrama un llanto copioso de sangre, en ver que no puede estrechar contra su pecho a la que le dio el ser; mi última palabra es adiós, adiós, queridísima madre, para que le dé mucha resignación a usted y a mis pobres hermanas; adiós, madre mía y queridos hermanitos. Nunca se olvida de ustedes,

Su queridísimo hijo, ROSALÍ SANTIAGO.

---

la captura antecedió la fecha de efectividad de la orden general.† En cuanto a la relación entre los ahora enemigos, podemos creer que en algún momento hubo una amistad o asociación por eso de hallar inverosímil que Rosalí obtuviera su singular indumentaria guerrillera por cuenta propia. Picó deja claro que hubo casos donde procesados reclamaron haber sido obligados a participar en actividades latrofacciosas (1898, 105). Hasta que surja evidencia a lo contrario, inferimos que ese fue el caso aquí; hay indicios de que los procesados respondían a alguien más.

* Los miembros de la Policía Insular, en especial oficiales y suboficiales, eran con frecuencia transferidos a otros lugares si la larga estancia en uno interfería con la eficiencia de sus servicios debido a amistades, familiares o problemas. En 1904, un periódico capitalino acusó a Negroni de abuso de poder en Ciales; *La Democracia* del 11 de junio desmintió y abogó por su probidad («El cabo Negroni»).

† No hallamos constancia de que alguien cobrara la sonada recompensa durante la vigencia de la orden (17 de febrero al 29 de agosto de 1899), a pesar de que la *Gaceta de Puerto Rico* la publicó por meses. El *Boletín Mercantil* del 27 de mayo de 1899 da cuenta de la solicitud elevada por un guardia rural mayagüezano por la captura del asesino del José Maíz reseñado en el artículo de Nieves-Rivera (arriba, JUICIO ORAL, nota 61).

Cárcel de Ponce, abril 6 de 1900.

Carlos no tenía ánimo de hablar; entre el llanto repitió para los jueces su deseo de ver a los suyos e incluso desposar a la mujer con quien había vivido. Se cumpliría su petición, le aseguraron; y el hombre inclinó el rostro sobre el catre.

El alcaide Ríos, como si hasta entonces ignorara el mal estado del infeliz, mandó llamar a los médicos de la cárcel, el doctor Luis Aguerrevere[24] y el veterano practicante Demetrio Vázquez;[25] y estos, tras reconocerle el pulso al reo, le administraron una dosis de antipirina.

En su turno ante el juez Becerra, Simeón manifestó no querer ver a su familia por la pena que le causaba tener que subir al patíbulo a esa edad, y no pudo evitar una lágrima.

Eugenio, al igual que Carlos, quería desposar a la madre de sus hijos[26] a fin de que estos pudieran heredar algo de lo que dejaría.[27] Negó de nuevo responsabilidad en el ruidoso asunto y responsabilizó por su desgracia a terceros movidos por odios. Repitió su reclamo de haberse enterado de los motivos de su

---

24. Luis Aguerrevere Pacanins (1859–1920), venezolano militante del Partido Republicano en Ponce, fungió como facultativo titular de la Perla del Sur hasta 1907. La mejor parte de la fama que gozaba la debía a la memoria de su progenitor (el apodado *padre de los pobres*); de otro modo, la carrera del galeno estuvo plagada de pleitos, como el de difamación que tuvo con los padres paúles en 1894 que le ganó un exilio temporal. Las últimas actividades que le rastreamos lo ubican en Lajas, en 1912, como oficial de Sanidad de Maricao. Murió en su tierra natal.

25. El guayamés Demetrio Vázquez Brenes (1833–1910) destacó como el practicante más respetado y de mayor veteranía (desde 1883) en el sur del Puerto Rico de entresiglos. Con todo y que en su hoja de servicio figuraba la dirección del Hospital Tricoche, al igual que los galenos de su época, lidió con las injusticias y luchó sin éxito por mejores sueldos.

26. La prensa cita cuatro, pero solo pudimos constatar dos, según referimos arriba (JUICIO ORAL, nota 34). Siempre cabe la posibilidad de que hayamos citado a la *Petronila Montalvo* equivocada o que la prensa haya errado.

27. «El hijo de un padre que tiene propiedades hereda solo la quinta parte» (Carroll, *Report*, 702).

apresamiento una vez en la cárcel. Aunque se sabía encausado por el disparo fatal, proclamó su inocencia e invocó la fórmula de esperar por una salida favorable.

A la hora del almuerzo apenas probaron alimento: unos un poco de sopa; todos, excepto Rosalí, café con leche.

Mientras tanto, y a la sazón apartado de la vista de los reos, *Quebradillas* manifestó sentirse irritado del estómago y requirió que el practicante Vázquez le administrara unas papeletas anti-diarreicas. Aprovechó para darse un baño, el primero en días, si acaso no semanas.

Los reporteros procuraron la oportunidad de hablar con él. Pese al alarde que mostraba en cuanto a la misión a cumplir, el instinto —su humanidad, por pobre que fuera— le traicionaba. Ante la insistencia de la prensa, respondió con simulada impavidez:

—Ellos no me lo agradecerán, pero vengo a hacerles un favor, porque como soy de Yauco y los conozco, le he suplicado a este —refiriéndose a Navarro— que no los haga sufrir mucho y les dé muerte ligera.

A las dos y media de la tarde los reporteros remitieron lo recopilado a la redacción para la edición del día. Para la eternidad quedará la pregunta de por qué Eugenio esperó hasta entonces para tentarles con que tenía mucho que decir, pero que no se atrevía. Le exhortaron a hablar, pero solo dijo que en su momento se sabría. Luego se tapó la cara y los otros pensaron que era porque la conversación afectaba al reo.[28]

---

28. «Error nuestro —reflexionan—. Era para no sostener la mirada nuestra» («Los sentenciados a muerte: final del drama», *La Democracia*, 7 de abril de 1900, 2). Retomamos el asunto de la mano invisible en la tragedia de Prudencio Méndez; quien sea, Eugenio le teme y Nicolás le respeta, lo cual es mucho decir. Hasta qué punto los Pacheco le conocen, no se establece, pero entendemos que no les es un desconocido; de otro modo, no se habrían apandillado con individuos tan dispares. Nos atrevemos a conjeturar que Juliá Marín, en su faceta de periodista en Ponce, tuvo que haber conocido a «Mano

. . .

Tanto el alcalde de Ponce[29] como la Policía Insular tendrían a su cargo el orden público, por disposición del juez Becerra. Aunque alertadas, las fuerzas militares estadounidenses[30] no tomarían participación en el evento y su presencia, si acaso, sería

---

Invisible» directa o indirectamente* para moldear al personaje de Celso Andújar,† el señor con una partida sediciosa a su disposición para ocuparse de cualquier adversario o asunto de su desagrado.

* Tomemos como ejemplo el pasaje alusivo a un líder de partida que había colgado a un hombre, cortado las orejas a otro y bailado sobre los cadáveres (*Tierra adentro*, 30), toda vez que denota una consciencia de los asesinatos de Antonio Delgado y Prudencio Méndez, acaecidos, como hemos dicho, con un mes de diferencia. Eugenio y Nicolás participaron en ambos casos.

† Dicho Andújar —¿coincidencia que tenga un prototipo y tocayo en *La charca*, o acaso una manera de Juliá Marín de homenajear a Zeno Gandía?; no en vano han llamado al malogrado escritor «descendiente espiritual directo» del galeno (Francisco Manrique Cabrera, *Historia de la literatura puertorriqueña* [Río Piedras: Edit. Cultural, 1969], 202–3)— tal vez se parezca más a Galante, el amo y señor del barrio. De cualquier modo, Andújar zenogandiano y Galante habrían congeniado con él como aves de igual plumaje: avaros, poderosos e inescrupulosos. Como su predecesor, se perfila como un individuo atropellado por los españoles, pero que bajo el régimen estadounidense adquirió poder por vías y recursos cuestionables y en más gozaba de impunidad gracias al apoyo de jueces y políticos de la región. En una de las escenas más representativas de la abyección de Celso Andújar, el convenientemente nombrado comisario de barrio le da cuenta al alcalde mediante carta que un hombre creído por todos honrado tuvo que ser abatido por la policía rural mientras desjarretaba una vaca propiedad del que escribía. Incluso al mayordomo de la propiedad, cuando insinúa la incongruencia, se le amenaza (*Tierra adentro*, 109–11).

29. A saber, José de Guzmán Benítez (1857–1923). Por entonces, aunque el neoyorquino Albert Lee Myer (1846–1914), mayor de la 11.ª infantería y comandante militar de Ponce, tenía el interinato de la alcaldía a raíz de la forzada renuncia del popularmente electo Luis Porrata-Doría Martin (1859–1925) en septiembre de 1899, se reconocía a Guzmán Benítez como alcalde, así este no asumiría el puesto hasta 1901. *Cfr. Directory of the Military Government of Porto Rico; Headquarters—San Juan, April 30th, 1900* (Dept. of Porto Rico, 1900), 59.

30. La ciudad contaba con una tropa de caballería, tres compañías de infantería y una de puertorriqueños (Davis, *Report*, 18).

solo para salvaguardar la seguridad ciudadana en el peor de los casos. Desde el día anterior circulaba un rumor de que el pueblo apedrearía a los verdugos a primera vista.

Otra previsión del juez Becerra fue suspender el doble de campanas reglamentario con tal de mitigar la consternación ciudadana. De igual modo dispuso prohibir el ruido de tambores y cornetas o pregones que pudieran afrentar la sensibilidad. La escalofriante vista del cadalso con los collarines de la muerte ya fijados en los primeros dos postes era castigo suficiente.

A un cuarto para las seis los reos quisieron despedirse de los cabos de galera y agradecerles el buen trato recibido de ellos y por una amistad nacida en la desgracia. El alcaide Ríos dio su venia para que de a dos los cabos visitaran cada capilla. Los abrazos fueron estrechos; las lágrimas, espontáneas.

El padre Vicario, testigo del momento, alentó a los reos como lo había hecho todo el día, hablándoles de la vida futura y exhortándoles a confiar en Dios, quien ya, por medio de Su Hijo, casi dos mil años atrás, había prometido estar con el hombre hasta el fin del mundo. Tres ya se habían confesado con espontaneidad y fe, pero Carlos y Eugenio se rehusaron.

A la hora de la comida los cinco dijeron seguir inapetentes. Unos pidieron un poco de café y otros vino o brandy.

Una especial concesión del juez Becerra hizo posible que recibieran visitas durante la tarde;[31] y aunque la mayoría de los visitantes eran desconocidos, los reos agradecieron el gesto y las palabras de esperanza que aquellos personajes, algunos de nota en la comunidad, les dedicaban.

Hermógenes fue el que más habló y siempre tuvo a sus visitantes interesados en todo lo que decía; Eugenio, en su catre, el más retraído.

Bejuco, tal vez por sentir que a sus cincuenta había llevado

---

31. También había telegrafiado al alcalde Gaztambide tocante a los deseos de los reos de ver a sus respectivas familias.

una vida plena,[32] no dejó que la oscuridad de su futuro lo abatiera. Habló y sostuvo animada conversación con todos mientras que apilaba picadura de cigarros y llenaba y rellenaba su pipa. Entre los visitantes figuró un joven llamado Vicente Valdivieso,[33] de quien el viejo aceptó una moneda. Qué haría con el dinero, le preguntó el joven al reparar en los billetes y monedas sobre el catre. El viejo sonrió, inseguro sobre qué responder, antes de reiterarse en lo dicho a los reporteros en la mañana y al juez presidente en la tarde: quería ver a su familia, pero no que lo vieran así. Creía en el indulto a última hora. Al final, como cada vez, su humanidad lo venció y no pudo contener las lágrimas.

En medio de las visitas llegó el notario público de Ponce, Rafael León,[34] con el fin de levantar actas de reconocimiento de hijos naturales a las sendas peticiones de Carlos Pacheco y Eugenio Rodríguez y ver si algún otro necesitaba de sus servicios. Claro que había sido otra consideración del juez Becerra. Una vez retirado el veterano notario, y aprovechando el momento de relativa privacidad, los reporteros quisieron conocer las impresiones de los reos en cuanto al Tribunal, en especial tocante al fiscal que los acusó. Ninguno, ni siquiera Eugenio, culpó al representante del Ministerio Público; mucho menos a los magistrados. Como ya Rosalí había dicho y redicho, el Juzgado Municipal de Yauco

---

32. De hecho, Simeón superaba por veinte años la esperanza de vida promedio de una persona nacida en 1850 (*cfr.* José L. Vázquez Calzada, «La longevidad de los puertorriqueños», *Revista de Salud Pública de Puerto Rico* 4 [1982–1983], 43, gráf. 2).

33. Lo reducimos a Vicente Pérez Valdivieso Torruella (1869–1944), miembro de una reconocida familia ponceña, sin mencionar cuñado de Genaro Vidal.

34. Rafael León y Paz (1847–1903) es otro personaje descuidado por la historiografía. Ejerció la notaría municipal de Ponce por más tiempo que Demetrio Vázquez su práctica. Entre lo poco que se conoce de su vida personal destaca que, viudo, casó con la hermana de un reconocido abogado ponceño y murió al poco tiempo. Lo inesperado suscitó un largo pleito legal entre sus deudos.

fue quien se opuso a probar la inocencia del quinteto.

A preguntas sobre los verdugos, ripostó Hermógenes, refiriéndose a *Quebradillas*:

—*¡Ese hombre es un miserable!* Ha vivido en mi casa diez años y le hemos tratado como a un hermano, pues hasta hemos dormido juntos en una cama. Y ahora viene a matarnos.

La emoción del momento contrastó con la que sintió luego al mostrar la carta que recibió de un amigo y que a la larga permitió copiar y publicar y que leía:

Sr. don Hermógenes Pacheco.

Mi más apreciable y nunca inolvidable [*sic*] amigo:[35]

Después de mi saludo paso a hacerte presente que no sé si vivo o muero; no sé lo que me pasa, pero con el más grande dolor que puede guardar un corazón, paso a despedirme de usted y su caro hermano, a quienes son de todo mi aprecio, así es que no sé que más decirle. Este es tu destino por obra de Dios y no puedes menos que conformarte con lo que ese Dios disponga así como también se lo dirás a Carlos su hermano y demás infortunados que van a atravesar el espectáculo más triste del mundo, deseo que antes me dejes un recuerdo para guardar las más infinitas penas dentro de mi pobre corazón.

Adiós, mi buen amigo, adiós mi querido amigo, hasta cuando sé que no volveremos a vernos jamás en la vida, pero quizás allá en otras regiones nos veremos, seremos como siempre verdaderos amigos. Solo espero de usted [que] tenga resignación, calma y valor; para eso somos hombres que tenemos derecho a resistir todo cuanto venga y por pesado que sea el golpe, debemos tener resistencia para sostenerlo.

---

35. Intentamos en la mejor medida respetar las palabras originales del remitente y editar solo donde lo juzgamos necesario. En esta carta en particular llama la atención la alternación de ustedeos y tuteos como sutil reflejo del estado emocional de Guadalupe Álvarez. En torno a la identidad de este, la búsqueda en la región aledaña dio con dos, ambos yaucanos, mas optamos por el que a la fecha de la carta tendría 18 años y a la altura de 1907, cuando casó, se desempeñaba como barbero y luego, en 1910, como dependiente de tienda.

Pues bien, es lo único que puedo decirte por ahora, mi buen amigo. Adiós para siempre.

Se despide de ti tu buen amigo que lo es,
GUADALUPE ÁLVAREZ
Guayanilla.

A las 8:00 p. m. se acostaron todos a descansar. Ninguno dormía. En adelante atendieron desde sus respectivos catres a las visitas que ya empezaban a menguar. Estaban tranquilos. Nada denotaba en ellos la inquietud por la proximidad de la muerte, así fuera imposible (mucho que quisieron) evitar cruzar miradas con los verdugos de vez en un descuidado cuando.

Los médicos Aguerrevere y Vázquez giraron rondas por las capillas por si alguno de los reos necesitaba atención.

El juez Becerra dispuso turnar toda la noche de modo que siempre hubiera un magistrado presente para atender cualquier situación. El rumor de la nuera de Prudencio Méndez estar dispuesta a ajusticiar a los reos recrudeció en las primeras horas de la noche, como si el del apedreamiento a los verdugos no bastara. Se dispuso que las autoridades de la ciudad tomaran las precauciones necesarias.

A las 10:30 p. m., Hermógenes leía su carta en el periódico con una observación profunda. *Estaba alterada*, acusó. Desde luego que sí —le respondieron los reporteros—; era natural en la edición corregir faltas de ortografía. Lo que leía *no eran* sus palabras, insistió el vanidoso yaucano, incapaz de suprimir una lágrima. Inútil fue intentársele explicar que era rutina revisar las publicaciones.[36] La versión «revisada» leía:

· · ·

Adiós, pueblo de Puerto Rico; adiós compatriotas, padres, hijos

---

36. «Lo que sucedió al infortunado Hermógenes nos lo explicamos como un hecho psicológico de su estado de ánimo. Había en el referido reo algo de vanidad en el deseo de presentarse como víctima de una intriga terrible» («Los sentenciados a muerte: final del drama»).

y hermanos; yo sé que me voy, es decir, que me voy no, que me llevan, mejor dicho, que nos llevan; que vamos a morir, a morir como malvados, de muerte ignominiosa. Nadie nos lo ha dicho; pero por las personas que nos visitan no dejamos de comprender que hay algo, y que en Canas se levanta nuestro calvario. Allí es donde los jueces y el pueblo verá[n] correr nuestra sangre inocente, la que servirá de ejemplo para moralizar a vosotros los que quedáis con vida, ¿no es verdad, hermanos, que debe ser sublime para vosotros un espectáculo así?

Ver morir cinco hombres llenos de vida, que ayer cruzaban por sus mentes mil risueñas esperanzas y llenos de ilusiones vivían, ¿no es verdad, queridos que debe ser grato el verlos subir al cadalzo, [sic] ponerles el corbatín y ver sus miembros destrozados como se estiran y retuercen?[37] ¡Oh! pueblo, ¿verdad que debe ser hermoso el golpe de vista que presentaremos?

En ese día y en esa hora que más de cuatro, ancían, [sic] y que pronto llegará, miles de ustedes abandonarán sus tareas, olvidarán sus miserias los unos, la indignación los otros; muchos, o todos en tropel, ricos y pobres, ancianos y niños, negros y blancos, todos, en fin, como un río desbordado, hiréis [sic] a ver las últimas muecas mías y de mis compañeros en desgracia. ¿No es verdad, pueblo que irás?

¿No es verdad, compatriotas y hermanos, que ya que la Justicia de los hombres, juzgándonos por las apariencias, y no viendo en nosotros solo criminales empedernidos, es muy justo que nos sacrifiquen para vindicar a la sociedad ultrajada? ¿No es verdad, pueblo, que tú como yo estás de acuerdo con las leyes que imperan en Puerto Rico, las que dicen que se labe [sic] un crimen con otro crimen? ¿No es verdad que ese día me daréis el gusto de veros a todos reunidos y me escoltaréis desde mi celda hasta mi última morada? ¿No es verdad que ese día hiréis [sic] todos con la sonrisa en los labios como si fueseis a una fiesta, y vuestros rostros permanecerán impacibles [sic] y no sentiréis indignación, ni ira, ni formularéis una queja?

¡Oh, pueblo! yo te agradecería que así lo hicieras, que fueras allí, no a recoger nuestros últimos suspiros, sino a que te divier-

---

37. Si no se trató de un elemento de drama, obviamente ignoraba cómo funcionaba el garrote.

tas, como yo, que moriré con la sonrisa en los labios, no con la sonrisa del criminal, porque soy inocente, sino con la sonrisa del mártir que se burla de sus verdugos; burlándome de ellos moriré, sí, porque cuando mi espíritu se separe de la materia seré feliz, gozaré de la calma que necesito y... ¿qué más puedo ambicionar?

Sin más, me despido hasta que llegue el fatal momento de extinguir mi postrer adiós, con el cual quedarán satisfechos mis perseguidores.

Hermógenes Pacheco.
Abril 5 de 1900 (Cárcel de Ponce).

El turno de Casalduc pasó sin novedades. Soto Nussa le relevó a las 11:00 p. m. Por entonces Carlos, que poco antes se había arrodillado frente a su catre y pedido fuerzas al Altísimo para saber morir, parecía dormir un sueño que distaba de tranquilo. Daba vueltas y por momentos parecía estar más bien en un letargo.

Hermógenes, algo abatido, recibió al juez y conversó brevemente con él, dejando entrever que pagaba las culpas de otros. El juez lo exhortó a hablar sin temores, pero el joven, aunque dejó escapar un apóstrofe de odio para quien suponía autor de sus desdichas, no denunció nombres.

Eugenio también se cantó víctima de una intriga. De igual manera rechazó la invitación del magistrado y solo dijo que algún día se sabría toda la verdad. No creía en nadie, ni siquiera en los padres que lo acompañaban. Su estoico descreimiento alarmaba. Bueno, con Dios como mínimo tendría que haber hecho las paces, sería el razonamiento de quienes le escuchaban.

—*Yo no me he confesado* —ripostó rotunda y enfáticamente—. Todos piensan, todos creen, pero yo no creo nada más que en mi corazón.

A *Bejuco* tampoco le importaba mucho lo que viniera. Prefería estar en su capilla, solo, y no pensaba dormir. Solo confiaba en Dios y esperaba por el milagro del indulto.

Rosalí dormía tranquilamente, como si su mañana fuera cualquier otro que el previsto.

A media hora para acabar el viernes, Hermógenes se arrodilló frente a su catre y le pidió a Dios las fuerzas suficientes para saber morir. Su ánimo dejó de ser tan comunicativo como venía siendo. Pidió ver al juez Becerra. Este se presentó al filo de la medianoche y el reo solo repitió su deseo de ser enterrado en Yauco. Becerra le aseguró que así sería antes de dejar dicho que estaría disponible en adelante por si se le ofrecía algo más.

A eso de las dos de la mañana una sacudida despertó a Carlos Pacheco. Cayó sentado y miró a todos lados buscando a su mujer, convencido de haber escuchado su voz, pero solo se encontró con Rosalí, que dormía a pierna suelta. Pidió un poco de café negro y miró entonces sobre la silla, donde había dejado su carta escrita el día anterior y que nunca entregó.[38]

---

38. La misma, dirigida a su padre, leía:
Qué doloroso es para mi pobre alma tener que ser causa de una horrible sorpresa que de todos puntos me es forzoso darle ¡oh! padre querido. En la hora en que trazo estas líneas se encuentra otro hijo unido en el más profundo pesar. Es la una del día, padre mío; a esta fatal hora para mí se encuentra el hijo nacido de vuestro corazón, custodiado por un centinela que vigila mis movimientos, y quizás se haya levantado un cadalso en algún sitio de esta ciudad en donde, según razón, daré fin a los últimos días de mi existencia. En estos momentos somos visitados por multitud de seres de todas categorías, y entre ellas, padres religiosos nos auxilian y nos exhortan con sus dulces palabras. Una habitación me sirve de capilla con otro compañero, y en medio de tanto tormento y de tantos sufrimientos, mi pensamiento está en dos partes: en Dios y en usted, madre y hermanitos. Triste sé que será para usted, mi adorada madre y para mis hermanitos tan fatal noticia, pero ¿qué he de hacer? ¿A quién pedir en la tierra que interceda en mi favor? ¡En Dios, padre mío...! En Ese solo confío, que acogerá mi alma, colocándola al lado de los justos y santos mártires. Mañana a esta hora quizás ya haya dejado de existir y no crea, padre mío, que siento la muerte; no la siento porque el que muere inocente, más o menos sabe que va a descansar al lado de Dios. La siento, sí, porque dejo en este mundo de lágrimas y de miserias a mis padres y otros seres queridos, o sea, a mis hermanitos sumidos hoy en la miseria y en el más fuerte de los sufrimientos... A vuestro lado dejo una mujer que supe amar y a su lado tiene mis inocentes hijos, que a vosotros os dejo encargados, y me los cuidará como a mi propio, que ya, si Dios me lo concede, velaré por ellos y por ustedes desde el

Por entonces Rosalí era el único que dormía a esa hora. Hermógenes parecía estar en un trance, sentado al borde de su catre. Eugenio, a su lado, mostró deseos de escribir una carta.[39] *Bejuco* anunció que intentaría dormir.

Hora y media después fue Eugenio quien despertó de un letargo, furioso, protestando y maldiciendo el que no hubiera llegado su familia. El alboroto despertó a algunos de sus compañeros y fue necesario que el juez de turno le intentara hacer entender que las distancias jugaban un factor. El hombre no quiso convencerse. *¡Al carajo con las distancias! ¡Quería ver a su familia!* Conllevó un esfuerzo supremo tranquilizarlo y que se acostara de nuevo.

A partir de entonces no hubo más incidentes.

---

cielo. ¡Adiós, padre de mi corazón! ¡Adiós, madre de mi alma! ¡Adiós, queridos hermanos! ¡Adiós, mujer e hijos! Padres míos, echad vuestras bendiciones sobre tus desgraciados hijos que parten para no volver jamás... // CARLOS PACHECO, *En capilla, Cárcel de Ponce, abril 6 de 1900.*

39. Esta carta no se compartió en la prensa o bien Eugenio no llegó a escribirla.

—al cadalso

La mañana del Sábado de Pasión se presentó triste y sombría, cual una misma naturaleza resignada a la efeméride a marcar. El juez Casalduc, al personarse al filo de las cinco para enterarse de las novedades de la noche, tuvo que haberlo presentido.

Dieron las seis y los reos dormían. Todos —padres, soldados, cabos de galera y reporteros— sabían que faltaba una hora; pero nadie quería despertar a los infelices de su penúltimo sueño. Cualquier conversación necesaria se mantuvo por lo bajo, aunque tal vez no lo suficiente. El sueño ligero traicionó a Simeón *Bejuco*; y el viejo aserrador se levantó rápidamente y, a preguntas de cómo se sentía, respondió sonriendo: «*¡Fuerte y arrogante!*».

La animada conversación poco a poco despertó a los demás. Cada cual tiró de su catre y aceptó el desayuno de café con leche y pan con mantequilla que se le ofreció. Solo Rosalí, aunque se cantó sereno, se rehusó a comer. No que los otros se sintieran mejor que él: los Pacheco lucían abatidos; Eugenio, emocionado y profundamente abstraído.

La entrada de los verdugos, a un cuarto para las siete, para vestirlos, consternó a todos, es especial a Rosalí, que al percatarse de lo que traían en sus manos los funestos visitantes, increpó a *Quebradillas* con un, «*¡Usted no se me acerque ni me toque!*», antes de volverse hacia los reunidos y gritar: «*Ese hombre es mi tío político y se ha prestado a venirme a matar*».

Navarro les manifestó que su función no obedecía a influjos de enemistad, sino a la Ley, y que tanto él como su asistente solo eran instrumentos. Procedieron, ante la mirada atenta de los cabos de galera, a vestir a cada reo con la infamante hopa negra y el birrete de igual color, en contraste con el dril blanco que ellos mismos, los ejecutores, vestían.

Al tocarle el turno de vestir a Carlos y notar que este no traía zapatos, díjole *Quebradillas*: «No puedes subir así al patíbulo».

—No tengo zapatos —respondió el otrora albañil mientras sacaba un par de alpargatas viejas y rotas de debajo del catre—. Esto es lo único que tengo y no me los puedo poner.[1]

Bastó un «*Espérate; te conseguiré algo*» para que en cuestión de segundos Carlos tuviera un par de zapatos nuevos en sus pies. Justo entonces la manecilla horaria marcó las siete y el reo le pidió al padre Vicario que le administrara la confesión. El padre sonrió satisfecho de haber logrado rescatar otra alma para el Autor de la vida.

Una vez los verdugos terminaron esa primera fase de su misión, abandonaron el recinto. De inmediato penetraron en capilla el juez Casalduc y el alcaide Ríos con dos testigos del Tribunal para pedir a los reos que entregaran sus posesiones.

Carlos entregó ocho pesos con ochenta centavos provinciales[2] para ser entregados a su familia; Hermógenes, veintiún pesos con veintitrés centavos de igual moneda. Eugenio entregó

---

1. Una versión alterna refiere que Carlos tenía zapatos nuevos sin estrenar y que por ello no podía ponérselos.

2. Lo de *provincial* es una informalidad que retenemos para diferenciación. El peso de plata, también llamado *peso provincial de Puerto Rico*, fue una moneda emitida entre 1895 y 1896 para uso exclusivo en la isla en aras de atajar la salida de las pocas monedas que había en circulación. Con un valor de 100 centavos o cinco pesetas, tuvo denominaciones de 5, 10, 20 y 40 centavos. A partir del 25 de julio de 1898 perdió cuarenta por ciento de su valor frente al dólar estadounidense; y aunque fue retirado oficialmente en 1901, no fue raro verlo en circulación hasta 1917. Véase, p. ej., «Moneda del país», *La Correspondencia de Puerto Rico*, 24 de agosto de 1898, 1; así como William Dinwiddie, «The Money of Puerto Rico», en el *Harper's Weekly* del 31 de diciembre de 1898 (pág. 1286), para una perspectiva estadounidense del momento.

cuatro pesos con ochentaidós centavos provinciales, cincuenta centavos americanos y unos escapularios y un pañuelo destinados a su mujer e hijos. Rosalí dejó tres pesos con sesenta centavos provinciales, cincuenta centavos americanos, unos escapularios y un pañuelo para su madre y tres medallas para igual número de hermanas. *Bejuco* entregó seis pesos con setenta centavos provinciales y cincuenta centavos americanos para su esposa. Al alcaide entregaron dos dólares con noventa centavos en moneda americana que recibieron de los visitantes.

A la hora de la salida, tocó a Eugenio Rodríguez romper la marcha. A duras penas lograron conducirlo hasta el carro (uno de los cuatro que a último minuto logró el Tribunal alquilar), ya que el reo se opuso con tenacidad a llevar grillos así le dijeran que era reglamentario. Fue necesario esposarlo y arrastrarlo ante la mirada atónita de la ciudadanía que presenció la escena desde la calle frente al edificio. Una vez en el carro se volvió hacia el gentío y voceó: «*¡Paisanos, van a matar a un inocente!*».

Las 7:52 a. m. marcaba el reloj cuando el carro echó a andar.

Al filo de las ocho salió un Rosalí Santiago conmocionado por lo atestiguado. La vista del gentío lo paralizó, pero la voz del padre Alonso lo trajo de vuelta a la realidad e instó a caminar al límite de los grillos hasta abordar el carro correspondiente, desde el cual el joven dedicó a la muchedumbre un ademán de adiós.

Justo disponíanse los Pacheco a salir, cuando se anunció la llegada de su padre y otro hermano.[3] Penetraron estos en la capilla de Carlos, escoltados por Casalduc y Ríos, y el padre se lanzó en brazos de su hijo entre sollozos y ayes. Pasó luego a la de Hermógenes y repitió el gesto.

—*¿¡Quién me lo hubiera dicho, hijos del alma* —grito hincado de rodillas y abrazado a la cintura de un igualmente deshecho

---

3. Inferimos que Segundo (1875–1968); Pedro era apenas un niño de diez años.

Hermógenes—; *quién me hubiera dicho que habría de volverlos a ver en estos instantes!?*

Juez y alcaide apartaron la mirada en un inquieto y vano intento de desentenderse de la escena.

Treinta minutos mediaron entre la salida de Rosalí y la de los Pacheco. Primero salió Hermógenes, en compañía del padre Rodríguez, en todo momento sereno. Siguió Carlos, acompañado por el padre Vicario y despidiéndose del público con perdones. Los cuatro compartieron un carro.

Minutos después, *Bejuco*, con el padre Peña a su lado y con paso fuerte y arrogante, pero tranquilo mientras se fumaba un tabaco, abordó el último carro. Volvióse hacia el pueblo y confesóse merecedor del castigo que iba a sufrir y reconciliado con la idea de ir a otro mundo mejor.

El traslado hasta Canas —siguiendo las calles Luna, Méndez Vigo y Villa— se hizo de forma discreta, sin redobles de tambores ni toques de corneta (solo el *clip-clop* de herraduras y rechino de ejes necesitados de grasa sobre la calzada), en aras de evitar mayor consternación en las más de cinco mil almas aglomeradas en calles y bocacalles al largor de la ruta. Nadie, por mucho que aborreciera del crimen cometido en Yauco, osó profanar la solemnidad del momento. Cualquier expresión allende los sollozos y llantos que siempre han acompañado escenas como estas habría sido considerada impropia. De seguro hubo quien protestó en lo profundo por el humillante y singular medio de transporte, inconsciente de que en antaño se solía trasladar a los condenados al garrote vil sobre un burro y mirando a la grupa del animal, si no arrastrado. De igual manera hubo quien aplaudió a la justicia que por fin le daría descanso al alma de Prudencio Méndez.

La Policía Municipal guardó el paso y, una vez dejada atrás la urbanía ponceña, la Insular formó el cuadro en torno al cadalso. Algo más apartado y desentendido, un piquete de infantes estadounidenses marcaba los lindes.

El cadalso se alzaba como un tablado de doce pies de ancho

por veinticuatro de largo y diez de alto, con cinco postes equidistantes, cada uno con un banquillo enfrente y dos de ellos con un horrendo aparato consistente en un marco de hierro que remataba en un manubrio en la parte posterior. Los ejecutores —el delgado Navarro con boina; el recio *Quebradillas* con sombrero— rompían con sus movimientos nerviosos la monotonía del entablado que de por sí arruinaba la vista de la campiña.

A no pocos debió helárseles la sangre cuando el carro de Eugenio atravesó el gentío y detuvo su marcha a la base del cadalso. Restaba un cuarto para las nueve.

Así el reo bajara de un salto—,

Conllevó el esfuerzo combinado de cinco hombres para someter a Eugenio y encaminarlo hacia el cadalso, acto que dejó al yaucano con su hopa rasgada y al vicentino que intentó mantener la calma con nuevos apóstrofes de parte de su apadrinado.

—tuvo que dejarse ayudar por los verdugos a subir los ocho peldaños. Miró el banquillo y se volvió hacia el público y defendió su inocencia con un ahínco tachonado de insultos y blasfemias. El padre lo interrumpió y se suscitó una ligera conversación tras la cual el reo apostrofó a su interceptor una vez más antes de sentarse de mala gana y morder el pañuelo.

Quebradillas de inmediato le ajustó el aparato a la debida altura y cerró el collarín de hierro al cuello antes de besarle la mejilla y cubrirle el rostro con una capucha. Sin más aviso que las plegarias de los padres, tomó entonces Navarro el manubrio y lo giró con todas sus fuerzas, solo para que el husillo apenas completara una vuelta[4] y Eugenio, pobre diablo, dejara escapar un

---

4. El novel verdugo apenas recibió una lección descriptiva de parte de Ceferino Arango. La pifia solo devela la realidad de que en la ausencia de un ejecutor titular no siempre se logró dar con el verdugo «perfecto». Arango, la víspera de la primera ejecución a su haber, sostuvo sentirse con valor, pero no cesó de practicar los movimientos en un garrote imaginario una y otra vez («El epílogo de un crimen», *La Democracia*, 29 de septiembre y 1 de octubre de 1891). Ordelin Font y Vega Cardona recopilan de la experiencia cubana un mínimo de cinco casos en que las pifias de los verdugos de turno causaron

escalofriante sonido de agonía que los padres intentaron ahogar con sus rezos. La novatada forzó a Navarro a girar el manubrio una segunda vez y aumentar el estrangulamiento; *uno... dos... tres segundos*. Seguramente habría recordado a Arango decirle que bien hecho desde el principio, la muerte habría sido rápida.[5] Eu-

---

dolor innecesario en las víctimas («Los verdugos», 175–76; más datos en la siguiente nota). Pero tampoco nos llamemos a engaño por cuenta de la inexperiencia. A la fecha de la última ejecución a su haber, José González Irigoyen (DE CAPILLA—, nota 6) contaba con medio siglo de experiencia que pudo haber compensado las ocho décadas a sus espaldas. De existir filmaciones del evento y reproducirlas en avance rápido, veríamos la actuación del senil verdugo de Aragón a velocidad «normal». El siguiente fragmento da cuenta de aquella escena chapucera y bochornosa (sin mencionar tortuosa para el reo) que marcó el inicio de la abolición de la pena capital en la Audiencia de Aragón:

> Sucedió entonces una cosa horrible, pues como Chinchurreta no tenía los pies atados, estos se lanzan al aire en movimientos convulsivos, agregándose a ello no poder apenas el verdugo cumplir su cometido, teniendo que dar cinco vueltas y media al aparato y haciendo sufrir desesperadamente al desgraciado soldado. Entre el público se escuchan rumores de protesta por la obra del verdugo. («Los reos de Zaragoza», *La Época*, 18 de enero de 1893, 2)

5. A diferencia de los más evolucionados garrotes ibéricos, en los que husillos acabados en bolas o puntas dislocaban o atravesaban, según el caso, el atlas de la vértebra cervical y provocaban muertes instantáneas, los convencionales y popularmente llamados garrotes de «alcachofa», dependían del collarín en su lugar y la fuerza, destreza y determinación del ejecutor para lograr una muerte rápida por rotura de la laringe y estrangulamiento. Sabido es que La Habana contaba con un garrote de corredera desde por lo menos 1880 y no parece que el artilugio hubiera llegado a Puerto Rico también. Tanto las fotos que estudiamos como las notas de Orrel Parker comprueban que aquí se usó el de «alcachofa», dentado.* Los husillos dentados actuaban contra el poste, es decir, que conforme se alejaban de este con cada giro del manubrio, retraían el collarín sobre el cuello del reo. Los accidentes con estos garrotes fueron más comunes de la cuenta, en comparación con los de corredera. No faltan relatos de verdugos que por desconocer la función del husillo lo pusieron sobre la nuca del reo y acabaron causando mayor daño que el debido; tampoco los de aquellos que por no ajustar el collarín en su lugar terminaron rompiendo quijadas o dientes. El propio *Quebradillas* tuvo una de tales experiencias. »»»»

genio tuvo un leve espasmo y sus manos temblaron por veinte segundos antes de quedar inmóvil. Eran las 8:58 a. m.

A dos pasadas las nueve llegó el segundo carro. Rosalí, al ver el cuerpo de su compañero en el crimen y la desgracia, pidió al padre Alonso que le cubriera el rostro de inmediato y le ayudara a subir, pues apenas podía caminar... y no por cuenta de los grillos. El padre lo guio hasta la base de las escaleras y hasta allí fueron los verdugos para cargarlo hasta la plataforma y sentarlo en el banquillo.

Una vez ajustó el collarín, *Quebradillas* dio la señal y Navarro actuó, esta vez con más atención, temeroso de repetir la pifia. Apenas le tomó diez segundos fijar el husillo y girarlo y tres minutos para que Rosalí dejara de moverse.

Acto seguido subió el doctor Aguerrevere y examinó y certificó las muertes.

Procedió entonces el verdugo a removerle el garrote a Eugenio y llevarlo a la pídola al tercer poste al tiempo que su ayudante amarraba los vuelos del paño al poste, de modo que sujetara el cadáver en su sitio. Repitieron la operación con Rosalí.

A la sazón, los hermanos Pacheco, que habían llegado a tiempo para presenciar el acto, se abrazaban y despedían entre ayes y acordaban quién iría primero. Subió Hermógenes y, locuaz hasta el último momento, pidió dirigir unas palabras al público. Dada la venia, sacó un papel y leyó una versión abreviada de la carta que envió al periódico:

> Hoy y a esta hora más de mil de ustedes abandonarán su trabajo. Algunos olvidarán sus miserias y otros sus indignidades; en una masa, ricos y pobres, viejos y jóvenes, negros o blancos, todos, como un río sin límites, correrán para ver los últimos momentos míos y de mis compañeros en desgracia.
>
> ¿No es cierto que hoy todos tienen una sonrisa en sus labios como si fueran a una fiesta y que sus caras permanecen impasibles y que no sienten indignación y que no se quejan en absoluto?

---

* Véase el capítulo 8 de *Verdugos y torturadores* de Eslava para un perspicaz recuento de los tipos de garrotes y sus efectos.

Pero muero con una sonrisa en mis labios; no la sonrisa de un criminal, porque soy inocente, sino con la sonrisa de un mártir que se ríe de su verdugo. Muero riéndome de él porque cuando mi espíritu haya abandonado mi cuerpo seré feliz y disfrutaré de la calma que necesito ¿Qué más puedo desear?

Sonrió y entregó el papel al padre Rodríguez y se sentó en el banquillo, rehusándose a dejarse cubrir el rostro y besando el collarín antes de dejárselo ajustar. El minutero marcaba las 25, y Hermógenes entregó el alma en cosa de tres cuartos de minuto.

Llegado su turno, Carlos Pacheco empezó a dirigir la palabra al público conforme subía los escalones con paso resuelto. Eran las 9:28. El albañil se aferró al aparato y lo sacudió con fuerza como para cerciorarse de que tanto poste como garrote estuvieran firmes. Los ajustes de rigor le compraron unos seis minutos. *Quebradillas*, como había hecho con los demás, le besó la mejilla antes de que Navarro empezara a girar el manubrio con mayor fuerza que en el turno anterior, el que más trabajo le dio.[6] Y así, en cuarenta segundos, extinguió el mayor de los Pacheco su tiempo comprado.

Aguerrevere certificó las muertes mientras que los verdugos repetían el primer acto de remover los garrotes y asegurar los cadáveres a los postes.

Llegado su momento, Simeón Rodríguez —el fuerte y arrogante *Bejuco*— subió a su cita con el destino reducido a un humilde pelele, con la colilla de un cigarro como última ostentación terrenal. Saludó con un ademán al gentío y ocupó sin chistar su puesto en el banquillo. Escupió el cigarro a petición de los verdugos y se dejó besar por *Quebradillas*, cubrir el rostro y aplicar el instrumento, todo a las 9:42. Cuarentaidós segundos le bastaron para salir de este mundo.

---

6. La evidencia fotográfica parece sugerir que la ejecución de Hermógenes fue la más trabajosa; incluso que la de Eugenio. Se puede apreciar a Navarro con las piernas separadas y con el manubrio sostenido en el sentido de las 11:25.

Terminada la faena, Justino Navarro quiso dirigir unas palabras al público, pero tuvo que desistir ante la oposición recibida. Sin más, intercambió miradas con su compañero y ambos procedieron a remover los garrotes de buena vez. Después de asegurar a *Bejuco*, bajaron y abordaron el carro que los llevaría, escoltados, de vuelta a la cárcel.

El sentimiento de repudio ciudadano se extendió hasta el personal de la oficina de telégrafos.[7] Como último acto de protesta, los telegrafistas primero se rehusaron a transmitir el telegrama de las 7:00 a. m. en el que el juez Becerra daba cuenta al general Davis de la salida de los reos para el patíbulo; luego, con una actitud que sorprendió a muchos, al reprochárseles, pretextaron que la estación no abría hasta las 8:00 a. m. Excusa más frívola no pudo evidenciar un encono partidista; para casos urgentes como el que se trataba, estaban en el deber de transmitirlo, máxime cuando fue el propio gobernador quien pidió que se le avisara. El asunto no pareció tener mayores consecuencias que una censura.[8]

Los cuerpos permanecieron en público por cuatro horas; incluso el de *Bejuco*, que una hora después de la ejecución se zafó del banquillo y cayó sobre el entablado. Cumplido el plazo mandado por ley, más demoró la remoción de los cuerpos que la destrucción del cadalso a manos del pueblo que, con hachas,

---

7. Ponce contaba con dos de las 41 que enlazaban la isla: una en el pueblo y la otra en Playa.

8. La actitud sorprende, toda vez que el servicio de telégrafos respondía al cuerpo de Señales del Ejército, así los telegrafistas fueran civiles. Los actos de «infidelidad en el servicio» por algunos empleados del telégrafo de Ponce eran notorios y reducidos a cuestiones políticas que, al parecer, siempre quedaron impunes («"La Democracia" y los telegrafistas de Ponce», *La Correspondencia de Puerto Rico*, 22 de noviembre de 1899, 2; «Noticias», *La Democracia*, 24 de noviembre de 1899, 3). Compárece el incidente con el que refiere Rivero sobre el telegrafista pepiniano que se negó a acatar la orden del general Macías en plena guerra (*Crónica*, 316).

machetes y cualquier objeto cortante a la mano, borró toda evidencia.[9]

---

9. Aprovechamos para desmentir declaraciones en periódicos estadounidenses que justifican esta escena con caprichos pueblerinos como querer conservar recuerdos del evento. Difícilmente el puertorriqueño de la época habría hecho eso, mas sí para aprovechar la madera.

Ite, misa est

«**E**sta mañana, a las 9:45[1] —refiere *La Corresponden-cia* de esa tarde—,[2] han pagado con sus cabezas cinco desgraciados los extravíos de su razón. Terrible ha sido la pena, pero también fue terrible el crimen cometido.

»La sociedad ponceña habrá contemplado un espectáculo repugnante; pero la ley tenía que cumplirse, y ante la Ley solo queda el respeto, ahogando en el corazón el sentimiento que nos causa el acto.

»Allí, sobre un sencillo tablado, hasta las cuatro de la tarde estarán expuestos al público cinco cadáveres, objeto de la curiosidad; los unos observarán el cuadro con tristeza; otros ¡quién sabe! habrán sentido satisfacción, aguijoneados por infames pensamientos.

»Nunca hemos aceptado la pena de muerte como castigo de un delito; el criminal aparece siempre y jamás se detiene a pensar en las consecuencias que puedan sobrevenirle con un acto violento; creyendo nosotros más, opinamos que el que delibera un asesinato, por su mente pasa también la idea de que ha de ser muerto.

»Si el garrote vil o la horca hubiesen servido de freno para

---

1. En el original, 9 ¾.

2. «Cinco reos: el patíbulo en Ponce», pág. 3.

contener la maldad, a estas horas ningún país tuviera [*sic*] necesidad de levantar patíbulos; pero, como lejos de suceder así, por el contrario, las estadísticas criminales en todas las naciones han aumentado; esto demuestra claramente que la humanidad criminal se burla de los aparatos con que pueda torturarla el articulado de un Código.

»La justicia ha cumplido con su deber; los reos dejan solo la huella de un amargo recuerdo».

La Democracia, por su parte, cierra su cobertura de dos días con una reproducción de «La última hora», de Bernardo López García:[3]

Suena el lúgubre tambor   » » »
la aguda campana implora
el pueblo murmurador
y envuelto en saya severa
sube al terrible cadalso
Llega, se para... y suspira;
y ve al dogal inclemente
ve al sacerdote que gira
oye cómo el pueblo zumba,
mira moverse la azada
De pronto su pensamiento
y de Dios y del tablado
terrible, por un momento,
pues lejos... muy lejos ve
y su casa que blanquea,
Y ve al tristísimo hogar
ve a su esposa que suspira,
escucha balbucear
y oye al vulgo desalmado
«¡Ese huérfano que llora
Calmando al fin su ansiedad

como un recuerdo que llora;
la clemencia del Señor;
ruge cual ronca pantera,
el criminal con pie falso,
una tras otra escalera.
dirige la vista al frente,
que lo llama... y que lo mira;
pidiendo que en bien sucumba;
y allá en la mansión sagrada,
que está cavando su tumba.
vibra recuerdo olvidado,
se aparta con desaliento:
el dolor mata su fe;
la montaña azul... la aldea...
de la santa iglesia al pie.
que espanto y dolor respira;
y oye a su madre llorar;
al hijo su nombre odiado,
repetir con voz sonora...
es hijo del ajusticiado...!»
vuelve a la vida, y advierte

---

3. Poeta jaenés nacido en 1838 y muerto en 1870. El poema se publicó por primera vez en 1867. Lo reproducimos de «Los sentenciados a muerte: final del drama». Omitimos las comillas suplidas por otras ediciones.

que el palo le dice... *muerte...*
lleno de santa humildad
y en un éxtasis de amor,
pone entre el dogal y el hijo
¡Ya todo lo ve desierto...!
el verdugo al palo llega...
pasando con paso cierto
él los cuenta, y anhelante,
ve la vida más escasa...
Por fin agitado aspira
cruje el tablado; la plebe
el sangriento dogal gira;
y en la postrer convulsión
entrega el cuerpo a la ley,

y la cruz... *eternidad*:
se arrodilla con fervor,
levantando el crucifijo,
los brazos del Redentor...
Muere su esperanza ciega...
la campana toca a muerto...
va un instante... y otro instante
a cada instante que pasa,
y la muerte más delante...
el último soplo leve;
no quiere mirar... y mira...
¡perdón!, murmura, ¡perdón!
la muerte con brazo rey,
y el alma a la religión.

Apéndices

I. Ante la ley
(por Salvador Brau)[1]

E spectáculo repugnante, pero bastante inusitado, por
fortuna, en esta ciudad, ha obtenido el privilegio de
agitar hoy, profundamente, la quietud perenne de
sus habitantes. Conducido al lugar destinado para las ejecuciones públicas, un desdichado obrero que, en momento de feroz
exaltación, privara de la vida a niña inocente, ha sufrido, a su
vez, la pena de muerte en garrote, con el aparatoso ceremonial
prescrito por nuestro Código. Grande fue el crimen y la Ley ha
extremado todo su rigor para castigarle. Acatemos la Ley, como
cumple a buenos ciudadanos, pero acatemos también la voz de
nuestra conciencia que nos manda *odiar el delito y compadecer al
delincuente* y, a impulsos de ese mandato interno, levantemos
el perfume de una plegaria al Padre universal, implorando su
clemencia para el insensato que no halló misericordia entre los
hombres.

Y ahora, séanos permitido trasladar al papel algunas de las

---

1. El polifacético prohombre caborrojeño Salvador Bartolomé Higinio
Brau y Asencio (1842–1912) se distinguió además como otro crítico de la pena
capital, máxime cuando él mismo se sabía sobrino nieto de Roberto Cofresí.
El 17 de enero de 1883 le tocó presenciar la ejecución del reo *Pompa*, una expe-
riencia de la cual redactó la presente reflexión que consignó en la edición de
El Agente del día 18 y que más adelante incluyó en *Ecos de la batalla* ([San Juan]:
Impr. de J. González Font, 1886), 57–61.

hondas impresiones producidas en nuestra alma por ese espectáculo al que hemos visto correr ansiosa una multitud abigarrada, rebosando animación y contento, como si se tratase de alegre romería o de ruidosa fiesta popular. No vamos a extendernos en vanas declamaciones sobre la pena de muerte, anatematizada desde Beccaria hasta nuestros días por plumas eminentes; sin embargo, no resistiremos a la tentación de reproducir aquí estos versos de Curros Enríquez,[2] el viril poeta gallego que intransigencias ultramontanas quisieron encerrar en afrentoso presidio; versos que acudieron a nuestra memoria en los momentos en que el cortejo judicial se encaminaba esta mañana al sitio de la ejecución.

La víctima llega:	» » »	¡tal vez un imbécil!
tal vez está loco,		tal vez inocente.
Mejor que matarle,		(que, al fin, es la muerte
un lecho do el hombre		descansa por siempre)
mejor que matarle,		quizás conviniese,
meterlo en el fondo		de cuatro paredes,
o, haciendo que arrastren		sus pies un grillete,
mandarle abrir túneles		y montes estériles,
diciéndole: «Llora,		trabaja y padece;
renuncia a ser libre		pues serlo no quieres».
Mas ¡ay! que es preciso		que muera el que peque,
y muere el culpable,		y el crimen... ¡no muere!

Así es en efecto: muere el criminal, pero el crimen vuelve a reproducirse. ¿Dónde está entonces la eficacia de la pena? ¿Cuál es el fin que el legislador se propone al establecerla? ¿Trátase de corregir al delincuente? ¿Y cómo se le corrige? ¿Destruyéndole? Entonces no es posible su corrección, pues que se le coloca, en

---

2. Manuel Curros Enríquez (1851–1908) fue un periodista y poeta liberal y satírico de fe protestante que entre 1880 y 1881 enfrentó un sonado proceso por sus burlas al clero, sin mencionar blasfemias contra Dios. A continuación, Brau cita un fragmento de precisamente uno de los poemas eje de la controversia del llamado «poeta maldito», «Mirando el suelo (imitación de Béranger)», del libro *Aires de mi tierra* (1880).

absoluto, fuera de las condiciones indispensables para alcanzar-
la. La Ley, en este caso, parece decir: «Muera el que mató». Y esto
se asemeja mucho al *«ojo por ojo, diente por diente»*, de las tradiciones bíblicas,[3] en que el sentimiento de la justicia aparece nublado
por el rencor sañudo de la venganza. La venganza social opuesta
a la individual, no es una corrección; podrá ser, cuando más, un
desquite. Al fratricidio de Caín no se opuso la saña de nuevos
Caínes: Jehová le entregó a las torturas de su conciencia.[4]

Puede que el legislador, destruyendo sanguinosamente al
criminal, se proponga inspirar terror al crimen en las masas
populares inconscientes; más aquí cabe preguntar: ¿Es que en
nuestros días, en este siglo de luz, y en países que se juzgan civilizados, se considera indispensable apelar al terror para infun-
dir el sentimiento del deber en el espíritu de los ciudadanos?

Pues no era, por cierto, miedo lo que parecía predominar en
los grupos callejeros que obstruían las avenidas de la cárcel o
aguardaban en las encrucijadas, para recrearse, con ávida curiosidad, en los menores movimientos del condenado. No debía
ser el terror lo que inspiraba aquellas singulares exclamaciones
y ruidosas carcajadas con que se comentaban en el campo del
Morro, la impavidez del reo, la destreza del verdugo, los atropellos de la multitud o la tardanza del espectáculo.

Si algún sentimiento pudo dar vida a aquella curiosidad insaciable, no fue tampoco, por punto general, el de la conmiseración; que no es, en verdad, de corazones sensibles el recrearse
en espectáculos sangrientos, muy inferiores aún al de los circos
romanos o de las lidias taurinas, en que el valor o la destreza
personal juegan papel importante. Allí solo había dos actores:
víctima y verdugo; y la excitación general del público, aglome-
rado al derredor del patíbulo en confusa mezcolanza de sexos,
edades y condiciones, si algo traía a la memoria era la impa-
ciencia que en circos y teatros suele producir el largo interme-
dio que retarda la salida del *clown* favorito o la bufa tonadilla de

---

3. *Cfr.* Éxodo 21:23–25; Levítico 24:18–20; Deuteronomio 19:21.
4. Génesis 4:15.

descocada zarzuela.

Curiosidad tan cruel no hace honor a quien la sustenta, y responsabilidad moral entraña para quien la provoca.

Es verdad que la Ley ordena expresamente la publicidad del acto; pero la Ley no obliga al público a asistir a él, y desde luego esa publicidad acusa una imperfección del precepto; imperfección que se encuentra ya corregida en países muy civilizados. No ocultaremos que, adversarios de la pena capital, porque entendemos que la vida constituye un derecho natural que nadie tiene el derecho de arrebatar a la criatura, deseamos que la perfección de nuestras leyes, el convencimiento de la ineficacia de la pena, o la facilidad de sustituirla por otra que corresponda con la gravedad del crimen cometido, permita borrarla de nuestro Código; pero, comprendiendo que ningún resultado práctico ha de traer, por ahora, nuestro deseo, ínterin esa opinión del poeta gallego, que es la de muchos ilustres pensadores, y que en algunos países se encuentra ya legalmente admitida, toma carta de naturaleza en el nuestro, bien podremos levantar la voz para pedir que termine esa aparatosa publicidad que se da a actos como el que nos ocupa y que trueca en horrible espectáculo lo que, por su mismo carácter, entendemos que debiera ampararse de procedimientos más severos.

Si se trata de amputar un miembro podrido de la sociedad; si se compara, como quieren algunos, con una operación quirúrgica la aplicación de tan terrible pena, no vemos por qué se ha de convertir toda la sociedad en paciente, haciéndola apurar todas las angustias de la amputación.

Las ejecuciones públicas afectan profundamente los sentimientos de las personas de buen corazón y recto criterio, y en las ignaras muchedumbres despiertan sensaciones inconcebibles.

Modifíquese, pues, la forma de aplicar ese castigo, ya que, a pesar de nuestro timbre de añejo catolicismo, no se quiere abordar su supresión, y que las paredes de la cárcel recojan, ante los ministros de la Ley, el último aliento de aquellos sobre quienes hace la Ley recaer tan terrible fallo.

No más espectáculos sangrientos a la luz del sol, en plena

plaza pública; no más suplicios infames, propios de la infancia de los pueblos, pero repulsivos a las costumbres, a los principios, y a los ideales de perfectibilidad que inspiran a las sociedades civilizadas.[5]

---

5. Alocución parecida hace el hijo de Brau, Mario (1871–1941), dos décadas después, con motivo de la ejecución del loiceño Pedro María Boria López (1846?–1907):*

Muy poco podemos agregar a lo ya dicho respecto del macabro suceso realizado, en nombre de la ley, la madrugada del pasado martes, en la vetusta penitenciaría del antiguo Paseo de la Princesa. La actitud de una abigarrada muchedumbre aglomerada a las puertas del penal, ávida de impresiones fuertes, trajo a nuestro ánimo la certidumbre de que no solo a esta clase de espectáculos, sino a otros más espeluznantes, si cabe, llegaríamos a acostumbrarnos. Dentro del establecimiento también pudimos notar algo que guardaba perfecta harmonía con el estado de descomposición moral y observado a la entrada. Individuo hubo que, tomándonos por empleados del correccional, nos preguntó con gran interés, cuántas sentencias quedaban pendientes de ejecución, las fechas en que habían de verificarse, y todos los pormenores que preceden a estos actos. La prensa diaria, con lujo de detalles, ha impresionado bien la opinión acerca de los últimos momentos del desdichado Pedro Boria, para quien la justicia humana al hacerle expiar su crimen, no tuvo en cuenta ni su avanzada edad (62 años), ni siquiera las afirmaciones de esa escuela científico-penal, que sostiene el derecho a corregir; pero que considera el castigo como propio de los pueblos bárbaros. Una moderna ciencia, la antropología, afirma que no es responsable el delincuente, «que todos sus actos son fatales y que, así, solo es justo evitar que produzca mal buscando el remedio, en evitación de los hechos posibles en otros criminales». Apoyándonos en estas observaciones, nos permitimos aconsejar a nuestros flamantes legisladores, que, en las reuniones próximas de la legislatura, en vez de marearnos con emocionantes discursos *abolicionistas* hueros por fuerza, se ocupen de corregir la pésima organización de esa penitenciaria, en donde un Pedro Feliciano Duprey se ha encargado de demostrarnos que puede muy bien ingresarse en ella por ladrón y salirse más tarde transformado en... verdugo. («En el penal», *El Carnaval*, 23 de junio de 1907, 410–11)

* Véase un resumen del caso en Córdoba Chirino, *Los que murieron*, 187–94.

ii. La criminalidad
(por Mariano Abril)[1]

VARIOS PERIÓDICOS capitaleños están enredados en sacar en limpio eso de la criminalidad del mismo modo que en la capital sacan por las calles al Cristo de los Poncios[2] para que llueva.

Y si bien todos están acorde en que la criminalidad aumenta —lo cual no afirmamos nosotros—,[3] cada uno se va por sendero distinto para investigar la causa del mal. Unos hacen

---

1. Reproducido de *La Democracia*, 23 de julio de 1894, 2. Abril reacciona principalmente al artículo de igual título por el letrado Felipe Cuchí (Luis Felipe Cuchí Arnau [1877–1916]) en *La Correspondencia* del día anterior, que a su vez el yerno de Coll y Toste había escrito como reacción a otro por Abril.

2. Entiéndase el Cristo de los Ponce que, según la tradición, Fernando el Católico obsequió a la familia Ponce de León. La incógnita de su verdadero origen ha sido campo fértil para la imaginación: Coll y Toste, por una, le data su llegada hacia 1513, mientras que Federico Asenjo y Arteaga (1831–1893) la ubica a 1528 y asegura que se sacó por primera vez al público en 1779 con ocasión de una sequía y a partir de 1871 solo en Viernes Santo (Asenjo, «El Cristo de los Ponce», *La Ilustración Puertorriqueña*, 10 de mayo de 1893, 70–71; *cfr.* Arturo V. Dávila, «Una talla del siglo XVI en la Carolina: ¿el Cristo de los Ponces?», *Revista del ICP* 26 [1965], 40–55). Incluso en tiempos modernos, nadie sabe cómo terminó perdido por más de medio siglo hasta su redescubrimiento en 2012. Hoy se exhibe en el Museo de Historia y Arte de Carolina.

3. Véase, p. ej., X., «Aumento de la criminalidad», *La Correspondencia de Puerto Rico*, 20 de julio de 1894, 2.

responsable de él al alcoholismo; otros a la vagancia; no faltando periódicos ultramontanos que le cuelgan esos crímenes a la tolerancia del gobierno para con las sociedades *antirreligiosas* «que han envenenado —según dicen— el corazón humano con la desesperación».[4] Y colocados en el terreno de las divagaciones, no ha faltado un periódico incondicional que quiera hallar el fenómeno en la libertad y amplitud de las actuales leyes que no admiten comparación con las del antiguo régimen colonial.

Estas eran *más buenas*, según el colega incondicional. Y al efecto pide, no ya leyes, sino *un freno*, porque, «si el *freno* es bueno, evitará el desboque». Y aquí tienen ustedes al criminal convertido en un corcel gracias a ese símil al que tan aficionados suelen ser los conservadores. Lo que es en cuestión de frenos son ellos muy competentes. ¡Como que hace años vienen tascando el que Ubarri[5] les puso!

Dejemos *riendas* a un lado y vamos a lo que importa.

¿Se cometen hoy más asesinatos que antes? Y nos fijamos en este punto, puesto que a él parece que reducen nuestros colegas la criminalidad, dado que le aplican como causa principal el alcoholismo, las ideas antirreligiosas, etcétera. Y bien visto, el robo, el hurto, las estafas, las riñas, etcétera, no son crímenes. Serán hechos más o menos penables, pero no criminales.

El verdadero crimen reside en el asesinato, el incendio y el homicidio. En estos, pues, debemos fijar nuestra atención para apreciar los grados de criminalidad que alcanza el país. ¿Se cometen estos hechos hoy con más frecuencia que antes? Para hacer esa afirmación se necesita presentar antes un estudio

---

4. No pudimos identificar la fuente de la cita. La pluralidad de sociedades multiconfesionales que albergaba la Europa del día incluía desde protestantes y católicos aferrados a la «vieja religión» hasta materialistas, deístas y ateos, entre otras corrientes. Abril, como anticatólico (pese a haber estudiado en un colegio jesuita), se siente aludido en la crítica; por ende, su reacción.

5. Se refiere al I Conde de San José de Santurce, Pablo Ángel Martín de Ubarri y Capetillo (1824–1894), ingeniero y empresario vizcaíno que, como líder máximo del Partido Liberal Conservador, fue enemigo de los movimientos reformistas o independentistas en la isla.

comparativo estadístico de estos últimos tiempos con años anteriores, estudio que todavía no nos ha presentado ninguno de los colegas que han tratado el asunto.

Por lo que a Ponce se refiere, ciudad que siempre ha sido tachada de levantisca, sin serlo, y a la que siempre ha afluido el gran contingente de vagos, rateros y criminales de la isla, y que es la que contiene hoy mayor número de habitantes, podemos decir que en ninguna época ha gozado de más tranquilidad que ahora.

Dos años hace que residimos en esta ciudad, y en ese tiempo solo recordamos que se hayan cometido aquí dos asesinatos: el del licenciado Cotorruelo[6] y el del bombero Félix Cabrera.[7]

En la capital, desde el cometido por el sereno Currillo[8] hasta el que cometió en días pasados un tal Arrufat,[9] han pasado

---

6. El homicidio de Adolfo Sánchez Cotorruelo (arriba, PARÉNTESIS, nota 54) se redujo a un caso de celos por los amoríos del juez con la hermana de crianza del homicida Cosme Santiago (1867?–1895). González Font defendió el caso que fue seriado por *La Democracia* entre el 3 y 12 de noviembre de 1894. El condenado a veinte años murió de tuberculosis pulmonar, si bien, a menos que hable de un acto póstumo, *La Democracia* del 25 de julio de 1896 refiere que el Tribunal Supremo de Madrid lo absolvió.

7. Errata de Abril. El infortunado fue el hermano de Félix, Paulino, bombero asesinado la nochevieja de 1893 en medio de una riña que involucró primeramente a Félix («El crimen del domingo», *La Democracia*, 2 de enero de 1894, 3). Conservamos el *Félix* del original, mas invitamos a nuestros lectores a recordar el detalle.

8. Entiéndase el homicidio, en marzo de 1891, de un ex vigilante por un guardia civil adscrito a la calle de la Fortaleza por cuenta de las continuas amenazas del primero, amante de la esposa del acusado. Los escasos datos conocidos sobre *Currillo*, Anacleto San Lázaro Pérez, apenas revelan que fue un jerezano de cuarenta años por entonces, de ideologías incondicionales y en su momento seguidor del nefasto Romualdo Palacios. Probablemente también fue amigo o conocido de Manuel Alonso (de *El jíbaro*). Tanto por la defensa a la cura de Juan Hernández López (abajo, apénd. VI, nota 5) como por la buena reputación y conducta, sirvió un año de prisión. Para un resumen del caso, comiéncese con «Crimen», *La Correspondencia de Puerto Rico*, 23 de marzo de 1891, 2; y «Noticias de la capital», ídem, 7 de julio de 1892, 2).

9. El ejemplo del carolinense Elías Arrufat (1859–19...?) demuestra que

también dos años. Y con iguales intermitencias y aún mayores, se cometen hechos de igual naturaleza en los demás puntos de la isla.

¿Dónde está, pues, el aumento de la criminalidad? Y esos criminales, ¿puede decirse que obraron a impulsos del alcohol, de la vagancia, del juego, del robo, ni [*sic*] de las ideas antirreligiosas? No; han obedecido a secretas venganzas, como el de Cotorruelo; a riñas como el de Cabrera y Arrufat; o a provocaciones violentas como el del Currillo.

El alcoholismo no lleva directamente al crimen. Muy pocas casos registrará la historia de la criminalidad, en todos los países del mundo, de borrachos que puñal en mano hayan matado. El alcoholismo podrá conducir a la riña o pelea; y en ella, si el contrincante es otro borracho y están armados, ocurrir un homicidio. Pero estos casos son muy raros.

La vagancia tampoco conduce directamente al asesinato. El vago, y en nuestro país sobre todo, se transforma en ratero o en jugador o en beodo, pero no en asesino. Para que esto último suceda tienen que obrar otras causas independientes de la vagancia, como la influencia perniciosa del medio en que se agite, y que más que en otras partes, se recibe en nuestras cárceles.

Un hecho muy reciente en corroboración de lo que decimos. Matos Galindo, asesino de Félix Cabrera, de cuya causa se ha celebrado el juicio oral en estos días, era, hace doce o trece años, un muchacho honrado, cobrador de una tienda o sastrería de

---

la criminalidad en la isla distaba de ser un asunto racial. Alto, blanco y rubio, el otrora cabo del Batallón de Madrid contaba con un extenso historial penal tanto en Puerto Rico como en Cuba. En 1894 se le encausó por el homicidio del hijo de un cirujano del hospital militar de San Juan. La defensa por Felipe Cuchí no le evitó una condena de doce años. Al igual que el caso anterior, los datos descubren que por la mala conducta se consideró trasladar al reo a España en 1897, mas, al parecer, no se materializó, pues hay indicios de que en 1903 se le tramitó un pasaporte. No tenemos la certeza de que el reo de igual nombre que intenta negociar su libertad en Panamá en 1910 sea el mismo. En todo caso, para una familiarización con su crimen en San Juan, véanse «El crimen de anoche» y «El crimen de antenoche» en *La Correspondencia de Puerto Rico* de 1 y 2 de julio de 1894.

esta ciudad.[10] Por motivo de una cuenta que no le querían pagar, tuvo una riña, por la que fue condenado a sufrir tres meses de cárcel. Ingresó en la de esta ciudad y los tres meses se convirtieron en doce años. Con el contacto pernicioso de los otros presos fue desarrollándose en él la criminalidad; y antes de cumplir su primera condena, cometió faltas y riñas que le detuvieron en el penal algunos meses más, hasta que un día llevó a cabo un homicidio en la misma cárcel. Y el que entró en aquel establecimiento por tres meses a causa de una riña sin importancia, cumplió allí trece años de condena por homicidio. Hará siete meses, la víspera de Nochebuena, cumplió ese criminal su larga condena, y todos recordarán que el día que salió de la prisión, fue desde la cárcel a la iglesia de rodillas acompañado del vicario, y oyó misa con el fervor de un verdadero creyente. Seis noches después, tuvo un disgusto en un baile de bomba con Félix Cabrera, y al salir ambos a la calle desafiados, le asestó una puñalada en el corazón.

Vea el colega ultramontano que a ideas antirreligiosas achaca la criminalidad cómo Matos Galindo, criminal pero de creencias religiosas, puesto que a impulsos de su propia conciencia hizo aquella peregrinación de rodillas a la iglesia, cae nuevamente en el crimen.

Muchas causas o accidentes pueden influir en la criminalidad, pero es indudable que la principal de todas es la falta de educación. Por perversos que sean los instintos de un hombre, podrá siempre refrenarlos con la educación. Por lo común el criminal es hombre rudo, sin educación, sin conciencia del mal que realiza ni de la trascendencia que pueda tener. Muy raro es

---

10. Entendemos que Abril provee casi todos los datos conocidos sobre el caborrojeño Juan Matos Galindo (1865–1897), el sastre convertido en sayón, con un detallismo que sugiere un conocimiento de primera mano. A diferencia de los anteriores, contamos con un acta de defunción que acusa tuberculosis pulmonar como la causa de muerte. Datos adicionales en «Juicio oral», *Boletín Mercantil*, 26 de junio de 1891, 2; «Noticias generales», *La Correspondencia de Puerto Rico*, 4 de enero de 1894, 2; y «Juicio oral», *Boletín Mercantil*, 25 de julio de 1894, 2.

que al criminal vaya unido el hombre educado.

Otras de las causas que en nuestro país influya para que un hombre honrado como Matos Galindo se transforme en criminal están en el deficiente sistema carcelario. Las cárceles no son aquí como en Inglaterra y los Estados Unidos, establecimientos penitenciarios a dónde va el preso a trabajar y a educarse, sino centros de corrupción, donde va a adquirir, si no los tiene, hábitos de vagancia y de perdulario; si los tiene, allí los aumentará; allí se le desarrollará con fuerza avasalladora el instinto del crimen.[11]

Edúquese al pueblo; transfórmese el sistema carcelario y la criminalidad disminuirá notablemente. Por lo demás, Puerto Rico es el país de más reducida estadística criminal. Y ese aspaviento que hacen algunos colegas del aumento del crimen no tiene razón de ser. Aquí no ocurren sino hechos aislados, de tiempo en tiempo, y la sorpresa que esos hechos causan es una prueba más de que aquí el crimen no es el pan cuotidiano.

¿Puede compararse la criminalidad de este país con la de Cuba? ¿Cuándo han existido aquí partidas de bandoleros ni [sic] sociedades de *ñáñigos*?[12] ¿En qué población de nuestro país vese el transeúnte obligado a llevar armas para librarse de los *atracos* en plena calle ni [sic] de los ataques en las encrucijadas?

Esos artículos que en estos días se han escrito sobre la criminalidad, por lo exagerados, solo servirán para hacer creer en el extranjero que la criminalidad como ola impetuosa amenaza ahogarnos; y nada tan incierto. Puerto Rico, vol[ve]mos a repetirlo, es el país más tranquilo del mundo y en el que menos crímenes se cometen. Si le comparamos con otro país en relación con el número de habitantes, puede decirse que en Puerto Rico

---

11. *Cfr.* Carroll, *Report*, 301.

12. Miembros de la Abakuá, una sociedad secreta cubana formada en 1836 e integrada solo por varones negros, única de su tipo existente en América. Invitamos a nuestros lectores a ver más sobre ella en la compilación *Costumbristas cubanos del siglo XIX* (1985) (la que a su vez bien podría vérsele como la versión cubana de *El jíbaro* de Alonso), a la cura del filólogo Salvador Bueno Menéndez (1917–2006).

casi no existe la criminalidad.[13]

---

13. Cuchí no se *quedó dado*; reaccionó bajo el seudónimo *K*, con «La criminalidad en Puerto Rico», en *La Correspondencia* del día siguiente. El destino también se ocupó de contrariar a Abril menos de un mes después, con el sañudo macheteo de un campesino en Yauco; véanse para ello «Noticias generales» y «Un crimen que se descubre», *La Correspondencia de Puerto Rico*, 22 de agosto de 1894 y 27 de marzo de 1895, respectivamente.

III. Órdenes generales e informes
(documentos tocante a la creación y función de las comisiones militares)

O RDEN GENERAL 19 | CUARTEL GENERAL, | DEPARTAMENTO DE PUERTO RICO | *San Juan, 2 de diciembre de 1898*[1]

1.º —La Suprema Corte de Justicia, constituida en Sala de Justicia compuesta de siete magistrados, incluyendo el Presidente, conocerá de todos los llamados recursos de casación, así pendientes de resolución como de los que se establezcan en la misma que autorizan las leyes de Enjuiciamiento Civil y Criminal, los cuales en el anterior régimen de España correspondían al Tribunal Supremo de Madrid, cuya jurisdicción respecto de esta isla quedó restringida por concesión del Protocolo de la Paz.

2.º —En los casos de incompatibilidad, vacantes o ausencia serán suplidos los magistrados propietarios por los suplentes, y en defecto de estos por los jueces de primera instancia de esta capital.

3.º —Las causas en que se hubiere pedido pena de muerte se verán y fallarán en Sala compuesta de tres magistrados propietarios y dos suplentes y en defecto de estos por los jueces de primera instancia de la capital, si no hubiere incompatibilidad.

4.º —Los recursos de casación remitidos y pendientes ante el

---

1. Reproducida de la traducción en la *Gaceta de Puerto Rico* del 18 de diciembre de 1898, con leves modificaciones. Para el original en inglés, véase Davis, *Report*, 92.

dicho Tribunal Supremo de Madrid, serán reclamados por la vía diplomática, sin perjuicio de las gestiones que con tal objeto hicieren las partes interesadas, y una vez devueltos, pasarán al conocimiento de la Suprema Corte de Justica.

5.º —La exposición o informe a que se refiere el artículo 948 de la Ley de Enjuiciamiento criminal en los casos de pena de muerte, se dirigirán al Secretario de Justicia para que este pueda proponer al representante del Gobierno de los Estados Unidos la conmutación de la pena si lo juzgare equitativo.

6.º —En la misma forma conocerá la Suprema Corte de las apelaciones que en el régimen anterior correspondían en lo contencioso-administrativo al Tribunal Superior del ramo establecido en Madrid.

Por mandato del mayor general BROOKE,
M. V. Sheridan
Brigadier general, Voluntarios de EE. UU.
Jefe de Estado Mayor

• • •

GUY V. HENRY [2]
Mayor general, gobernador
Discurso, 7 de diciembre de 1898:

A nadie deberá encarcelarse sin que medie acusación formal acompañada del testimonio correspondiente, a no ser como medida de necesaria detención en cuyo caso los cargos habrán de formularse a la mayor brevedad posible. Las causas de todos los que se hallan actualmente encarcelados deben investigarse y si no resultan pruebas o indicios suficientes para justificar su detención, habrá que ponerlos en libertad. Cuando los tribunales civiles se manifestaren remisos en proceder contra bandidos y asesinos, las causas de estos serán juzgadas por comisiones militares que he organizado al efecto. Los alcaldes avisarán cuando ocurran

---

2. Reproducido de «La alocución del general Henry», *La Democracia*, 13 de diciembre de 1898, 2; véase también *Gaceta de Puerto Rico*, 17 de diciembre de 1898, 2.

estos casos, y los jefes militares remitirán los expedientes a este cuartel general para que los resuelvan las comisiones militares. Es preferible empero que los reos sean juzgados por los tribunales civiles antes que por los constituidos militarmente. A los presos por delitos leves se les hará trabajar en las calles La injusticia de mandar encarcelar a las personas sin acusación y detenerlas en la cárcel sin formación de causa, que parece costumbre del país, es altamente censurable y no será permitida.

· · ·

ORDEN GENERAL	CUARTEL GENERAL,
27	DEPARTAMENTO DE PUERTO RICO
	San Juan, 8 de diciembre de 1898 [3]

Siendo evidente que los Juzgados civiles, debido a sus procedimientos lentos y excesivos trabajos, no actúan con la rapidez necesaria contra los bandidos que están todavía cometiendo crímenes de incendios y asesinatos en la Isla, y no habiendo aún recaído fallo en ningún caso, cuando es necesario un escarmiento inmediato, se nombrarán comisiones militares para juzgar cuantos casos se traigan debidamente ante ellos.

Por orden del mayor general HENRY,
W. V. Richards
Asistente Ayudante General

· · ·

A. C. SHARPE [4]
Mayor, inspector general
Informe (1899):

A principios del mes de febrero, los avisos de Washington empezaron a apuntar a la conclusión de las formalidades del tratado

---

3. Davis, *Report*, 93; *Gaceta de Puerto Rico*, 11 de diciembre de 1898, 1.

4. Alfred Clarence Sharpe (1850–1901); abogado militar de Voluntarios oriundo de Ohio que sirvió como inspector general durante la mayor parte de su carrera. Informe reproducido de Davis, *Report*, 210.

de paz con España y a una proclamación oficial de paz. Dado que algunos distritos de la isla aún se encontraban en una situación inestable, los actos de violencia se estaban produciendo, aún cometidos por bandas armadas, y como un número considerable de casos estaban pendientes ante las comisiones militares, dirigí la siguiente carta el 16 de febrero al ayudante general del departamento, recomendando que se obtuviera autoridad para proclamar la ley marcial en aquellos distritos que aún eran turbulentos y sin ley:

OFICINA DEL JUEZ ABOGADO
DEPARTAMENTO DE PUERTO RICO
San Juan, 16 de febrero de 1899

Ayudante General, Departamento de Puerto Rico:

En vista de la ratificación del tratado de paz entre Estados Unidos y España, tengo el honor de llamar su atención sobre el hecho de que ahora hay pendientes ante comisiones militares de este departamento un gran número de casos con cargos de homicidio, incendio premeditado, robo, hurto y otros delitos graves. Estos delitos fueron cometidos (y se siguen cometiendo) por bandidos en varias partes de la isla. Actualmente hay tres comisiones militares comprometidas en juzgar casos de este tipo, que se están resolviendo lo más rápidamente posible. Sin embargo, debe quedar un número considerable después de la proclamación de la paz, y como pueden seguir surgiendo casos en el futuro, de ser necesario recurrir a los tribunales militares, tengo el honor de recomendar, en ausencia de legislación del Congreso, esa aplicación, pedir al Presidente que proclame la ley marcial en este departamento siempre que se considere necesario.

La jurisdicción de las comisiones militares convocadas (como las nuestras ahora) en virtud del derecho de la guerra solo puede ejercerse hasta la fecha de terminación del estado de guerra. Los casos que queden pendientes e incompletos a dicha fecha deben abandonarse. (Véase *Recopilación de Opiniones del Juez Abogado General*, 507.)

Muy respetuosamente, etcétera.

• • •

ORDEN GENERAL | CUARTEL GENERAL,
   67 | DEPARTAMENTO DE PUERTO RICO
                | *San Juan, 24 de mayo de 1899*[5]

1.º —Los jueces de instrucción y cortes de Justicia de la Isla conocerán en adelante de todas los causas criminales hoy pendientes de fallo ante las comisiones militares, que a su jurisdicción traspasare este Cuartel General por conducto de la Secretaría de Justicia.

2.º —En esas causas se tendrán muy presentes los jueces de instrucción y cortes de Justicia lo dispuesto sobre prisión preventiva por la Secretaría de Justicia.

3.º —Los jueces de instrucción darán cuenta a la Secretaría de Justicia de las causas de que se hayan incautado en virtud de esta Orden, con indicación del delito y nombre de los procesados en cada una.

4.º —Cuando no hubiese proceso iniciado a algún preso que lo esté a disposición de las antedichas comisiones militares, lo formará el juez de instrucción correspondiente con vista de los antecedentes que se le faciliten, y dará cuenta de los particulares de cada causa al Secretario de Justicia.

Por mandato del brigadier general DAVIS,
W. P. Hall,
Ayudante General

• • •

GEORGE W. DAVIS[6]
Mayor general, gobernador
Informe (1900):

Cuando los Estados Unidos asumieron en control de los asuntos civiles de la isla el 18 de octubre de 1898, había en las cárceles un gran número de presos, algunos de los cuales habían sido

---

5. Reproducida de la traducción en la *Gaceta de Puerto Rico* del 25 de mayo de 1899, con leves modificaciones. Para el original en inglés, véase Davis, *Report*, 111.

6. Véase original en Davis, *Report*, 28.

juzgados y muchos más estaban en espera de juicio. Entre estos últimos había varios merodeadores que habían sido detenidos durante el llamado interregno o poco después. Algunos de estos delincuentes fueron acusados de violar las leyes estatutarias de los Estados Unidos y otros eran miembros de organizaciones de bandidos. Para el enjuiciamiento y castigo de esos infractores se recurrió a comisiones militares, y dichas comisiones declararon culpables a un número considerable. Una vez aprobado el proceso por el comandante general, fueron encarcelados en las cárceles locales, donde cumplieron o están cumpliendo sus condenas.

IV. Repercusiones en Washington
(tocante a la ejecución de personas en Puerto Rico por el garrote)

Titulares como «*The Garrote Viewed with Disfavor*», «*Torture Sanctioned by McKinley*» y «*Mediaeval Execution on American Soil Carried Out by a U. S. Regular Soldier*»,[1] entre un sinfín, dan fe del sentir del norteamericano promedio. Resulta más que sensato acusar que para la mayoría, la ejecución de los asesinos de Prudencio Méndez marcó *un renacimiento de la brutalidad española* en la inauguración del gobierno estadounidense en la isla.

Cómo pudo el Gobierno permitir un acto que gozó de inmunidad por años, fue el llamamiento a explicar hecho a William

---

1. Respectivamente en el *New York Tribune* (8 de abril de 1900, 3); en el *Age Herald* de Birmingham, Alabama (13 de abril de 1900, 4); y en el *World* de Nueva York (22 de abril de 1900, 3).* La noticia captó la atención de la prensa latinoamericana por igual. El *Diario de la Marina*, principal rotativo cubano, la citó como «Cinco agarrotados en Ponce» y repitió el improbable dato de las vejaciones a la esposa de Prudencio Méndez (edición matutina, 8 de abril de 1900, 1); el *Jornal do Brasil*, en su edición vespertina del 12 de abril, llamó a la supresión de la pena con «Um pedido: O garrote em Porto Rico» (1); *El Tiempo* ecuatoriano la reseñó bajo la sentencia de «Triunfó la barbarie» (28 de abril de 1900, 3).

* Esta última incluye reproducciones de algunas de las fotos de Orrel Parker. La reseña incluye al ex soldado Schweigert como el verdugo principal, lo que parece obedecer a una intervención de terceros.

McKinley en aras de salvar del escándalo el nombre y la bandera de la Unión ante los suyos y ante el mundo que observaba. A la primera oleada de censura, el presidente se escudó tras alegaciones de que era su «simple deber» dirigir la ejecución de leyes que nunca habían sido derogadas. Una segunda apelación al secretario de la Guerra,[2] que si bien proveyó algunas respuestas, tampoco satisfizo el deseo de resarcimiento.

Comencemos este sondeo sometiendo al estudio y juicio de nuestros lectores el informe del general Davis a su jefe inmediato, el Ayudante General del Ejército:[3]

> Señor: —El pasado 30 le cursé un telegrama al Secretario de la Guerra a los siguientes efectos:
>
> Cinco puertorriqueños condenados por asesinato y robo en 1898, la mayoría de las circunstancias repugnantes, han sido condenados a la pena capital y todos confirmados en apelación por la parte superior de la isla. La ejecución tomará lugar conforme a la ley local tan pronto como se perfeccionen los arreglos. No hay duda de culpa o justicia de la sentencia.

---

2. El neoyorquino Elihu Root (1845–1937), abogado de Wall Street antes de ocupar las secretarías de la Guerra (1899–1904) y de Estado (1905–1909) y una senaduría por Nueva York (1909–1915), fue un defensor de la asimilación benévola («tutela patricia», en sus palabras) de Puerto Rico y un opositor de la continuación del gobierno militar en la isla. A diferencia de otros políticos, no subestimó la inteligencia ni la capacidad de aprendizaje del puertorriqueño, pero advirtió que un minúsculo porcentaje de letrados no era suficiente para adelantar la democracia. Como secretario de Estado, no apoyó extender la ciudadanía estadounidense a los isleños. Gervasio Luis García ofrece una perspicaz visión de esa filosofía en «El otro es uno: Puerto Rico en la mirada norteamericana de 1898», *Revista de Indias* 57, n.º 211 (1997), 729–59.

3. Entiéndase el mayor general Henry Clark Corbin (1842–1909), en oficina desde 1898 hasta su muerte. Véase informe original en «Execution of Persons in Porto Rico by the Spanish Method of Garrote: Message from the President of the United States, Transmitting, in Response to Resolution of the Senate of April 11, 1900, a Report from the Military Governor of Porto Rico Relative to the Execution of Persons in Porto Rico by the Spanish Method of Garrote», U. S. Senate, 56th Congress, 1st sess., Doc. 360 (Wash.: Govt. Print. Off., 1900).

Ha habido cerca de cien homicidios en esta isla en cosa de un año.[4]

Tengo ahora el honor de informarle que en conformidad con la sentencia de la corte, los convictos referidos, a saber, Carlos Pacheco, Hermógenes Pacheco, Rosalí Santiago, Simón [*sic*] Rodríguez y Eugenio Rodríguez, fueron ejecutados en Ponce a las 9:45 de la mañana de hoy. Como esta es la primera instancia de castigo de capital ocurrida en esta isla desde la ocupación de Estados Unidos, considero necesario presentar para su información una breve declaración del caso.

En el momento de la comisión de este delito, el sur y el oeste de la isla estaban infestados de bandidos que cometían todo tipo de depredaciones, asesinando a los habitantes, extorsionando dinero, quemando plantaciones, etcétera. Estos cinco hombres procedieron a los terrenos de Prudencio Méndez, un acaudalado ciudadano residente de Yauco, con miras a extorsionar diez mil pesos de él, y consiguientemente lo asesinaron el 28 de octubre de 1898 bajo circunstancias intrépidas y atroces. Cuatro de estos hombres fueron arrestados por sus autoridades militares, y el quinto, Rosalí Santiago, por el jefe de la policía local de Yauco, y fueron retenidos para juicio por la comisión militar. El juicio se atrasó por meses debido a la dificultad de asegurar la evidencia necesaria y la asistencia de suficientes oficiales para formar una comisión. Debido a esta demora, la gente de la parte sur de la isla temió que se les permitiera [a los detenidos] escapar y se recibieron numerosas peticiones a estos cuarteles generales con urgencias a un juicio rápido y ejecución. El Tratado de Paz intervino antes de que se pudiera efectuar un juicio militar y los casos fueron transferidos al Departamento de Justicia para la acción de la corte civil. Fueron procesados ante el Tribunal de Distrito de Ponce y, tras un juicio completo y exhaustivo, conforme a las leyes del país, fueron condenados y sentenciados a muerte.

Se apeló a la Corte Suprema de la isla, la que confirmó la sentencia de la corte inferior. Estos jueces del tribunal de distrito eran puertorriqueños que juzgaron a estos miembros y seis jueces,

---

4. Nos consta que Davis solicitó la información, así no contemos con la respuesta. *Cfr.* «Noticias», *La Correspondencia de Puerto Rico*, 29 de diciembre de 1899, 3; «Noticias generales», ídem, 7 de enero de 1900, 2.

también puertorriqueños, [los que] componían la Corte Suprema a la que se apelaron los casos. A lo largo del proceso [los reos] fueron representados y se les ofreció toda defensa de acuerdo con las leyes del país. Fueron ejecutados por el garrote, el cual es el método legal de pena capital de acuerdo con las leyes vigentes en esta isla y la ejecución se efectuó de manera decente y ordenada y en estricta conformidad con la ley.

Ningún oficial o soldado del Ejército tuvo conexión con el juicio o ejecución.

Claro que lo anterior se limitó al conocimiento de los proverbiales *poderes establecidos*... y con todo, no todos. La semilla del desconcierto halló tierra fértil en la imaginación y prejuicio ciudadanos. No debe extrañar encontrar reacciones como esta—

Más allá del mero anuncio de que cinco criminales iban a ser ejecutados hoy en Ponce por asesinato e indignación, el general Davis, gobernador de Puerto Rico, no ha hecho declaraciones al Departamento de la Guerra sobre este tema. Los funcionarios aquí están algo preocupados por la situación, principalmente por el método elegido para la ejecución de estos criminales: el garrote. Pero se explica que ni por la aplicación de la pena de muerte ni por el repulsivo método de ejecución son responsables las autoridades militares. Estos son los resultados de la permanencia en la isla de los métodos legales españoles, según los funcionarios aquí.[5]

—o como esta, apelativa a la sensatez mediante el ridículo:

Si se quiere conservar el garrote, ¿por qué no el componte, la bota y la rueda? Si se va a mantener el primero para que la libertad estadounidense y la Constitución no entren, se deduce lógicamente que podría ser necesario recurrir a los demás para mantener las mismas cosas fuera. Con un propósito tan vital a la vista, ¿es posible que una Administración de confianza se detenga a pensar dos

---

5. «Some Uneasiness», *Topeka State Journal* (Kansas), edición vespertina, 17 de abril de 1900, 4. Como mínimo, el informe tuvo que haber llegado a manos de Root, aunque este no le diera la debida atención.

veces antes de usar el lote?[6]

A dictamen similar llegó el *Wichita Daily Eagle*, una importante voz kanseña, severa y tajante: «Estados Unidos debería abolir el uso del garrote en Puerto Rico, viole o no las costumbres de los nativos».[7] Pero si era cuestión de escoger el menor de dos males, Alabama parecía haber encontrado la respuesta:

Lo que sea que pueda decirse del garroteo, después de la torcedura del fatal tornillo no hay colgamiento ni retorsión, ni deslizamiento de nudo o rompedura de cuerda; no hay estrangulamiento lento, que a tan a menudo resulta el uso de la más vulgar y más espantosa de todas las formas de pena capital: ¡la horca anglosajona![8]

Políticamente hablando, el asunto era escollo de tropiezo para tanto imperialistas como antiimperialistas en un Congreso agobiado por debates sin fin en torno al proyecto de ley para un gobierno civil en la isla. Si bajo un gobierno militar se daban atrocidades como las rumoradas, ¿qué y cuánto más bajo uno civil? Había que confirmarse o desmentirse el ruido; y el primero en levantar la voz fue un senador republicano de plata[9] de Dako-

---

6. «The Last Porto Rican Spectacle», *Evening Times* (Washington, D. C.), 9 de abril de 1900, 4. La alusión al componte denota un conocimiento íntimo de la política española en Cuba y Puerto Rico. La palabra se originó en Cuba, pero fue en la experiencia de Puerto Rico donde arraigó su infamia.

7. (Sin título) 10 de abril de 1900, 4. Kansas, si bien mantiene vigente la pena capital (poco usada, cabe destacar), tuvo un hiato entre 1888 y 1935. *Cfr.* Galliher, Ray y Cook, «Abolition and Reinstatement», 545–46, 571–72.

8. «In Hotel Lobbies and Elsewhere», *Age Herald*, 10 de abril de 1900, 4. Tengamos en cuenta que lo decía un estado que se reservaba el uso exclusivo de la horca en su Código Penal.

9. Entiéndase un partidario de la acuñación libre. La firma de la ley del Estándar dorado (o Patrón oro) en marzo de ese mismo año debió marcar el fin del bimetalismo, pero la facción del Partido Republicano de Plata (la mayoría de sus miembros provenientes de estados occidentales mineros de plata) continuó hasta 1901. Los republicanos de plata apoyaban el Partido Demócrata.

ta del Sur que ya se había opuesto a las ideas anexionistas de McKinley para con Hawái. En la sesión senatorial del 11 de abril llamó al presidente,

> si no es incompatible con el interés público, informar al Senado si se ha ejecutado a personas en Puerto Rico por el método español del garrote desde que él ha gobernado ese país como comandante en jefe del Ejército y la Marina de los Estados Unidos y, de ser así, que se le solicite... informar al Senado por qué se adoptó este modo de ejecución.[10]

Hasta recibir la respuesta, la prensa siguió dando cuenta de la costura o doble vara con que se manejaba el asunto de las leyes en la isla. Resulta interesante observar que la mayoría de las protestas proviniera del centro del continente, de aquellos territorios que hasta principios de siglo XIX formaron la Luisiana española.[11] Oklahoma, que a la altura de 1900 pertenecía al Territorio indio y daba sus pasos en pos de la estadidad, fue uno de los más vocales en cuanto a la hipocresía:

Las autoridades del Departamento de la Guerra que no pudieron

---

10. Resolución presentada por Richard Franklin Pettigrew (1848–1926), con aprobación unánime.

11. Tradicionalmente, el mediooeste estadounidense fue un área con poblaciones mucho menores que las de los estados del este, pero con mayor diversidad étnica. Las grandes extensiones de tierra cultivable y de fácil adquisición, sin mencionar la abundancia de animales para alimento y mejores dietas, fueron incentivos para los primeros inmigrantes. En extremo pobres pero no hambrientos, los pobladores conocían el valor de la unidad y la empatía, para bien o para mal. Resulta interesante notar que los linchamientos registrados obedecían más a la necesidad o deseo de un resarcimiento inmediato donde un proceso legal pudiera fallar a favor del ofensor que por simple terrorismo racial, como ocurría en el sur y en el este. En Kansas, por ejemplo, hasta la segunda mitad de los 1870, la razón principal para linchar fue para coartar el cuatrerismo, en tanto que de la siguiente década en adelante lo fue para castigar el asesinato, máxime si involucraba violación (Genevieve Yost, «History of Lynchings in Kansas», *Kansas Historical Quarterly* 2, n.º 2 [1933], 182–219).

prevenir esta inhumanidad declaran que no intervinieron porque su acción se habría percibido cual [quererse] extender las leyes y la Constitución de los Estados Unidos a la isla. La insistencia de que la ley estadounidense no entre en vigor en Puerto Rico parece haber ido demasiado lejos de lo permitido cuando lleva a las mismas inhumanidades contra las que los Estados Unidos protestaron en Cuba.[12]

«Hablando de la indignación popular por el uso del garrote en Puerto Rico —secundó Misuri—, ¿hay una forma de ejecución más torpe y brutal que el ahorcamiento?»[13] Retórica o no, la interrogante resultó demasiado tentadora para desoír, mucho menos desaprovecharla aquellos cuyos mejores credenciales era la experiencia—

Después de la captura de El Jíbaro...,[14] por el capitán Carter Johnson[15] y su tropa de caballería —refiere un anónimo para el *Northern Wisconsin Advertiser*—, asistidos por una parte del ejército de

---

12. «Garrote Still in Use», *Daily Ardmoreite*, 13 de abril de 1900, 2. Puede que la noticia no se originara allí, pero tampoco incluye créditos.

13. Citado del *Kansas City Star* como «There Is None» por el *Indianapolis Journal*, 16 de abril de 1900, 2. Tómese a modo de complemento la crítica de otra voz misuriana que ese mismo día criticó: «Hasta la fecha, la experiencia puertorriqueña de las bendiciones del control estadounidense se ha limitado a un impuesto arancelario, un gobierno oportunista y la ejecución por el método del garrote» ([sin título] *St. Louis Republic*, 6).

14. *Jiboro* en el original; poblado en el municipio de Santa Clara, en Cienfuegos. El narrador alude a la derrota de las fuerzas españolas el 18 de julio de 1898.

15. Carter Page Johnson (1851–1916); oficial virginiano cuya pintoresca carrera militar empezó entre las filas y que es mejor recordado por dirigir una tropa de caballería negra en Cuba. El incidente que se relata a continuación no fue por obra de Johnson; pero cabe destacar que tras la captura del poblado, el entonces teniente y otro oficial protagonizaron un bochornoso incidente en el que, borrachos, ofendieron a sus homólogos cubanos y amenazaron con dispararles. La situación no llegó a mayores gracias a la sensatez de subordinados que se negaron a seguir a Johnson por saber que saldrían perdiendo.

Gómez, durante la guerra española, vi a catorce hombres condenados por consejo de guerra ser fusilados. Había un pelotón de fusilamiento de cincuenta hombres armados con rifles Springfield apostados a solo tres metros detrás de la línea de condenados, y sin embargo, después del tiroteo había ocho hombres vivos retorciéndose en el suelo. El pelotón de fusilamiento se acercó y disparó de nuevo a una distancia de quizás dos pies, e incluso entonces cinco hombres seguían vivos, pidiendo un disparo mortal. Esto requería el tiro de gracia, y un oficial cubano, con una .44 del Ejército,[16] caminó a lo largo de la línea y administró los tiros de gracia bajo las instrucciones del médico de la tropa de caballería que señalaba a los hombres que aún vivían. Comparado con este método, el garrote es un delicado método de infligir la muerte. Es, comparado con cualquier método en uso en los Estados Unidos, eminentemente humano, rápido y deseable, y los funcionarios de la administración no deben preocuparse por haber permitido la ejecución en Ponce conforme a la ley española.[17]

—tampoco por la prensa temeraria. Hasta dar con una respuesta definitiva, responsabilizamos al Estado Girasol que, en la voz del *Republic* de Goodland, divulgó la siguiente pieza recordativa de aquel sensacionalismo al que Hearst y Pulitzer acostumbraron a sus lectores durante la guerra del 98:

Recientemente cinco asesinos fueron ejecutados en San Juan, Puerto Rico, por garrote, el bárbaro método español. Los pobres diablos suplicaron ser ejecutados «a lo americano», pero se les negó el privilegio a los desgraciados porque Puerto Rico está «fuera de la Constitución».[18]

---

16. Pistola Colt de 1860, de amplio uso durante la Guerra Civil estadounidense.

17. «Garrote Is Humane», 19 de abril de 1900, 3.

18. (Sin título) 20 de abril de 1900, 2. Aquí cabe dar el beneficio de la duda, toda vez que la falta de datos (o de acceso a ellos) impide definir hasta qué punto pueda ser cierta esta declaración. La prensa local no menciona la gestión, pero un periódico regional de Vermont, en su edición del 7, lo hace cual una noticia originada en Ponce el día 5: »»»

. . .

¿¡Quién podría culpar al incauto ciudadano promedio que daba todo por cierto, sin cuestionar, solo por haberlo leído!? Puede que el garroteo no fuera una institución estadounidense —razonó otro rotativo capitalino, con acuse de crédito al *San Juan News*—,

> pero nos inclinamos a creer que la ejecución de los cinco hombres en Ponce el sábado por la mañana fue bien merecida por las víctimas de la ocasión. La publicidad que se le atribuyó fue repugnante y, quizás por esa razón, estuvo tan estrechamente relacionada con las ejecuciones de un siglo anterior. Sin embargo, era necesario dar ejemplo para que no se produzcan en el futuro asesinatos o atropellos similares. La pena capital es, lamentablemente, una necesidad en el mundo. Sin ella, el número de asesinatos se multiplicaría por diez. Es esencial que los hombres de temperamento violento tengan una influencia de contrarresto. El recuerdo de lo que les ha sucedido a los hombres que han matado es el control preventivo del asesinato. Sin la pena capital, los personajes peligrosos tendrían poco que temer. Por tanto, consideramos que estas ejecuciones son necesarias para el bienestar del público.[19]

El consejo municipal republicano ha peticionado al gobernador general Davis que le telegrafíe al Presidente una solicitud de conmutación de la sentencia dictada por la Corte Suprema de Puerto Rico sobre cinco asesinos que deben ser sometidos al garrote. Tres de los cinco son republicanos. El pueblo en general está a favor de que se efectúe la sentencia debido a la naturaleza rebelde del crimen, pero la ejecución pública se niega a actuar. ([Sin título] *Spirit of the Age*, 7 de abril de 1900, 1)

El *Star* de Reynoldsville, Pensilvania, días después, lo comprueba con: «Se creía que [el Presidente] interferiría y ordenaría que los hombres fueran ejecutados en la horca, pero hace varios días se recibió información de que no tomaría ninguna medida» («Four Men Garroted», 11 de abril de 1900, 6). La parte de querer ser ejecutados *a lo americano* es sensacionalismo tal vez originado en alguno de los periódicos de William Randolph Hearst (1863–1951) o Joseph Pulitzer (1847–1911).

19. «The Garroting in Porto Rico», *Evening Star* (Washington, D. C.), 23 de abril de 1900, 4. El *San Juan News* fue el primer periódico estadounidense publicado en Puerto Rico a partir de noviembre de 1898. Su fundación

. . .

Aunque mantenemos la teoría de que Root tuvo que haber recibido una versión temprana del informe (el justo cumplimiento de su deber del ayudante general Corbin), nos acogeremos al
25 de abril como la fecha historiográficamente reconocida, en la
que Davis rindió cuentas de nuevo, esta vez al jefe de su jefe:

Señor: —Tengo el honor de acusar recibo de su carta del duodé-
cimo instante en la cual se me transmitió una copia de una resolución adoptada por el Senado el 11 de abril de 1900 que invoca al
Presidente por cierta información sobre la ejecución por garrote
de delincuentes en Puerto Rico.

En respuesta, debo decir que el 7 de abril de 1900, Carlos Pacheco, Hermógenes Pacheco, Rosalí Santiago, Eugenio Rodríguez
y Simón [sic] Rodríguez fueron ejecutados en Ponce, en esta isla,
por el dispositivo conocido como garrote. Este método de ejecución está prescrito por las leyes vigentes en esta isla y esas leyes
continuaron en vigencia y en rigor por las órdenes del Presidente:
Orden General 101, Cuartel General del Ejército, Oficina del Ayudante General, 18 de julio de 1898, y por el párrafo IX de la Orden
General 1 del mayor general Brooke con fecha de 18 de octubre de
1898.

Cuando el actual gobernador militar llegó a esta isla para
cumplir con su deber, encontró que las leyes locales no cambiaron

---

se disputa entre un tal Racklin (o Rachlin), de quien solo se sabe que, por
su actitud antipuertorriqueña y repetidas acusaciones de libelo, perdió el
patrocinio de comerciantes locales y la dirección del *News*, y Hobart Stanley
Bird (1873–1960), un abogado wisconsinita destacado en Puerto Rico como
corresponsal de la Prensa Asociada. En la versión de Pedreira (*El periodismo
en Puerto Rico* [Río Piedras: Edit. Edil, 1982], 281), Bird heredó el puesto de
Racklin/Rachlin; pero en la de Bird (entrevistado en 1949), la idea de un periódico bilingüe con el fin de educar al puertorriqueño en las libertades estadounidenses fue suya. Interesantemente, en su mención del cierre del *News*
en 1904 nunca aludió al tal Racklin/Rachlin (Hobart S. Bird y Dean Albertson,
The Reminiscences of Hobart S. Bird [Nueva York: Oral History Research Proj-
ect, Columbia Univ., 1972], 13, 30). La negatividad que irradia el texto citado
sugiere que, reconciliando ambas versiones, Bird pudo haber fundado y el
misterioso Racklin/Rachlin dirigido.

con respecto a la pena capital, y en la ocasión de llevar a cabo una condena en los tribunales que requería que la criminalidad cumpliera la pena capital, hizo una investigación minuciosa tocante a lo que los estatutos proveen respecto al mismo acto del garrote, que es el único modo de ejecución conocido en la isla aparte del fusilamiento con mosquetes en ciertos casos bajo las leyes de la guerra.

Indagué sobre el asunto de los detalles mecánicos, cómo se aplicaba el collar de hierro y los efectos fisiológicos del instrumento. Esta investigación me satisfizo que, entre el garrote y la horca, el primero era menos bárbaro y repugnante y aseguraba la muerte casi instantánea de la víctima. El criminal condenado está sentado y atado a una silla de la manera en que se asegura a la víctima que ha de ser electrocutada. Detrás de la silla, y parte de ella, hay un poste pesado que fija el collar de hierro; este último está articulado y hecho para rodear el cuello del hombre. A través del poste, y asegurado al collar, hay un tornillo de paso rápido por medio del cual el collar se arrastra hacia la parte posterior. El tornillo funciona por medio de un manubrio y, mediante un giro sencillo que toma la fracción de un segundo, el collar, que envuelve el cuello de la víctima, se empuja hacia atrás con tal fuerza que disloca las vértebras al instante. El golpe paraliza por completo al hombre y la muerte es inmediata. Puede haber algo de espasmos pero ningún otro movimiento y nada de sangre. Desde el momento en que el sujeto es sentado en la silla está completamente cubierto con un manto de modo que no pueda ver nada ni que sus rasgos se vean.

Entendí que las ejecuciones se llevarían a cabo en el patio de la cárcel, pero esto no se hizo por la razón de haberse informado que el espacio no era adecuado; por ende, las ejecuciones se hicieron públicas.

Si la ocurrencia se repitiera durante mi mandato, debería insistir en que la gran masa de la población no viera el espectáculo; pero repito que la ejecución por medio del garrote es mucho menos inhumana y repugnante que la ejecución por ahorcamiento.

Invito [su] atención a las copias de los documentos adjuntos:

A. Aviso al Departamento mediante cable del 30 de marzo de 1900 que estas ejecuciones se llevarían a cabo.

B. Informe oficial sobre el hecho de las ejecuciones y algunos detalles sobre el delito por el cual sufrieron la muerte y fueron ejecutados y que fueron juzgados y ejecutados por su propia gente en estricta conformidad con la ley.

El referido cable se envió con el propósito de informar al Departamento de las ejecuciones propuestas, de modo que se dieran contraórdenes si se deseaba o se obtuviera más información.

Es un mandato de la ley española, aún vigente, que todas las ejecuciones por el garrote se hagan públicas, pero habría cambiado este requisito si hubiera sabido que el espacio en la cárcel no era adecuado.

Dado que las leyes locales a las que se hace referencia en el cable, citadas en el cierre, fueron traducidas por el Gobierno, y dado que una copia de todas las órdenes militares que han cambiado esas leyes se han enviado al Departamento de la Guerra, se debe suponer que el Departamento fue debidamente informado de que las leyes locales requerían el modo de ejecución llamado garrote.

Muy respetuosamente,

GEORGE W. DAVIS,

brig. gral., Voluntarios de EE. UU., Gobernador Militar.

El Secretario de la Guerra,

Washington, D. C.

Paralelamente, el discurso antirrepublicano tampoco desaprovechó el momento ni el ínterin para desfogar especulaciones y acusaciones, no siempre lógicas—

Muchas de las atrocidades que se están cometiendo bajo la sanción de la administración en Washington desde que esta república se convirtió en un imperio son demasiado horribles para ser leídas por cualquiera, excepto por los de nervios más fuertes. Tales son algunas de las carnicerías reportadas en Filipinas y los garroteos en Puerto Rico. Cuando nos regocijamos por la firma de la proclamación de emancipación y la adopción de las enmiendas de guerra a la Constitución, nunca pensamos en vivir para ver tiempos como estos y a veces casi desearíamos ni haberlo hecho.[20]

---

20. (Sin título) *Nebraska Independent*, 26 de abril de 1900, 4. Esta a su vez se antoja cual una reacción al *Washington Post* del 17:

Si el garrote todavía prospera en Puerto Rico, una isla sobre la que el

. . .

—ni del todo bien respaldadas. ¿Con qué moral, digamos, podía el estado con el mayor número de ejecuciones a su haber, histórica y estadísticamente, censurar a otra parte cuya diferencia solo era político-partidista?[21]

Al defender el garroteo de cinco puertorriqueños, la prensa republicana está exhibiendo una calidad de partidismo denso y delgado que le da poco crédito y hace poco bien a la administración. El camino del órgano republicano en estos días es realmente duro. Los hechos son que el uso del garrote había sido descontinuado en Puerto Rico por cinco años y que un convicto tenía que ser indultado de la prisión para asegurarse un verdugo. Al agitar este asunto, la prensa republicana muestra un estómago algo más fuerte que su juicio.[22]

No que por ello la protesta contra la pena por el garrote no constituyera una causa de lucha común en algunos casos:

El Tío Sam se encargará de que el horrible garrote de Puerto Rico sea rápidamente reemplazado por algún instrumento de pena capital más humano... Muchos miembros del Congreso eliminarían la pena de muerte en nuestras nuevas posesiones. Hasta la cruel Rusia nos dio el ejemplo 150 años atrás cuando eliminó la

---

gobierno de Estados Unidos ha tenido durante casi dos años un control irresistible e incuestionable sin las trabas de guerras e insurrecciones, la poligamia y la esclavitud seguirán siendo instituciones estatales en Filipinas, en el otro lado de la tierra, al menos durante un siglo. («Be Patient», 4)

21. Virginia registró la primera ejecución en suelo estadounidense en 1607; en el lapso 1891–1900 registró 34 (24 de ellas negros; una mujer incluida) («U.S.A. Executions-1607–1976: Index by State Virginia», DeathPenaltyUSA. org, deathpenaltyusa.org/usa1/state/virginia4.htm). No fue hasta marzo de 2021 que abolió la pena capital.

22. (Sin título) *Virginian Pilot*, 27 de abril de 1900, 4. A la fecha de esas declaraciones se cumplía un mes del ahorcamiento de un adolescente por la violación y asesinato de una niña de siete. Victimario y víctima eran negros («The Hanging of Richard Griggs», *Times* [Richmond], 24 de marzo de 1900, 1).

pena capital de todos sus casos menos la traición. Bélgica, Brasil, Holanda, Italia, Portugal, Venezuela, Costa Rica y Guatemala han hecho lo propio, al igual que Míchigan, Rhode Island, Wisconsin y Maine.[23]

En su respuesta el 12 de mayo, McKinley fue tan sucinto como solía ser para con asuntos de importancia:

Transmito aquí las copias de los informes del brigadier general George W. Davis, Voluntarios de los Estados Unidos, gobernador militar de Puerto Rico, que contiene la información solicitada.[24]

Satisfecha la demanda senatorial, la divulgación probó por enésima vez cómo muchas veces el rumor es preferible a la realidad. Tres días después de conocer la versión oficial, el *Rochester Democrat and Chronicle* neoyorquino, uniéndose al ridículo llamado del *Evening Times* de Washington, D. C., tuvo a bien declarar a modo de resignación:

El escándalo provocado por la ejecución de cinco prisioneros en Puerto Rico mediante el garrote, es decir, según el método legal de pena capital en Puerto Rico, es una curiosa ilustración de la fuerza de la costumbre. La idea de romper deliberadamente el cuello de un hombre por medio del garrote conmocionó a la mente estadounidense solo porque la mente estadounidense no es-

---

23. «The Terrors of the Garrote», *Virginian Pilot*, 3 de mayo de 1900, 15. *Cfr.* Samuel J. Barrows, «Legislative Tendencies as to Capital Punishment», *Annals of the American Academy of Political and Social Sciences* 29 (1907), 181.

24. McKinley se distingue como uno de los presidentes que menos escritos dejó por su preferencia de discutir asuntos de importancia en persona y en privado. Lo demostró en el otoño de 1898 con el manejo de la muerte de su cuñado, un *playboy*, a manos de una amante despechada; e incluso cuando la mujer se salvó de ir a la silla eléctrica —no que del escrupuloso metodista se esperara una reacción de decepción. En esta ocasión, su respuesta acerca de los garroteos sobrepasó aquella dejadez con que en su discurso inaugural en 1897 denunció la práctica de linchamientos («*...no deben tolerarse en un país grande y civilizado como Estados Unidos; los tribunales, no las turbas, deben ejecutar las penas de la ley*»), de palabras nada más.

taba acostumbrada a ello como lo está a la idea de asfixiar a un hombre colgándolo con una soga corrediza alrededor del cuello o de matarlo con un golpe de corriente eléctrica en una silla. Si cualquiera de estos métodos de ejecución hubiera sido sustituido por el garrote en el caso de los criminales de Puerto Rico, no habría habido escándalo alguno, ninguna resolución de investigación en el Congreso, ningún golpe[25] para nadie más que los criminales. De hecho, la sustitución de la cuerda o la silla por el dogal sería considerada en general como uno de los beneficios de la civilización superior acumulada para los puertorriqueños con la sustitución del dominio español por el dominio estadounidense. El caso es que de los tres métodos de ejecución considerados, el puertorriqueño, o español, es el más humano, más decente y mejor en todos los sentidos. La muerte infligida por el garrote es siempre cierta, instantánea, sin tortura y sin desfiguración. Eso es más de lo que puede decirse de la muerte infligida por el dogal o la silla eléctrica. Si la barbarie de la pena capital va a continuar en este país, el país haría bien en sustituir el modo español de la pena capital por el modo estadounidense más crudo, menos cierto, menos humano y más bárbaro y repugnante.[26]

Al parecer, el pueblo entendió que la suerte estaba echada. Las siguientes palabras aquel marino californiano convertido en corresponsal y, más adelante, político, resumen mejor la situación:

Generalmente se reconoce que nuestro Gobierno cometió un error al permitir que las leyes establecidas por España y que muchos de sus abusos públicos permanecieran tanto tiempo en vigor después de que se produjera el cambio. El objetivo, por supuesto, era darle al pueblo la oportunidad de elaborar sus propias reformas a fin de que no sintiera la mortificación de estar sometido a una raza ajena; pero si bien la intención fue buena, los resultados fueron en algunos casos deplorables. Uno de los peores de estos

---

25. Juego de palabras a partir de *shock*, cual el choque de corriente en una silla eléctrica.

26. «Garrote, Halter and Chair», 15 de mayo de 1900, 6.

incidentes fue la ejecución de cinco asesinos por el garrote, en Ponce, el 7 de abril de 1900. El crimen, que se había cometido casi dos años antes, fue atroz y nadie cuestionó la justicia de la pena de muerte; pero el modo en que se infligió envió un estremecimiento de horror a toda la nación. El garrote es el más brutal de todos los instrumentos ideados para ejecutar criminales. Es en esencia español por su adaptabilidad a la tortura y su uso constante por parte de los españoles en todas sus colonias, en especial Cuba, fue una de las causas provocadoras de nuestra guerra por la humanidad contra España.[27]

Puede que el sentimiento general haya sido como refiere el cotizado José de Olivares; y puede que aunque sus palabras—

Fue la primera y tal vez última vez que el garrote se verá en funcionamiento activo dentro de los límites de la autoridad estadounidense.[28]

—hasta cierto punto aspiraran a ser proféticas (como mínimo, apelativas a la sensatez), la abolición del garroteo, coincidente con la promulgación del nuevo Código Penal en 1902, no dio mucho que decir al estadounidense promedio de cara a la continuación de la pena capital en Puerto Rico.

---

27. (Olivares) *Our Islands and Their People* 1:352

28. *Ibidem.* Estas declaraciones se citaron en partes de prensa, lo que hace necesario aclarar que muchos de los textos en los libros se escribieron como aportaciones a lo largo de 1899 y 1900, quizás hasta 1902, para eventualmente ser recopilados en dos volúmenes. Es muy probable que Olivares (1867–1942), cuyo paso por la isla fue breve, escribiera desde los Estados Unidos (a lo mejor Misuri, toda vez que era corresponsal del *St. Louis Globe-Democrat*), basado en información provista por terceros mediante cartas, informes oficiales y libros. Ni siguiera parece que el episodio descrito haya sido atestiguado por alguno de los contribuidores a *Our Islands*, sino copiado de la prensa.

v. Entrevista a los verdugos [1]

Ayer, a la una y media de la tarde, un redactor y un *repórter* del *Diario de Puerto Rico* se trasladaron a Puerta de Tierra, con objeto de celebrar una *interview* con Justino [2] Navarro García y Vicente Nazario Rivera, ejecutores de la ley, que hace poco cumplieron su triste misión en Ponce.

Como ya saben nuestros lectores, ambos se hallaban recluidos en el presidio; el primero extinguía catorce años, ocho meses y un día de condena por muerte en la persona de Mateo Casillas. [3] Ingresó en el penal el 15 de marzo de 1897 y después de acogerse a varios indultos, solo le restaban por cumplir dos años, cuatro meses y nueve días. [4]

Al ser puesto ayer en libertad, recibió $9.83 por concepto de alcances que le correspondían, una muda de ropa, de dril blanco, un corte, y una camisa. Es natural de Naguabo, donde vive su madre, cuenta veintitrés años de edad, y es de mediana estatura,

---

1. Reproducido de «El verdugo y su ayudante: una *"interview"*», *La Democracia*, 12 de abril de 1900, 2; ligeramente editado.

2. *Faustino* en el original.

3. Mateo Casillas Padrona (1849–1896) fue un marino loiceño avecindado en Humacao en el momento de su muerte. No se nos dice el motivo del homicidio; el acta de defunción rebosa en palabrería, pero omite el dato más importante.

4. «Parte oficial», *Gaceta de Puerto Rico*, 7 de octubre de 1897, 1; «Noticias», *Correspondencia de Puerto Rico*, 13 de abril de 1898, 3.

más delgado que grueso, cabeza pequeña, frente deprimida, color moreno, con puntitos negros en el rostro y una verruga en la parte inferior de la barba, las manos le blanquean por la palma.

Su auxiliar Vicente Nazario Rivera es alto, fuerte, de cara ancha, poco simpático y color moreno. Es natural de Yauco, tiene un hijo y cuenta cuarenta años de edad.

He aquí sus antecedentes penales: fue condenado por homicidio en 1888; estuvo prófugo por espacio de diez años, durante los cuales atropelló a un individuo que ingresó después en la policía insular y a quien se debe su captura. El 2 de octubre de 1898 le condenó la Audiencia de Mayagüez a catorce años, ocho meses y un día, de los cuales se le rebajaron cinco. Cumplirá en la cárcel el resto. Muéstrase esperanzado de que si observa buena conducta, recobrará dentro de poco la libertad. Ambos demuestran tranquilidad absoluta.

A fin de que pudiéramos tomar notas, el Navarro colocó dos banquillos, uno sobre otro, de los que sostenían sus camastros, y apoyó el pie derecho en el inferior y el brazo izquierdo en el superior, disponiéndose a satisfacer las preguntas que se le hicieran.

Dice que durante el viaje de aquí a Ponce estuvieron mal atendidos hasta Coamo, donde le suministraron alimentos en el cuerpo de guardia de la cárcel. En Cayey les socorrió Hermelindo Escalera. En todas las poblaciones fueron objeto de la curiosidad pública; las gentes, en actitud silenciosa, se aglomeraban para contemplarles, sin que esto les molestara. Gastaron en el camino dos pesos que les dieron aquí, más tres que ellos llevaban y uno que les regaló un americano. En la cárcel de Ponce fueron muy bien tratados, y se les dio refrescos y licor.

Interrogado el primero si es verdad que, habiendo sido instalados en una celda que daba frente a las capillas que ocupaban los cinco reos, estos les increpaban, contestó que únicamente les dirigió palabras malsonantes Eugenio Rodríguez; *pero que después parece que le pesó*, añadió con cierta sorna.

Llegaron a Ponce a las cuatro de la madrugada del día 6 y

después de tomar café, se acostaron en dos catres a fin de descansar. Por la tarde el médico administró unas papeletas al Vicente Nazario, que se sentía irritado del estómago, por lo cual tomó además un baño. Ni durante el trayecto ni la víspera, ni en el momento ni después de la ejecución sintieron conmoción alguna, permaneciendo perfectamente tranquilos.

El día 7, a las siete de la mañana, después de haber dormido bien y tomar café, fueron conducidos en un carro, atados y sentados en dos sillas, al sitio donde se alzaba el patíbulo. Fuerzas de la policía insular formaban el cuadro y un poco más distante había tropas americanas.

Los reos estaban vendados; únicamente Hermógenes Pacheco se quitó la venda y presenció la ejecución de Eugenio Rodríguez y Rosalí Santiago, que ocuparon los dos primeros turnos, y pidió ajusticiarse él mismo y besó el aparato.

Niega el ayudante que los hermanos Pacheco fuesen sobrinos de él, como se ha dicho; pues no son hijos de una hermana suya que vivió maritalmente con el padre de aquellos.

A uno de ellos, al Carlos, *para hacerle más beneficio,* frase textual, en vista de que solo tenía unas malas alpargatas, le regaló un par de zapatos que llevara de aquí, a fin de que los estrenase al subir al cadalso. «*Además le di un besito* —agregó—, *y a todos ellos procuré acomodarles bien el pescuezo en el corbatín, pues todos ellos, al verme se alegraron como paisanos y antiguos conocidos y me recomendaron que les diera una buena muerte*».

—Así fue —añadió el verdugo—, y la prueba es que no pueden quejarse. Con un paño negro les sujeté la cabeza para que no se inclinaran a un lado u otro, y así los amarré a los postes, de cara al mar, y parecían estaban recreándose y mirándose unos a otros.

Este conato de chiste fúnebre no nos produjo el efecto que sin duda se propuso el autor, que, por lo visto, quería amenizar de ese modo la *interview*. Con la vista baja y jugando con un lápiz colocado sobre el banquillo que nos servía de mesa, procuraba esquivar nuestra mirada, y aun cuando hacía esfuerzos por contenerse, ocultar sus sentimientos y aparecer grave y serio, a lo mejor iniciaba una cuchufleta y una sonrisa truhanesca asomaba a sus labios.

—¿Han recibido ustedes algún dinero por la ejecución? —les preguntamos y la contesta fue negativa.

—Yo me presté a semejante oficio —dijo el verdugo—, por recobrar la libertad; y este porque le rebajasen la condena que sufre.

—Se dice que hay otros cinco condenados a muerte que han de expiar su crimen en Ponce. ¿Se prestarían ustedes a ejecutarlos?

A esto contestaron ambos que se negarían a ello aunque se les ofreciese dinero.

—En esta ocasión —añadieron— lo hicimos por lo que ya ustedes saben, y lo mismo hubiéramos dado garrote a esos cinco que a cincuenta.

—¿Es cierto —preguntamos a Justino Navarro— que piensa usted irse del país?

—Como tengo aquí familia y soy además marinero, no sé todavía lo que haga.

—Una vez que cumplieron ustedes su cometido, ¿trataron ustedes de dirigir la palabra al pueblo?

—Yo —dijo el verdugo— quería advertir a la gente que no había ido allí por mi gusto, sino en cumplimiento de la ley y por verme libre.

—Y yo —repuso el ayudante— quería decirles que solo hay un Dios y una sola alma y un solo espíritu que debíamos conservar para no venir a aquel sitio, como ajusticiados.

—¿Y por qué no hablaron ustedes?

—Porque el pueblo estaba dividido y unos decían que sí y otros que no.

—¿Al regreso no fueron ustedes objeto de ninguna manifestación de desagrado?

—De ninguna; ahora que si había muchos curiosos; *un bando de gente* que nos miraba.

—¿Después de la ejecución se cambiaron ustedes de ropa?

—Estamos con la misma.

—¿Y nunca, ni antes ni después, ni ahora han experimentado ustedes la más ligera emoción?

Se encogieron de hombros.

—Nada nos da inquietud.

Al despedirnos objetó Vicente Nazario que debían devolverles los tres pesos que gastaron de su bolsillo durante el viaje, y el Justino Navarro que aún se hallaba resentido en la pierna derecha de uno de los golpes que recibió con un banquillo en el penal la noche en que le acometieron varios confinados, al saber que iba a Ponce a dar muerte a aquellos cinco despreciados. El golpe, de que aún se resiente, se lo dio Nicanor Font (a) *Treinta y tres*,[5] lo cual le extrañó, pues eran amigos.

Y aquí dimos por terminada la entrevista. Al salir oímos que Vicente Nazario nos gritaba: «*Felicidad en su casa*».

De las reflexiones que nos sugirió otra *interview* quizás nos ocupemos otro día.[6]

---

5. Nicanor Font Torres (1871?–1907), de Toa Alta, reunió una larga lista de delitos desde 1896, lo más temprano que lo rastreamos. En 1906 se le describe como moreno, tuerto y manco del lado derecho y cojo por una parálisis adquirida en la cárcel.

6. No se repitió la oportunidad. Navarro García fue liberado el 9 de abril; su eventual regreso a Naguabo provocó un motín en el que la policía municipal tuvo que intervenir a fin de evitar un linchamiento y lo extrañó de la jurisdicción (*Boletín Mercantil*, 10 de abril de 1900, 2; «Noticias», *La Correspondencia de Puerto Rico*, 7 de mayo de 1900, 2; *La Democracia*, 10 de mayo de 1900, 3). A finales de mayo regresó al presidio en San Juan (lo cual produjo viva excitación en los confinados) en busca de dinero por el valor equivalente al corte de dril blanco que recibió en su liberación. Indagó además sobre la posibilidad de una nueva plaza de verdugo y del sueldo del mismo. Denegadas ambas solicitudes, desapareció. Años después fue denunciado por amenazas con armas prohibidas, pero la sentencia no pasó de una multa de $10 («Condenado», *La Democracia*, 8 de abril de 1904, 4). Una nueva acusación por perturbar la paz es la última noticia que se tiene de sus actividades («Más noticias», *La Correspondencia de Puerto Rico*, 1 de noviembre de 1906, 3). *Quebradillas*, por $100 y un indulto inmediato, accedió a ajusticiar a los asesinos del precitado Antonio Delgado, así tuviera que cargar con el estigma por un tiempo, si bien, según Córdoba Chirino, tras ello llevó una vida digna y respetable (*La Correspondencia de Puerto Rico*, 24 de junio de 1902, 3; «Por qué han protestado

los vecinos de "Viví arriba" en Utuado», ídem, 7 de octubre de 1903, 1; *Los que murieron*, 53).

VI. «...para que no mate»:
José de Diego ante la pena capital
(discurso con motivo del proyecto H. B. 79 para
la eliminación de la última pena en Puerto Rico)

S i algo es cierto en cuanto a debates en asamblea, es el
hastío que provocan las vueltas y giros para, en ocasiones, llegar a nada. De vez en cuando puede que surja
un tema que inmute la fría disciplina del amanuense que levanta
actas y compense su rutinaria función. Fernando Picó era consciente de ello cuando recibió el encargo de prologar las *Actas de
la Cámara de Delegados de Puerto Rico: Primera y Segunda Sesiones de
la Cuarta Asamblea Legislativa 1907–1908* (2014).[1]

Las leyó —no cabe duda— y pudo constatar que cuando en
más que menos casos la suerte descansaba en manos de legule-
yos (tómese en el sentido de pleitistas), mientras que el pueblo
moría de hambre o enfermedad, *¿de qué valía lo debatido?* ¿Valdría
la pena ponerlas al alcance del ciudadano común, cuando un dis-
ciplinado lidiaba? ¿Por qué querría —retoricó— un historiador
social detenerse a ponderar, con (un ejemplo) José de Diego, las
ventajas de la pena de muerte? Claro que era retórica, pero para

---

1. Véase «Actas de la Cámara de Delegados de Puerto Rico: Primera y
Segunda Sesiones de la Cuarta Asamblea Legislativa 1907–1908» (San Juan
de Puerto Rico, 2014), *Academia Puertorriqueña de Jurisprudencia y Legislación*,
https://www.academiajurisprudenciapr.org/actas-de-la-camara-de-
delegado-1907-1908/prologo/.

asegurarse de quien leyera entendiera, respondió:

> El historiador se detiene para entender, no a ellos, sino el lento proceso de modernización, americanización y urbanización en que Puerto Rico se enfrascaba entonces, y los signos contradictorios bajo los cuales avanzaba, y a veces retrocedía, ese proceso.[2]

Inmejorable ejemplo de eso fue el debate sobre la continuación de la pena de muerte en el Puerto Rico de la primera década bajo el régimen estadounidense; tema animado por demás. Para empezar, el Código Penal que la gobernó bajo el régimen español fue el que menos atención recibió de la Comisión Codificadora de 1901 (órgano que, dicho sea de paso, se formó y actuó contrario a las recomendaciones de Carroll),[3] por entenderse que, tal cual, el código era excelente y solo necesitaba adaptarse a los tiempos y la nueva realidad política.[4] Ese razonamiento llevó a que se propusiera una traducción ligeramente modificada del código penal californiano de 1872, según enmendado a 1899, que no resultaba *del todo coherente a las singularidades de la Isla.*[5]

---

2. *Ibidem.*

3. A saber, «Que el Presidente nombre una comisión de cinco personas, tres de las cuales sean nativas de esta isla y dos de los Estados Unidos, para revisar y, si es necesario, reestructurar los códigos» (Carroll, *Report*, 64).

4. Véase Carroll, *Report*, 24, 59. Nos interesan solo los códigos Penal y de Enjuiciamiento Criminal en aras de mantenerlos en el tema.

5. Con todo y que las enmiendas compensan la añejez con relación al español de 1879, el Código Penal de California seguía siendo rústico. Hay quien razona que la elección del modelo radicó en el carácter punitivo propio de una comunidad fronteriza en rápido desarrollo económico, sin mencionar que el texto bilingüe del código original facilitaba la traslación (Eulalio A. Torres, «The Puerto Rico Penal Code of 1902–1975: A Case Study of American Legal Imperialism», *Revista Jurídica de la Universidad de Puerto Rico* 45, n.º 3–4 [1876], 62). El último dato evidencia la premura con que se actuó y deja mucho que desear en cuanto a la probidad del comisionado James Marbourg Keedy (1864–1937), un abogado de Pensilvania que, junto a otro estadounidense y un puertorriqueño, integró la segunda Comisión Codificadora. La misión de Keedy debió ser repasar el código en vigor y ofrecer sus propias recomendaciones; no calcar otro. Eso lo habría conseguido el país sin nece-

Los gobernadores civiles eran conscientes de que sus compatriotas en pos de oportunidades de inversión en la isla necesitaban garantías de seguridad, y entendían que esa confianza solo se podía obtener mediante un código amplio y punitivo que protegiera a personas y propiedad por igual, así las disposiciones pudieran antojarse tan lógicas y efectivas como el Código de Hammurabi en la actualidad. Entre las disposiciones del nuevo Código Penal figuró la eliminación del garrote a favor de la horca, la cual se añadió en el nuevo Código de Enjuiciamiento Criminal.[6, 7]

---

sidad de pagarle tantos miles de dólares al comisionado («El Lcdo. don Félix Santoni… y su actitud ante los códigos», *La Correspondencia de Puerto Rico*, 6 de marzo de 1902, 2). El comisionado puertorriqueño, Juan Hernández López (1859–1944), fue el primer opositor a la versión ofrecida, pero se le ignoró y por ello pudo vérsele como indiferente, cuando la realidad es que desde el principio su rol apenas pasó de ser más que un elemento simbólico (Julián E. Blanco, «Los nuevos códigos», *La Democracia*, 20 de enero de 1902, 2; «El licenciado Hernández López y su nota en los códigos», *La Correspondencia de Puerto Rico*, 25 de enero de 1902, 3).

7. Desde el principio, los norteamericanos favorecieron la continuidad (tal vez no el método) de la pena capital. Entre las pocas deferencias favorecieron también la continuación de códigos sustantivos y procesales en dos referencias separadas. De ahí que, por ejemplo, a la hora de consumar la ejecución de un acusado de asesinato en primer grado, conforme al dictamen del artículo 202 del Código Penal, se tuviera que remitir al artículo 915 de dicho código como al 342 del paralelo Código de Enjuiciamiento Criminal para constatar el método* (el Código californiano dictaba tanto la pena como el método de ejecución en un mismo apartado [§ 190]).†

* Véanse sendos códigos *Penal* y de *Enjuiciamiento Criminal* de 1902 en «Documentos Históricos», Biblioteca de Derecho, UPR (https://bibliotecas. upr.edu/bdupr/bd-derecho-documentos-historicos/). Aprovechamos para aclarar que no hay tal cosa como las leyes del garrote y de la horca, como se ha hecho creer al explicar la existencia y empleo de sendos métodos de ejecución bajo los regímenes de Puerto Rico. El desacierto lo originó Moisés Echevarría en su no por ello menos apreciable *La pena de muerte* (datos abajo, nota 15).

† Véase James H. Deering, *The Penal Code of California: Enacted in 1872, as Amended up to and Including 1899* (San Francisco: Bancroft-Whitney, 1899), 85–86.

7. Más interesantes resultan los señalamientos de las deficiencias que el

De nuevo el puertorriqueño promedio se halló en medio de una guerra donde enemigos de antaño eran aliados armados con el insuperable instrumento de la palabra. De un lado, el *San Juan News* compartía su frente con el *Boletín Mercantil* a favor de la pena de muerte; y del otro, *La Correspondencia* y *La Democracia* en contra. En la batalla periodística, la primera coalición ganaba terreno hacia el oído de la Cámara de Delegados, que así estuviera compuesta en su mayoría de puertorriqueños opuestos a los proyectos, se debía al gobierno de Washington.[8]

---

contenido del Código Penal que un juez puertorriqueño de calibre conceptuó cual lo mismo pudo haberse llamado *para* que *contra* Puerto Rico. No disponemos del espacio para detallar algunas de las incongruencias que señaló, pero invitamos a ver su interesante serie de once artículos, «El nuevo Código Penal», a partir de la edición del 27 de enero de 1902 de *La Correspondencia de Puerto Rico*.* Otra reseña digna de atención es la de Herminio Díaz Navarro (1861–1918) en *La Democracia* del 13 de febrero de 1902. Para un apreciable repaso en general, véase Luis E. González Vales, «Apuntes para una historia del proceso de adopción del Código Penal luego del cambio de soberanía», *Revista de la Academia Puertorriqueña de Jurisprudencia y Legislación* 1, n.º 1 (1989), 141–75.

    * Nos referimos al guayamés Jacinto Texidor y Alcalá del Olmo (1870–1931), capitán de Voluntarios bajo España y juez del Tribunal Supremo bajo el nuevo régimen; reconocido como uno de los principales juristas de la época. Su esfuerzo es una versión pormenorizada de lo que el fiscal de San Juan, Jesús María Rossy (1868–>1940) (hermano de Manuel [1861–1932], presidente de la Cámara de Delegados) resumió como «un disparate jurídico» («La reforma del Código Penal», *La Democracia*, 8 de febrero de 1902, 1).

    8. El *News* abogaba por la aprobación de los códigos. En cuanto al Penal, lo juzgó de «adecuado» en el mejor de los casos, y la pena capital de necesaria para ciertos crímenes: no porque los criminales de Puerto Rico fueran peores que otros, sino porque coartaría gastos de mantenimiento en las cárceles (González Vales, «Apuntes», 161, 162, 167). El *Boletín*, que nunca superó el asesinato de Pérez Moris, se oponía tenazmente a la idea de la abolición («La pena de muerte; es necesario» y «La pena de muerte; insistimos», 18 y 30 de enero de 1902; *cfr.* «Nota del día», 28 de enero de 1903, 1). *La Correspondencia* y *La Democracia* reaccionaban como lo adelantado arriba, nota 7. Se trató en realidad de un proceso simultáneo: el enfoque periodístico aspiraba a ilustrar al pueblo en cuanto a las fortalezas y debilidades de cada código, mientras que el legislativo sopesaba la aprobación. Cabe destacar que la mayoría

A la hora de presentarse los códigos para aprobación en el Consejo Ejecutivo, la gran voz disidente fue el cacique Rosendo Matienzo Cintrón con la censura de que se hubiera apresurado el proceso en una Cámara donde no estuvo representado el pueblo. La acusación pudo haber tenido el efecto de una bofetada que su eterno rival José Celso Barbosa sacudió con el contraargumento de que *el pueblo* había reconocido la necesidad de los códigos para ponerlos a tono con los principios jurídicos norteamericanos—;[9]

(Así el dato no venga al caso, tampoco debemos pasar por alto que el venerado Matienzo Cintrón pasaba por un terrible luto.)[10]

—y así, sin la venia matiencista, el defectuoso Código Penal se confundió entre los otros tres a recibir la firma del gobernador Hunt el primero de marzo de 1902.

Once días después, durante un banquete en honor a la visita del gobernador Hunt a Mayagüez, José de Diego discursó sobre su sentir tocante al nuevo Código Penal. Reconoció sus defectos y se confesó incapaz de aplaudirlo o censurarlo, mas esperanzado de que el tiempo y la experiencia le supieran sacar lo mejor.[11]

---

de los delegados carecía de conocimientos en leyes; solo cinco eran abogados. El Consejo Ejecutivo era mayormente continental.

9. Averroes, «Faltan las minorías», *La Correspondencia de Puerto Rico*, 18 de enero de 1902, 2; Julián E. Blanco, «Los nuevos códigos», *La Democracia*, 20 de enero de 1902, 2; González Vales, «Apuntes», 169.

10. Apenas el 19 de enero había sepultado a su hija de 17 años, Manuela, la única fatalidad entre una treintena de envenenamientos por harina. Su otra hija, Carlota (1881–1926), también sufrió los estragos, pero se recuperó («Gran accidente en Río Piedras» y «Triste desenlace», *La Correspondencia de Puerto Rico*, 18 y 19 de enero de 1902; «Manuela Matienzo», *Boletín Mercantil*, 19 de enero de 1902, 1).

11. Extrañamente, semanas después, el *San Juan News* lo citó catalogando el código como superior por todos conceptos al derogado español, pues aunque despojado de la fraseología exuberante del último, destacaba en espíritu (*cfr.* «Discurso de don José de Diego», *La Democracia*, 17 de marzo de 1902, 2, *vs.* «Los federales con el gobierno», *Puerto Rico Herald*, 19 de abril de 1902, s. p.). No es secreto que el paladín de la puertorriqueñidad abrazara en su

No discurrió sobre la pena de muerte, pero podemos dar por hecho que su sentir era cónsone con lo aprobado por ley,[12] sin mencionar que estaba bien cimentado en su ser.[13]

Cuatro veces mientras ocupó escaños en la Cámara baja tuvo que defender su postura en detrimento de Matienzo Cintrón.[14] Ninguna ocasión fue más memorable que aquella noche de 25 de febrero de 1907 ante una nutrida asamblea entre cuyos oyentes se halló un joven escritor y poeta yaucano que nos legó una de las más honestas reacciones representativas del ciudadano

---

momento el americanismo y que, como muchos de sus contemporáneos y correligionarios, terminara decepcionado.

12. Casi un mes antes, a la postre de una tercera votación al proyecto de ley para la abolición de la pena capital (H. B. 1), incluso abolicionistas como *La Democracia* reconocieron la justicia de un mal necesario, «*dado el estado social de Puerto Rico y el incremento que ha llegado a tomar en el país el bandidaje*»: «creemos muy oportuno y conveniente que ese bill no haya sido aprobado» («El bill sobre pena de muerte», 19 de febrero de 1902, 3).

13. De Diego es sin dudas el prócer mayor menos estudiado más allá de sus haberes literarios y políticos. Hasta que surja una biografía definitiva queda especular las raíces de su sentir para con la pena capital: (1) *¿una actitud innata?*, (2) *¿adquirida cuando abrazó el catolicismo?*, o (3) *¿por un evento emocional significativo?* Crímenes como el macheteo de una septuagenaria en su cama en Arecibo o el de una joven de 22 en Yauco (ambos casos en 1893), donde los acusados quedaron impunes, no eran fácilmente olvidables para un buscador de la justicia y protector de la mujer.

14. En la ronda en 1903, la segunda, tampoco De Diego resultó franco de diatribas. Un delegado cuyo nombre la prensa de la época no reconoció salió al paso para contrapesar los dimes y diretes entre ambas facciones:

La mayoría del Consejo consignó ya su opinión en ese punto en la anterior legislatura. Es contraria a la supresión de esa pena. Pero debernos fijarnos en que este asunto no es una cuestión de derecho para los puertorriqueños. Es asunto en el cual los hombres pueden libremente emitir parecer y sostenerlo sin que por ello debamos increparles. Si la mayoría del Consejo votó a favor de la pena capital, lo sentiré mucho, porque yo soy partidario de su supresión, pero no podemos negar a aquellos señores el derecho a pensar y sostener el criterio que en el asunto crean más conveniente. Esto es cuestión de apreciación y en esa clase de cuestiones todos los pareceres son libres. («Notas parlamentarias», *La Correspondencia de Puerto Rico*, 26 de enero de 1903, 1)

común de principios de siglo xx:

> ...oyendo a De Diego defender la pena de muerte, le aplaudí entusiasmado. Y luego, cuando Matienzo Cintrón le replicaba combatiéndola, mis manos chocaron palma con palma, también lleno de entusiasmo. ¡Ambos me convencieron de que la cuestión tiene ángulos ante los que no es posible llegar sin que nuestro sentimiento traicione nuestro pensamiento, y viceversa![15]

De Diego abrió su discurso[16] con la salvedad de que solo cumplía el deber de sostener su criterio en aras de su conciencia y con la doble pena de saberse contendor de un orador de talla como Matienzo Cintrón, a quien allende toda amistad consideraba un maestro.

> Parece que yo soy el único que defiende la subsistencia de la pena de muerte y he de hacer presente que soy uno de tantos, uno como los demás que creen que su existencia es conveniente,[17] pero sin que por esto se pueda entender que en mi corazón no hay lugar a la piedad y a la conmiseración por mis semejantes, porque si

---

15. C. Martínez Acosta, en prólogo a M. Echevarría, *La pena de muerte* (Ponce: La Tribuna, 1938), s. p. Carmelo Martínez Acosta (1879–1952) destacó además como periodista y analista político, sin mencionar secretario de la Cámara de Representantes. Fue hijo de Carmelo Martínez Rivas (18...?–18...?), abogado y notario de Ponce, y hermano de Carmen María (1884–1977), primera senadora puertorriqueña. El libro para el cual escribió lo citado es el primero del tema publicado en la isla. El autor del mismo fue el ponceño Moisés Echevarría Morales (1888–1941), ex secretario de la Corte Municipal de Guayama y senador socialista por el Distrito de Ponce durante tres términos (1929–1940). Resulta irónico que el opositor de las injusticias penales se viera involucrado como autor intelectual del asesinato de un comerciante en 1936.

16. Transcrito de «La pena de muerte: elocuentes argumentos en pro y en contra», *La Correspondencia de Puerto Rico*, 1 al 3 de marzo de 1907. Véase la serie en las ediciones del 26 de febrero al 7 de marzo de 1907. Editado según fuera necesario.

17. Entre otros que la defendían destacan Juan Hernández López, José Guzmán Benítez (arriba, DE CAPILLA—, nota 29) y Santiago Palmer (1844–1908).

yo creo que es posible matar, que se debe matar en defensa de la patria y de la sociedad, del honor, es porque establezco la escala en que por sustentar aquellos principios se puede subir por la muerte a la gloria, mientras que por el asesinato se baja al abismo de la infamia y del crimen.[18]

Y si encontráis una débil hormiga en vuestro paso, si el rubio y pequeño insecto se atraviesa en vuestro camino —¡ah!— no le matéis; levantad vuestro pie y salvad al débil ser que marcha diligente a su nido en donde está su compañera y en donde tiene amor y en donde cumple los destinos de la vida para que fue creada; y no uséis vuestra escopeta para matar la veloz avecilla que cruza el firmamento azul y que también tiene pequeñuelos que esperan su llegada con amor; y no matéis tampoco a la fiera que en su caverna prohíja sus hijuelos y que no os ataca sino cuando vuestro destino os la pone en el camino; pero ¡ah! no tengáis piedad del asesino, no tengáis conmiseración del que es menos que la hormiga, que el ave —más dañino que la fiera—, porque priva de calma al ajeno hogar, porque mata sin necesidad, mata por el capricho de la destrucción.

Y yo he de decirle a mi pueblo que si cumplo con mi deber sos-

---

18. No obstante, dos años antes, en su defensa de un joven Pedro Virella Álvarez (1883–1946)* acusado de matar al ofensor del honor de su padre con tres tiros en la cara, dijo:

Debe condenarse a muerte como medio de eliminar ese detritus para fines sociales; pero esto no procede cuando se trata de un crimen pasional producido por arrebato y obcecación. Muchos homicidios se han cometido por adulterio, muchos también por injurias y eso debido a la exaltación de un sentimiento. La pasión del juego y la pasión de la fidelidad son otras tantas causas; la primera en el juego mismo; y la segunda porque se promete mucho pero se cumple poco. La pena es justa si es necesaria. En abstracto, todas las penas son injustas. («Juicio contra Virella Álvarez», *La Correspondencia de Puerto Rico*, 9 de mayo de 1905, 1)

* El comerciante Virella Álvarez fue mucho después un influyente líder del Partido Unión, así como presidente de la Junta Escolar y del Concejo Municipal de su natal Arroyo, antes de probar fortuna en los campos de la Quisqueya de Trujillo. En el caso que De Diego lo defendió se probó que fue un asesinato en primer grado. Véanse pormenores del juicio en *La Correspondencia de Puerto Rico* del 2 al 11 de mayo; sobre algo de su vida en Luis Felipe Dessús, «Pedro Virella Álvarez», *Juan Bobo*, 2 de junio de 1917, 17–18.

teniendo los dictados de mi conciencia he sabido amparar bajo mi toga de abogado defendiéndoles con todo el calor que me impone ese deber a diecisiete reos de muerte de los que catorce se salvaron. Pero también es deber de mi conciencia el sostener por otra parte lo que creo conviene a mi pueblo y es que continúe en nuestra ley la imposición de esa pena, si dura, necesaria como dura y necesaria es la ley.

Mi venerable maestro, el señor Matienzo, mira la imposición de la pena de muerte bajo otro prisma que yo; yo no quiero que se mate al asesino como una venganza del mal que hace; yo quiero que se le mate para evitar que siga matando hombres honrados, para que con la ejemplaridad de su muerte se prevengan las de otros seres que hacen gran bien a la sociedad en que viven honradamente. Que resultaría ignorancia discutir hoy si la pena de muerte es justa fundándose en que al imponerla se realiza una reparación, puesto que en ese orden de ideas resultaría injusto también el dólar de multa y el día de cárcel. Que dentro del criterio moderno es justa una pena en tanto que sea necesaria su imposición. Explica cómo en el país de Gales, en Inglaterra, hay motivos para no sostenerla, puesto que el tanto por ciento de la criminalidad es de un siete octavos por cien mil, mientras que en Puerto Rico, con arreglo a las estadísticas, es realmente espantosa la proporción que acusan las estadísticas a cuyo estudio se dedicó, abarcando un periodo de veinticinco años, y comprobando que en su distrito como el de Ponce llegó dar un promedio de ocho, setentaidós por cada cien mil habitantes.[19]

Recuerda que el señor Fernández Juncos, hace quince años, planteó en su periódico *El Buscapié* una información respecto al desarrollo de la criminalidad y medios de combatirla y, habiendo tenido el honor de ser consultado, hizo investigaciones en los archivos de las Cortes de Justicia de la Isla, observando un rápido crecimiento en los delitos de sangre y descubriendo que los años mil ochocientos noventaicinco a mil ochocientos noventaisiete produjeron treintaiún homicidios, lo que dio un promedio de ocho a doce por año, mientras que en mil novecientos se elevaron a dieciocho. Que el término de Mayagüez ocupó el vértice de esa

20. *Cfr.* el propio trabajo de De Diego, *Apuntes sobre delincuencia y penalidad* (1901).

proporción, presentando veintinueve delitos de sangre en un perímetro de treintaisiete mil habitantes, lo que más se asemeja a
hechos ocurridos en las Indias Orientales que a estos países. Y eso
marca el crecimiento extremoso de la gran ola de sangre que amenaza invadirlo todo; y apenas se salvan los que ocupan la cúspide
de la sociedad y ya se hace menester otra arca de Noé en donde se
refugien tantos y tantos hombres honrados que quieran salvarse
de la cuchilla infame del asesino que tantas vidas cercena con la
mano insaciable de una criminalidad cada vez en aumento.

Y la Cámara debe tener muy en cuenta la resolución de este
tan grave problema; la Cámara puertorriqueña no debe preocuparse, no debe descansar en que en el Consejo Ejecutivo pase o no
pase esa ley que afecta tan de cerca a nuestra sociedad y a nuestra
vida. Tres veces se ha tratado este importante asunto en la Cámara de delegados de Puerto Rico y tres veces se ha descansado en
la resolución del Consejo Ejecutivo la definitiva resolución de un
asunto que no debe, que no puede dejarse al criterio de otro organismo cuando tan de cerca interesa a este país cuya Cámara debe
resolverlo con toda entereza y seguridad.

Y no se me diga que el pueblo de Puerto Rico ha hablado por
medio de su Cámara que es la expresión de su voluntad, porque
este gran fonógrafo al discutir tres veces la pena de muerte ha tenido en su seno opiniones encontradas y ha dicho que no.

Y ya que se habla de sentimentalismo, pensad no en el último
suspiro del asesino que tuvo un sacerdote para poderse arrepentir
y salvar en un breve instante el paso de la vida a la eternidad, sino
en la víctima que aquel ser causó y que fue condenado sin razón
y sin derecho.

Mala causa es la de defender su tesis en el terreno de la realidad la que ha adoptado el caballero delegado señor Matienzo.
Su ilustración es vasta y sus conocimientos profundos, pero no
ha tenido más remedio que hacer chocar hechos opuestos cuando
atribuye primero al determinismo las causas del asesinato y luego
acepta la voluntad del asesino para cometer el crimen y sostiene
por otra parte la fatalidad del destino que impulsa los hechos de
los hombres. Y para sostener sus argumentos degüella principios
para al final traer como única razón la intervención divina.

Si se dice que el criminal obra impulsado por una incontesta-
ble fuerza, si no es susceptible de enmienda, si se reconoce por mi

ilustre contendiente que no hay fuerza humana capaz de evitar lo que la voluntad del asesino le impone, entonces no hay más remedio que aceptar el remedio de la pena de muerte para reducir esa fuerza indeclinable que mata sin remedio, que no es susceptible de enmienda, que no puede contrarrestarse y así salvaremos, eliminando asesinos, la vida de los hombres honrados.

Y se afirma que para el derecho de defensa de la sociedad es bastante con la reclusión, olvidando que hoy han desaparecido todas las escuelas que se disputaban la apreciación de la aplicación de las penas en la base de sus distintos argumentos para dejar la única aceptada, de que es legítima una pena en cuanto sea bastante para resultar necesaria.

Y probaré que no es suficiente la reclusión. Un reo de muerte que fue indultado y continuó en el penal al cabo de algún tiempo de buena conducta obtuvo permiso para que le visitara su querida. Y ese hombre para el que se había abolido la pena de muerte mató a aquella pobre mujer que solo amor tenía para aquel ser miserable; y la abolición de la pena de muerte en aquel caso fue la cruel sentencia que condenó a la muerte a un ser inocente. ¿No habría sido mejor eliminar a aquel dañino ser que no hubiera podido privar de la vida a su otra inocente víctima?[20]

Todos sabemos que en los penales han ocurrido muchas muertes; todos sabemos que cabos de presos han sido asesinados con las cucharas que les dan a los reclusos; todos sabemos que en las prisiones se evita la introducción de cuchillos o de cualquier instrumento punzante para evitar los asesinatos que a disponer de ellos cometerían los presos.

Y esos son asesinos llevados allí para la regeneración, asesinos que vuelven a matar en cuanto una ocasión cualquiera se les presenta.

---

20. Alude al caso del sanjuanero Ramón Tomás (*Moncho*) Torres Giménez (1870–1917), encausado por homicidio en 1896 y quien, tras una breve escapada del penal, asesinó a su novia María Delgado Ruiz (1884–1903). El caso despertó interesantes debates que a la larga desmitificaron los postulados positivistas de Lombroso. Véase el análisis a cargo de Francisco R. Goenaga, «Dictamen pericial referente al estado psíquico del procesado Ramón Torres Giménez», en el *Boletín Mercantil*, ediciones del 29 de junio y 1 al 9 (excepto 4 y 5) de julio de 1903; más adelante reproducido en *Boletín de la Asociación Médica de Puerto Rico* 11, n.ᵒˢ 19–24 (1994).

Se asegura que la pena de muerte es contraria a los principios religiosos de todos los pueblos, cuando, mis queridos amigos, nada hay más claramente instituido en los códigos religiosos que la aceptación de la pena de muerte. Y se trae aquí el ejemplo del Divino Maestro en el caso de la adúltera, y se dice que el sublime Jesús se pronunció en contra de la pena de muerte. Pero señores, ¿quién sostiene que la pena de muerte debió ser impuesta a la adúltera, quién ni en qué código moderno puede decir que la pena de muerte se imponga a la desgraciada mujer que delinque de ese modo? ¿Cómo queréis que el espíritu noble y justo, dulce y cariñoso del Divino Hijo de la poética Galilea, el Maestro de la caridad y de la misericordia que llevaba en sus azules pupilas el divino destello de la sublime mansedumbre, pretendiera castigar a la pobre mujer que a sus pies se arrojaba contrita, con la pena de muerte que se impone al asesino cruel e insensible?

No, la pena de muerte no es para eso; la pena de muerte es para el malvado ser que medita su crimen, piensa cómo ha de llevarlo a efecto con la mayor ignorancia de su escogida víctima, reflexiona en qué sitio y cómo ha de encontrarla sin que aquella pueda apercibirse para la defensa y se esconde en el oscuro callejón y allí acecha cobarde y cuando el desgraciado que ignora la acechanza pasa confiado, sin darle tiempo, sin avisarle, sin darle lugar para que se defienda con su brazo o para que argumente con esa chispa divina que se llama palabra, sin que medie el más mínimo aviso, le hunde el puñal homicida por la espalda, le mata como a un perro, le asesina sin darle siquiera medios para que conozca la mano que le priva de su más preciado don como es la vida concedida por mandato del Altísimo.

No, la pena de muerte no es para los que faltan y pueden purgar su crimen con el arrepentimiento y pueden devolver a su ofendido el mal que le causaron, pues vive y puede luego resarcírselo; es para el que destruye a otro ser que nada le hizo y le envía para eterno en las sombras de lo infinito; es para que el que así no merece ni la compasión de Dios no la defensa de los hombres.

Y a ese asesino se le nombra un defensor que es un abogado empeñado en salvarle tanto por el honor de su toga como por el deber de su conciencia, y a ese criminal se le nombra un tribunal de doce hombres honrados que aquilataren las pruebas en favor y en contra. Y la defensa tiene derecho a tachar quince hombres de los que hayan de componer el jurado mientras que el fiscal que representa a la víctima no puede oponerse a ello; y si uno solo de esos hombres, después de oír las pruebas de aquilatar en su conciencia y en su juicio todo el largo debate de un juicio a pena de muerte, se muestra contrario a esa declaración aquel hombre no puede ser condenado y tiene derecho a que se le forme otro jurado. Y luego tiene un Tribunal Supremo compuesto de jueces encanecidos en el estudio de las leyes y de los hombres, y luego hay una Corte Suprema en los Estados Unidos y luego hay un gobernador que finalmente puede suspender la ejecución de una sentencia impuesta por tantos hombres y después de tantas pruebas, después de disponer para la defensa de armas más pujantes que los que defienden al infeliz arrojado al sepulcro sin razón y sin derecho.

Y luego cuando el mundo y Dios estén convencidos de su culpa, no se le mata sin consuelo; si es cristiano, se le envía un sacerdote que le acompaña y le fortalece en sus últimos momentos, que le oye la confesión, que alivia el alma del creyente; y se le manda un notario depositario de su última voluntad y que queda encargado de cumplirla en beneficio de su esposa si la tiene, de sus hijos, de sus amigos; y por último, en el dintel de la vida a la muerte, tiene la sagrada bendición del sacerdote que con su absolución ilumina el fondo oscuro del patíbulo con la luz inmensa de la esperanza que sonríe en lo alto del cielo, atrayendo su alma a la eternidad.

¿Él hizo todo eso? ¿Él avisó a su víctima que iba a matarla? ¿Él le nombró un abogado que la defendiera, un jurado que pudiera perdonarla? ¿Él le dijo: «*defiéndete, prepárate, busca pruebas, porque voy a matarte*»? No, no le avisó, no le concedió el derecho innato de todo ser, como de la fiera, como del hombre, a la legítima defensa del don divino de la vida; él no puso a su lado el sacerdote. Él hizo más: le privó de que la confesión de las culpas de la vida le abriera el camino del cielo, cuando, si es creyente, le quita el infinito consuelo del sacerdote que absuelve y salva. Y no conoce a la víctima, no le tiene odio porque nada le ha hecho; le espera en la sombra, le asecha en el silencio y en la impunidad, y sin juicio que condene, sin ropa talar que consuele, sin hablarle y sin dejarle hablar le mata por la espalda, se ensaña en la pobre víctima; le infiere una y dos y más heridas para ensañarse en el cuerpo del que cae al fondo de la eternidad sin que ni siquiera un rayo de luz ilumine las tinieblas que le rodean para poder conocer en el supremo instante de la tremenda agonía el rostro del que le priva de la existencia y lleva al luto y la desesperación a un hogar inocente. Y vosotros que habéis tenido piedad para el reo, para el autor de esa horrible obra, no la tenéis para la pobre víctima; la tenéis para el verdugo de un ser inocente y no la tenéis para el infeliz, para el justo que cae bajo el infame puñal del asesino.

Y leed a Gabriel de Annunzio[21] y os estremeceréis las carnes y os estremeceréis vuestra conciencia cuando veáis lo que hace un hombre que más bien debiera llamarse fiera. Tiene una mujer hermosa como una Venus, bella y dulce como una de esas vírgenes que el genio sobrenatural del inmortal Murillo[22] fijó en el lienzo, trayéndolas del cielo en donde moran; y de esa mujer nació un niño como los ángeles de Rafael,[23] brotó a la tierra una criatura que llevaba en su faz el trasunto divino de la faz de su madre. Y aquel hombre por una fatal sospecha, piensa que su compañera le había sido infiel, y los celos comienzan una obra tremenda en su cerebro y al fin brota la chispa infame del crimen que medita un día y otro y al fin, incapaz de hacer daño a aquella hermosísima mujer revuelve su saña, emplea su satánica fuerza contra la infeliz criatura. La coge de la cuna en que plácidamente dormía y en una cruel noche de crudo invierno, allá en las montañas de los Alpes cubiertas del blanco sudario de la nieve que hiela y mata, expone al pobre niño inocente al cierzo de la montaña que lleva la frialdad mortal a sus débiles pulmones y luego le mata después de horribles sufrimientos.

¿Y vais a tener compasión del miserable asesino?

¡Ah! no, porque entonces no la tendrías del pobre niño que palpitaba lleno de vida en la cuna hermosa de sus primeros días y a quien la leve mano de aquel miserable criminal priva, de esa

22. Gabriele D'Annunzio (1863–1938); militar y político italiano reconocido por su genial pero poco edificante literatura. Fue uno de los mayores exponentes del decadentismo que caracterizó la segunda mitad del siglo XIX europeo. De Diego invita a leer la novela *El inocente* (1892).

23. Bartolomé Esteban Murillo (1617–1682); pintor barroco español recordado por su arte religioso.

24. Rafael Sanzio, también conocido como Rafael de Urbino (1483–1520); uno de los mayores artistas del Renacimiento.

manera tan cruel, de la vida que Dios le concediera, a que tenía derecho como todos y que le fue arrebatada sin que pudiera siquiera comprenderlo; sin que le fuera posible defenderse. Y en esas circunstancias, señores delegados, es que solo se impone la pena de muerte, porque no se mata en el patíbulo al que mata a otro por una riña, por un acto pasional, por una discusión acalorada o por el legítimo derecho de la propia defensa. Se impone la pena de muerte, se impone cuando el crimen reviste los más repugnantes detalles de crueldad y cuando la víctima es reputada por inocente de toda culpa.

Y en Puerto Rico hay otro detalle más digno de tener en cuenta; se presenta otra más repugnante faz en la comisión de esos delitos.

Después del asesinato de Pérez Moris, que según todos los datos más aceptados, fue realizado por una miserable mano de asesino pagado con dinero, ¿cuántos más de esa repugnante clase han venido a aumentar la ola de sangre de los crímenes aquí cometidos?

El jaguar, el tigre mata por instinto; mata porque la necesidad de su constitución le impulsa a ello. Y sin embargo, la fiera muchas veces perdona a su víctima y pasa por delante de ella indiferente; pero no le pidáis eso al asesino; no le pidáis eso a esa fiera que es peor que el tigre que mata por instinto natural. Y si en la fiera se concibe, si la fiera no tiene reflexión, lo inconcebible es que el ser humano que la tiene sea peor que la fiera.

Y la sentencia de muerte se ha cumplido muchas veces por el divino mandato que aquí se ha querido negar. Se cumplió cuando Judas, que impulsado por su culpa y no encontrando jueces que le condenaran, verdugos que le ejecutaran, huyendo horrorizado de la acusación que llevaba en su conciencia, del juez que en ella le recordaba su crimen vendiendo al justo Jesús, ejecutó por su propia mano la sentencia de muerte que por su asesinato merecía, y el gran árbol que a su desatentado paso se ofreció puesto por la mano providencial que le empujaba sirvió de cadalso para quien así cumplía la pena de la sentencia de muerte que le lanzaba a la eternidad, sirviéndose para ello de las mismas manos que habíanse manchado con la sangre del justo. Así se cumplió la sentencia de muerte impuesta por Dios al gran criminal.

Y se ha discutido la ejemplaridad queriendo demostrar con

el crimen de Canales[24] en Lares, ocurrido inmediatamente de la ejecución de Panchito y Dones,[25] echa por tierra aquélla. Pero es preciso que veamos que esa ejemplaridad no puede ejercer su influencia en plazo tan inmediato, porque no en corto plazo tampoco se piensa y desarrolla el crimen.

No hay ningún crimen que antes de llegar a la realidad del hecho no haya estado en la conciencia del asesino. El primer acto es la meditación. Juan piensa en matar a Pedro y en su mente, en su conciencia, pasan como en un cinematógrafo todas las escenas que han de preceder al hecho. El criminal piensa también en la impunidad y eso le hace reflexionar la mejor manera de obtenerla. Primero se le ocurre ir a una botica y adquirir un veneno; pero luego reflexiona que no se lo venderán o que en caso de vendérselo el boticario podría ser un testigo o un denunciante. Después piensa en matar a su víctima con un pistoletazo; pero también desecha esa idea porque el tiro causa ruido y a eso vendría la policía. Al fin ha encontrado el mejor medio. El puñal, el traicionero puñal que mata en silencio. Luego hay que averiguar en dónde vive la víctima, a dónde acostumbra ir, por dónde pasa regularmente, para escoger el sitio más apartado y solitario en donde sea mayor la impunidad, en donde el puñal silenciosamente realice su obra. Así queda resuelto en la mente del criminal el hecho que no hay poder humano que pueda evitarlo. Por eso antes de efectuarse el crimen el asesino ha visto en su mente al cadáver de su escogida víctima, tendido en el suelo y en el pecho la dalia roja de sangre por donde se ha escapado la vida. Por eso la ejemplaridad tiene otro plazo más largo, pues una vez decidido un crimen en la mente de un criminal no es posible evitarlo.

---

25. Entiéndase Pedro Antonio Canals y Oliver (1862–1907), un caficultor peninsular vecino del barrio La Torre que fue asesinado, descuartizado e incinerado en su casa por el mayordomo de la hacienda («Crimen horrendo en Lares», *Boletín Mercantil*, 4 de febrero de 1907, 1; «Crimen de Lares», *La Democracia*, 6 de febrero de 1907, 1).

26. Entiéndase los reos Francisco (*Panchito*) Rivera Derkes (1886?–1907) y Francisco Dones Ramos (1875?–1907), el primero por el asesinato del súbdito español Severo Lorenzo en 1902 y el otro por el del juez José Cordovés en 1905 (abajo, nota 35). De Diego atestiguó las ejecuciones que se celebraron simultáneamente el 1 de febrero.

La ejemplaridad es para cuando el criminal ha empezado a idear su obra, cuando todavía duda, cuando su raciocinio no la ha aceptado aun de una manera determinada, cuando la resolución en fin, no ha terminado su concepción. Porque todos sabéis que cuando en nuestra mente se lucha con alguna contraria impresión, cuando en nuestro espíritu se libran esas grandes batallas morales de la vida, cuando la duda se enseñorea en la conciencia y no hemos podido decidirnos en un sentido u otro aunque esto pase un año y dos, basta a veces un simple detalle, el hecho más insignificante, la caída de la hoja de un árbol, el llorar o sonreír de un niño, un barco que llega a nuestras playas, una carta, una sonrisa o una lágrima de otro, para que aquello que trabajaba en nuestra mente torturándola con la incertidumbre desaparezca súbitamente.

Por eso la ejemplaridad de la ejecución de Dones y Panchito no pudo hacer mella en la mente de los asesinos de Canales porque el proceso de la idea del crimen había pasado ya del periodo de duda al final de la escala, que es resolución imposible de desviar. La ejemplaridad es segura, es lógica, cuando sirve para los criminales que están elaborando en sus cerebros el crimen del que puede desviarlos el espectáculo tremendo de la horca o del garrote, de la guillotina como del fusilamiento, cuando el primer temor del criminal es la duda de que pueda ser descubierto.

Y no es cuestión de sentimentalismo; es cuestión de ejemplos prácticos. Once estados de la Unión americana suprimieron la pena de muerte y la ola de sangre llegó a tal altura, el número de asesinos respondió de una manera tan elocuente a esa supresión, que siete de ellos la han vuelto a restablecer y sigue actuando en sus tribunales y figurando en sus códigos.[26] Y el caballeresco Portugal que la suprimió de su ley, hubo de volver a establecerla,[27]

---

27. Véase Galliher, Ray y Cook, «Abolition and Reinstatement»; sin embargo, para obtener una mejor visión hemos de remontarnos a principios de siglo XX, toda vez que los trabajos modernos tienden a generalizar y omitir detalles. Proponemos ver Raymond T. Bye, «Recent History and Present Status of Capital Punishment in the United States», *Journal of the American Institute of Criminal Law and Criminology* 17, n.º 2 (1926), 234–45.

27. Se refiere al escándalo que generó en 1874 el proceso judicial de Antonio Coelho, un soldado acusado de asesinar a un alférez. Aunque el reino

y en Italia en donde siete mil asesinatos en un año en una sola región son demasiado elocuentes para que pueda ser puesta en duda su fuerza de convencimiento, se discute hoy la conveniencia de volverla a establecer,[28] para que sea el dique que contenga esa inundación de sangre que amenaza invadirlo todo y destruirlo todo.

Y volviendo a los datos estadísticos de nuestro país, he de recordaros aquella época en que el distrito de Ponce semejaba una gran charca de sangre por los horribles asesinatos allí cometidos, los que vinieron a coronarse fúnebremente con aquella tremenda obra de muerte que hizo caer cinco cabezas en el patíbulo.[29] Parecía entonces aquella ciudad el profundo valle adonde coadvergían[30] las vertientes de un distrito conmovido por repetidos crímenes. Y vemos luego de caer bajo la mano del verdugo aquellas cinco cabezas, que la criminalidad disminuye de una mane-

---

luso había abolido la pena de muerte en 1867, se reservaba el fallo en casos atinentes a militares. Para suerte de Coelho, la opinión pública contra el recurso forzó al Gobierno a tratar el crimen como uno civil y prácticamente abolir la pena en asuntos militares también. Coelho recibió cadena perpetua. Véase recuento del caso en «Exterior», *Constituição*, 18 de noviembre de 1874, 2.

28. Aunque no contamos con la fuente de De Diego (al parecer, la misma de Matienzo Cintrón),* las declaraciones del politólogo de la Universidad de Illinois, James Wilford Garner (1871–1938), en el número mayero de los anales de la Academia Americana de Ciencias Políticas y Sociales de 1907 son lo único que parecen secundar a nuestro prócer—

El expresidente Andrew D. White, en un reciente discurso en la Universidad de Cornell, declaró... haberse llegado a convencer de que Estados Unidos lidera al mundo civilizado, con la excepción tal vez de la Italia baja y Sicilia, en el crimen del asesinato, especialmente asesinatos impunes. («Crime and Judiciary Inefficiency», 161)

—mas para nuestra decepción, los 8,482 asesinatos y homicidios *vs.* 116 ejecuciones que cita se limitan a los Estados Unidos en 1904 (*ibidem*, 162). A nivel local solo obtuvimos un *3,587* en 1899 («Estadística criminal», *La Democracia*, 20 de mayo de 1905, 2). Italia abolió la pena de muerte en 1889, sin miras a reintroducirla (el fascismo lo hizo en 1926).

* Véase «La pena de muerte», *La Correspondencia de Puerto Rico*, 28 de febrero de 1907, 2.

30. Habla de los reos cuya historia fundamenta este libro.

31. Inferimos que quiere decir *convergían*.

ra tan notable que, según datos obtenidos por mí de los señores Perea[31] y Soto Nussa, que allí actuaron de fiscales, y de los archivos de aquel tribunal, hubo un descenso de un setenta por ciento en la criminalidad de toda la región, durante algunos años después. Así se demuestra la ejemplaridad.

Y se ha dicho que Jesús se mostró contrario a la pena muerte cuando precisamente él es la prueba más completa de que la reconoce y acepta de una manera indiscutible. Después de su ejemplar vida en que cumple la misión grande para que vino al mundo llega al fin de su sagrada jornada. Acusado injustamente, tratado cruelmente por la miserable multitud que le llevó ante sus jueces oye tranquilo su sentencia tremenda. Luego recorre aquella dolorosa calle de la amargura, y en sus ojos azules como el limpio cielo de la dulce Galilea, en las pupilas hermosas en donde reverbera el misericordioso destello de la divina fuerza no se encuentra la protesta, no se halla la resistencia para cumplir esa pena que entonces podía llamarse tremendamente injusta; baja la cabeza y respetando la voluntad del Padre al que no pide la suspensión de aquel cáliz terrible de agonía, cumple el mandato supremo y santifica con su inocente sangre la aceptación más palmaria, más solemne de que él sostenía como justa la pena de muerte. Y ve a su siniestra al mal ladrón que en la cruz espiraba condenado a muerte y no tiene para él una sola frase de misericordia y de consuelo, no le pide al Padre que le salve, ya que su propia salvación no quisiera pedir para cumplir el divino mandato. Y así doblemente santifica el Cristo la imposición de la pena de muerte.[32]

Y finalmente, aceptando que las criaturas tengamos tres dimensiones que nos ha dicho el Maestro [Matienzo], como son longitud, latitud y profundidad, y que podamos obtener la cuarta

32. Juan José Perea Baster (1859–1911); jurisconsulto aguadillano que llegó a presidir la corte de Justicia de Mayagüez.

33. En adelante explica que los espiritistas, como Matienzo Cintrón, sostienen la supervivencia del espíritu mas no la del cuerpo material; que el dolor no sobrevive con la muerte física, dado que el dolor físico y moral nacen de la convivencia entre el cuerpo y el alma y que con la muerte física el ser humano nace a otra existencia libre de dolor. Razona que si las almas se purifican con el dolor, al enviar la de un ser malvado a esa otra existencia le da una oportunidad de progresar tras el perfeccionamiento y la felicidad espiritual.

que asegura, puesto que el asesino no tiene esta, dejémosle, despachémosle para la eternidad, a fin de que allí la encuentre por medio de la evolución que es el sufrimiento y el progreso moral, esa cuarta, propiedad que parece no tienen los malvados como él.

¿Y se nos dice que por qué matamos al asesino y no destruimos al tísico? ¡Ah, y el canceroso y el tísico no son culpables, no contagian voluntariamente su virus moral, no tratan de destruir la vida de los otros que a su lado viven saludables, como hace el asesino que no quiere que, teniendo él la salud del cuerpo, disfruten de ella los seres que en su dañina vecindad crecen! Y cuando se sientan premisas deben citarse analogías, cuando se habla de la muerte del canceroso y del tísico debe demostrarse que su destrucción es absolutamente necesaria.

En un caso aceptaría la muerte de leproso y esto está en analogía con la opinión que sostiene la muerte del asesino.

...n[33] pobre hombre, un desgraciado ser ...o del terrible mal de san Lázaro,[34] se... del lugar en que esté recluido y en... arrastra su miserable existencia. ...cerca al puerto en donde un buque ...o de gentes que saludables van a lejanas tierras a buscar nueva vida; y silen[cio]samente penetra en él y en él se esconde... oscuro rincón. El barco leva sus an[clas] y parte cortando el anchuroso océano ...ego, cuando la tierra se ha perdido de [vist]a se descubre al pobre hombre cuyas [carn]es van cayendo a pedazos, sus manos ...das son un deforme muñón de horri[ble as]pecto. ¿Hay que condenarle a muer[te y] arrojarle al mar sin antes ver si puede aislarse, ponerse a aquel ser que todavía vive y alienta con la esperanza, en un apartado rincón del barco en donde pueda acabar sus días o dar tiempo a llegar a puerto, sin contaminar de su tremendo mal a los demás pasajeros? Eso sería cruel e inhumano; eso sería un crimen innecesario. No debe matársele. Se le recluye en un apartado

---

34. La fuente —La Correspondencia del 4 de marzo, pág. 2— exhibe un rasgón en el margen superior izquierdo que compromete los primeros caracteres de las primeras diecisiete líneas de la columna. Hemos intentado reconstruir las porciones que ofrecen mayor sentido.

35. Entiéndase la lepra; el nombre nace en la tradición apócrifa por el relato de que Lázaro de Betania (aquel que Jesús resucitó) padeció el mal. La Iglesia invitaba, pese a marginar al leproso, a verlo como un pecador reprendido a tiempo por Dios, de modo que pasara por el purgatorio en vida.

rincón del buque en donde se le envía el alimento por una cuerda en donde no pueda humanamente causar daño. Pero el barco sigue caminando por el inmenso mar; allá en el horizonte que azul ilumina el sol, se divisa en la línea donde mar y cielo se confunden, un leve punto más pequeño que una mosca y que pocos, muy pocos pueden ver, pero que nubla la frente del marino que con mano firme y segura el barco rige desde el alto puente.

Y el pequeño punto se engrandece y la cortina de sombras plomizas va llenando rápidamente el antes puro horizonte hacia donde el barco camina y la mosca semeja ahora al gran murciélago de sombras que llena con sus inmensas alas de oscuras tinieblas el cenit, cubriéndolo todo de mortal obscuridad; y las olas se agitan formando tremendo concierto de fúnebres voces con la tempestad que hace al barco juguete del mar y del viento; y el cárdeno relámpago que baja de las negras nubes el abismo de lo alto va a besar siniestramente las espumosas olas que llevan en sus crestas los azorados peces que la furia arrancó de los abismos profundos de sus senos; y el barco gime desecho por la tromba, aplastado por las aguas, incendiado por el rayo, y vese a la luz fugitiva de cárdena centella una tabla que flota por cima de las grandes olas, una tabla que sirve de áncora de esperanza a cuatro criaturas que se agarran a ella con la energía del que encuentra el asidero de salvación en la misma cima del abismo, y en ella va una mujer joven que quizás lleva en su seno una criatura, un hermoso niño que disfruta de lozanía y salud, un joven que lleva en sus venas sangre ardorosa y fuerte y en su cerebro vigor y energía; pero también va el leproso, el desgraciado ser que lleva en sus venas el soplo de muerte del tremendo contagio, el condenado a muerte por la inexorable mano del destino que puso en su cuerpo veneno para su vida y veneno para los que con él se rocen.

¿Queréis que el niño que mañana será hombre, será padre, que la mujer joven y saludable que en su seno guarda la criatura inocente que luego formará un feliz hogar y dará un nuevo árbol de vida a la sociedad y al mundo, que el joven que sirve de sostén a sus padres y esperanza a sus hermanos, caiga bajo el horrible mal, sea presa del incurable mal de san Lázaro y que los tres seres que la tabla salva de los profundos abismos del mar para resurgirles a la esperanza y a la vida sufran el más tremendo de los contagios para tener la más tremenda de las muertes? No, en ese caso no hay que vacilar; en ese caso terrible de una disyuntiva tremenda; el leproso debe ir al fondo del tenebroso mar mientras su alma limpia de culpa surja hermosa y llena de luz para ir a lo alto, al trono del Dios que no quiere que el seno de la madre inocente deje de dejar criaturas hermosas para la compensación eterna de la vida.

Y vamos ahora a contestar [a] mi venerable maestro el señor Matienzo. No hubo ningún santo asesino. Allá en la caballeresca época de las grandes luchas religiosas pudo haber un cruzado, no noble, un Tenorio que en galanteos o en riñas por religión matase en combate abierto a otro hombre. Pudo haber hombres que arrebatados por las pasiones libraran lances personales y derramaran sangre para evitar que la suya fuera derramada; pero eso no es ser asesino. Eso no es matar como sabéis que mata el asesino cobarde y feroz.

Y la ley dice que no se mate al que en un arrebato de pasión, de celos, de amor, de contrariedad religiosa o política derrama la sangre de su semejante en condiciones en que no pueda calificarse de asesinato. La ley tiene sus escalas de castigo y tenemos que un hombre que priva de la vida a otro y que por las circunstancias del hecho es calificado su delito como homicidio solo tiene seis años de prisión, y luego si se conduce bien tienen las rebajas y resulta finalmente que solo está en la prisión mil quinientos días un ser que privó a otro eternamente de la vida.

Y pensad, señores, que a esa lista de asesinatos en que figuran hombres tan virtuosos como Pesante, Berríos y Lorenzo[35] hay que añadir la larga enumeración que marca las estadísticas que os he explicado y que señalan una enorme proporción en los críme-

---

36. José Alfonso (*Pepe*) Pesante (1855–1905), el único varón de la prole de Mariana Bracetti (1825–1903), destacaba como un opulento hacendado y alcalde de su natal Añasco cuando fue asesinado por lo que a todas luces fue un crimen político. De Diego tuvo un interés especial en el caso contra el homicida José (*Yare Yare*) Morales (18...?–1908). El juez José Cordovés Berríos (1847–1905), quien además fue educador y secretario municipal de San Lorenzo, también debe su muerte a motivos políticos; y es posible que Dones haya sido un chivo expiatorio después de todo. Severo Lorenzo González (1875–1902) fue un español empleado de la casa comercial Amorós, en Guayama, asesinado por quien fue su amigo de años. Véanse recuentos de cada caso en Córdoba Chirino, *Los que murieron*, 55–72, 73–89 y 195–203).

nes de sangre en Puerto Rico. Pensad con todo el detenimiento que merece el asunto, la importancia que tiene el voto que vais a dar. Reflexionad que de nuestras manos depende el aumento de una criminalidad que mañana puede tocaros en vuestro hogar, en vuestras personas, en la de los seres que os sean más caros. Tened en cuenta que cuando votéis la abolición de la pena de muerte de los asesinos firmáis la pena de muerte para muchos hombres honrados a quienes asecha el puñal del asesino que perdonáis.

Yo no temo; yo creo cumplir con mi deber sosteniendo lo que mi conciencia me dicta, cuando quizá en la sombra está el asesino que mañana puede cortarme la existencia. No me importa; cumplo con los dictados de esa conciencia que me impone el deber de decirle a mi pueblo como yo entiendo debe ser defendido. Y un pueblo que desea, que lucha por el gobierno propio, debe abordar con toda resolución sus más arduos problemas y resolverlos con toda la energía y seguridad que es menester.

Y se ha dicho que nuestro pueblo es dulce y que nuestra historia ha sido incruenta. ¡Ah! y yo digo que por desgracia para nosotros, por desdicha para nuestro pueblo de Puerto Rico, se han resuelto nuestros más arduos problemas en medio de la mayor placidez; no ha habido una gota de sangre, la túnica blanca de nuestra historia no ha tenido su bautismo y por eso es que Puerto Rico que no tuvo su Calvario; no ha podido obtener su redención que solo se conquista al precio de la sangre y de la lucha.

Nuestro pueblo ha debido conocer prácticamente que la libertad se alcanza con el sangriento bautismo que han tenido todos los pueblos que supieron conquistarla. La libertad no es una virgen de tímida faz y dulce voz; la libertad es una robusta moza de fuerte acento y robustas formas cuyos pies se asientan en charcos de sangre. No tenemos una cruenta historia política como España, como Italia, como Francia, pero tenemos una ola de sangre en los delitos de sangre que supera a la de esos pueblos. En quince años ha tenido Puerto Rico once asesinatos por cada cien mil habitantes; es decir cien víctimas cada año, cien hogares llenos de luto por la aleve mano del asesino, cien existencias cortadas por la hoz de infamia y del crimen.

Y esa cosecha de cabezas es más grande que aquella del rey don Jaime de Aragón en que la sangrienta bandera de sus decapitaciones flotaba por todas las depreciaciones de su tiempo,[36] resultando que por desgracia Puerto Rico lleva ahora la bandera sangrienta de los asesinatos con esa abrumadora proporción de que antes he hecho mención, comprobándola con las estadísticas de criminalidad referidas. La imposición de la pena de muerte a los asesinos salva de la muerte a los hombres honrados que han menester construir un arca de Noé para salvarse en la cúspide de la montaña de la justicia del diluvio de sangre que nos amenaza a todos. Si la ley del divorcio previene y salva los desastres de matrimonios mal avenidos dando un camino fácil y seguro para evitar los males que aquellos causan a la sociedad, la pena de muerte salva los buenos de los peligros de los malos.

Y aunque parezca una paradoja, no lo es. La abolición de la imposición de la pena de muerte en nuestro país es algo así, es seguramente la condenación de los hombres de bien, de los hombres honrados.

Cuando haya pasado un año, dos años, tres; cuando las circunstancias hayan cambiado, cuando esa ola de sangre haya bajado al nivel natural que debe tener dentro de la moderna civilización y de los irremediables impulsos de la humanidad, entonces yo sería el primero que trabajaría, que daría mi voto para que esa tremenda pena dejara de existir en nuestro código. Pero mientras resulte una triste, imperiosa necesidad, sostendré su conveniencia para el bien de Puerto Rico.

Y no debemos seguir descansando en que el Consejo Ejecutivo sea el que resuelva nuestras cuestiones importantes; ya es tiempo de que termine ese criterio de que en arduos asuntos debemos estar a lo que el Consejo haga, a lo que el Consejo proponga. No, así no podremos jamás llegar nunca a que se nos reconozca por todos nuestro indiscutible derecho a gobernarnos. Resolvamos con entera independencia nuestros problemas, y si creemos que es conveniente que el país necesita que la pena de muerte subsista, o que por el contrario debe ser quitada por nuestras leyes, debemos decidirlo de una manera categórica y dentro de la mayor

---

37. La analogía deriva de la fama de Jaime I de Aragón (1208–1276; r. 1213–1276) por disponer de sus enemigos decapitándolos. Entre las campañas más sangrientas del *Conquistador* destacan Palma de Mallorca (1229), Enguera (1244) y Aragón (1267). Del asedio de la primera en particular se dice que el rey hizo catapultar 400 cabezas árabes sobre las murallas de la ciudad.

independencia de criterio y de acción.

Esa pena que yo sostengo debe quedar en nuestro código; no se funda en vanas teorías. Se funda como en un argumento principal y de una indiscutible fuerza, en que según las estadísticas de criminalidad en Puerto Rico no pasan tres días sin que se cometa un delito de sangre, sin que la comisión de un asesinato pase por la mente de un criminal.

Y asesinos indultados han reincidido en cuanto han tenido medios para realizar otro crimen como ocurrió en el penal de esta ciudad hace algún tiempo, en que un criminal indultado de la pena de muerte mató a la mujer que le visitaba llevándole consuelo y resultando así, como antes he dicho, que el indulto de aquel ser fue la condena de otro que sufrió la injusta sentencia que cumplida en el asesino hubiera evitado aquel otro asesinato.

La Biblia decía «*ojo por ojo, diente por diente*», pero nosotros lo hemos quitado; nosotros imponemos la muerte al asesino; no al que mata por una pasión cualquiera. En nuestra historia política no hay sangre y, sin embargo, centenares de cabezas caen bajo el puñal del asesino, cuando ellas podían haber vivificado nuestro suelo conquistando en la lucha por las libertades patrias la corona da la gloria que bien vale alcanzar muriendo por ella.

Y Cristo, el maestro hermoso y santo de la mansedumbre y de la misericordia, el dulce Profeta de Galilea, santificó la pena de muerte en tremendo patíbulo del calvario. Dos hombres morían a su diestra y a su siniestra; el buen ladrón espiraba bajo el peso de la condena y para él tuvo el Divino Maestro palabras de consuelo. El mal ladrón moría a su izquierda condenado por asesino y ladrón. El Cristo no pidió a su padre que indultara al mal ladrón. Jesús santificó de una manera solemne y categórica la justa imposición de la pena de muerte al asesino de los niños de los viajantes de Jerusalén.[37]

Y si hay algo más allá, si en el infinito que descubren nuestros ojos hay un lugar donde se purifican y lavan las almas culpables, enviemos allí a las de los asesinos para que obtengan el perdón de sus maldades en el seno de la infinita sabiduría que es también el castigo infinito.

---

38. *Cfr.* Lucas 23:43. Los detalles de las actividades de los ladrones provienen de la tradición por los evangelios apócrifos.

Galería

Camino carretero de Yauco como muchos de los plagados de partidas sediciosas entre 1898 y 1899. Las patrullas estadounidenses prestaron mayor atención al problema de inseguridad en estas rutas. (BIBLIOTECA DEL CONGRESO)

Miembros de una partida sediciosa capturados por la caballería estadounidense en Utuado (1898). El reportero que tomó la foto los identificó como partidarios de *La Mano Negra*. (*HARPER'S WEEKLY*)

[Reservado para una futura revisión en la que podamos incluir una fotografía de Prudencio Méndez.]

Los implicados en el robo con homicidio de Prudencio Méndez. No obstante la paupérrima calidad de la foto, resultan identificables Eugenio Rodríguez, Simeón Rodríguez, Carlos Pacheco y Hermógenes Pacheco. Ese con el 6 podría ser uno de los Feliciano; posiblemente Juan Manuel. (DOMINIO PÚBLICO)

Los condenados: Eugenio (*El Brujo*) Rodríguez López (1); Rosalí Santiago (2); Hermógenes Pacheco Torres (3); Carlos Pacheco Torres (4); y Simeón (*Bejuco*) Rodríguez Pacheco (5). (WESTERN RESERVE HISTORICAL SOCIETY)

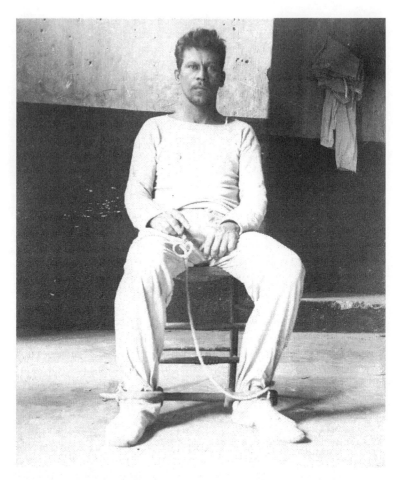

Eugenio Rodríguez, en capilla, posa para el lente de Orrel Parker minutos antes de salir camino del cadalso. (WESTERN RESERVE HISTORICAL SOCIETY)

...en estos últimos instantes mi pensamiento está con usted y estoy seguro que está invocando el santo nombre de Dios para que reciba mi alma y la coloque al lado de los justos; yo también lo hago aún, y con resignación espero lo que mi suerte me tenga destinado.

—EUGENIO RODRÍGUEZ
en carta a su madre

Rosalí Santiago en capilla, minutos antes de salir a encarar su destino. Foto de Orrel Parker. (WESTERN RESERVE HISTORICAL SOCIETY)

La ley no ha sabido corresponder a la inocencia de un ciudadano como yo, pues nunca he sido hombre de malos antecedentes, ni tiene mi barrio ni mi pueblo que decir lo más mínimo de mi proceder ni de mi conducta.

—ROSALÍ SANTIAGO
en carta a su madre

Los verdugos Vicente (*Quebradillas*) Nazario (izq.) y Justino Navarro esperan la llegada de los reos ante un gentío. Barrio Canas, Ponce; sábado, 7 de abril de 1900, 8:45 a. m. (DO-MINIO PÚBLICO)

Llegada de Eugenio. (DOMINIO PÚBLICO)

En esta ocasión lo hicimos por lo que ya ustedes saben y lo mismo hubiéramos dado garrote a esos cinco que a cincuenta.

—LOS VERDUGOS
entrevista

Ejecución de Eugenio; 8:58 a. m. (Dominio público)

Llegada de uno de los reos en el singular medio de transporte según prescrito por los códigos. (Dominio público)

Rosalí Santiago cargado por los verdugos al tiempo que los padres Janices y Alonso intentan cubrir el cadáver de Eugenio. (WESTERN RESERVE HISTORICAL SOCIETY)

Ejecución de Rosalí; 9:03 a. m. (DOMINIO PÚBLICO)

Ejecución de Hermógenes Pacheco; 9:25 a. m. Nótese la postura de Justino Navarro para procurar una muerte más rápida y menos dolorosa. (DOMINIO PÚBLICO)

¿No es cierto que hoy todos tienen una sonrisa en sus labios como si fueran a una fiesta y que sus caras permanecen impasibles y que no sienten indignación y que no se quejan en absoluto?

——HERMÓGENES PACHECO
discurso

Ejecución de Carlos Pacheco; 9:34 a. m. (DOMINIO PÚBLICO)

Ejecución de Simeón Rodríguez; 9:42 a. m. (Dominio público)

Si la ocurrencia se repitiera durante mi mandato, debería insistir en que la gran masa de la población no viera el espectáculo; pero repito que la ejecución por medio del garrote es mucho menos inhumana y repugnante que la ejecución por ahorcamiento.

—George W. Davis
informe oficial

El empleo de esta espantosa máquina bajo la autoridad estadounidense nunca debería permitirse, y el hecho de que se empleara de esa manera es universal y profundamente resentida por el público. Fue la primera y tal vez última vez que el garrote se verá en funcionamiento activo dentro de los límites de la autoridad estadounidense.

—José de Olivares
Our Islands and Their People

Bibliografía

FONDOS DOCUMENTALES:

- Archivo Histórico y Municipal de Ponce
- Biblioteca Municipal de Yauco
- Western Research Historical Society (Cleveland, Ohio)

PERIÓDICOS:

- *Boletín Mercantil de Puerto Rico*
- *La Correspondencia de Puerto Rico*
- *La Democracia*
- *Gaceta de Puerto Rico*
- *El Mundo*

REVISTAS:

- *American Monthly Review of Reviews*
- *Boletín Histórico de Puerto Rico*
- *Boletín de la Academia Puertorriqueña de la Historia*
- *Revista del Instituto de Cultura Puertorriqueña* (luego *Revista del ICP*)

OBRA CONSULTADA Y/O PARA MÁS INFORMACIÓN:

Alvarado Planas, Javier. «La Comisión de Codificación de las provincias de Ultramar (1866–1898)». *Anuario de Historia del Derecho Español* 66 (1996): 829–78.

Apéndices al Código Penal vigente en las islas de Cuba y Puerto Rico. Madrid: Centro Editorial de Góngora, 1887.

Arenal, Concepción. *El reo, el pueblo y el verdugo; o La ejecución pública de la pena de muerte*. Madrid: Establecimiento Tipográfico de Estrada, Díaz y López, 1867.

Arroyo Zapatero, Luis, e Ignacio Berdugo Gómez de la Torre, dir. *Homenaje al Dr. Marino Barbero Santos:* in memoriam, vol. 1. Cuenca: Ediciones de la Universidad de Cuenca–La Mancha; Ediciones Universidad Salamanca, 2001.

Arroyo Zapatero, Luis, Rafael Estrada Michel, y Adán Nieto Martín, eds.; Agustina Alvarado, coord. *Metáfora de la crueldad: la pena capital de Cesare Beccaria al tiempo presente*. Cuenca: Universidad de Castilla–La Mancha, Ediciones de la Universidad de Castilla–La Mancha, 2016.

Asencio Camacho, Luis. *Corsario: última voluntad y testamento para la posteridad del capitán don Roberto Cofresí y Ramírez de Arellano de Cabo Rojo* (2008). 3.ª ed. Cabo Rojo: Ediciones Pien Fu, 2016.

Basta, Danilo. «La justicia penal de Kant». *Éndoxa* 18 (2004): 283–95.

Becerra y Alfonso, Pedro. *El juicio por jurados: estudios sobre su legislación en Inglaterra, Francia, Italia, Estados Unidos, Austria, Alemania y Suiza*. 3.ª ed. aum. Mayagüez: Tipografía de Medina, 1884.

Biblioteca Judicial. *Código penal vigente en las islas de Cuba y Puerto Rico mandado observar por Real Decreto de 23 de mayo de 1879*. Madrid: Establecimiento Tipográfico de Pedro Núñez, 1886.

Brau, Salvador. *Ecos de la batalla: artículos periodísticos*, 1.ª serie. Prólogo de Manuel Fernández Juncos. Puerto Rico: Imprenta y Librería de José González Font, 1886.

——. *Puerto Rico y su historia: investigaciones críticas* (1892). Valencia: Imprenta y Librería de Francisco Vives Mora, 1894.

Bretherick, Diana. «The "born criminal"? Lombroso and the origins of modern criminology». *History Extra*, 14 de febrero de 2019. https://www.historyextra.com/period/victorian/the-born-criminal-lombroso-and-the-origins-of-modern-criminology/.

Campos, Ricardo, y Rafael Huertas. «Lombroso but not Lombrosians?» En *The Cesare Lombroso Handbook*, editado por Paul Knepper y P. J. Ystehede, 309–23. Londres: Routledge, 2013.

(Carroll, Henry K.). *Report on the Island of Porto Rico, Its Population, Civil Government, Commerce, Industries, Productions, Roads, Tariff, and Currency, with Recommendations by Henry K. Carroll, Special Commis-*

sioner for the United States to Porto Rico; Respectfully Submitted to Hon. William McKinley, President of the United States, October 6, 1899. Washington: Government Printing Office, 1899.

Castro, Antonio F., comp. *Decisiones de Puerto Rico, o compilación de sentencias y resoluciones dictadas por el Tribunal Supremo de Puerto Rico, después de constituido con arreglo a la Orden general no. 118 de 1899, con un sumario expresivo de la doctrina sentada por cada una, tomo 1: 1899–1903*. San Juan: Tipografía La República, 1906.

Corchado, Manuel. *La pena de muerte*. Barcelona: Imprenta de Leopoldo Domenech, 1871.

Córdoba Chirino, Jacobo. *Los que murieron en la horca: historia del crimen, juicio y ajusticiamientos de los que en Puerto Rico murieron en la horca desde las partidas sediciosas (1898), a Pascual Ramos (15 de septiembre de 1927) (1954)*. 6.ª ed. San Juan: Editorial Cordillera, 2007.

Crespo Vargas, Pablo L. *La Inquisición española y las supersticiones en el Caribe hispano a principios del siglo XVII: un recuento de creencias según las relaciones de fe del Tribunal de Cartagena de Indias*. S. l.: Palibrio, 2011.

Cuello Calón, Eugenio. «Vicisitudes y panorama legislativo de la pena de muerte». *Anuario de Derecho Penal y Ciencias Penales* 6, n.º 3 (1953): 493–512.

(Davis, George W.). *Report of Brig. Gen. Geo. W. Davis, U. S. V., on Civil Affairs of Puerto Rico, 1899*. Washington: Government Printing Office, 1900.

Delgado Cintrón, Carmelo. «Derecho y colonialismo: la trayectoria histórica del Derecho puertorriqueño». *Revista Jurídica de la Universidad de Puerto Rico* 49, n.ᵒˢ 2–3 (1980): 133–64.

——. «El Tribunal de los Estados Unidos de Puerto Rico, 1898–1952» (1974). Tesis doctoral, Universidad Complutense de Madrid, 2015.

Departamento de Puerto Rico. *Órdenes generales de 1899*. (San Juan) Tipografía Boletín Mercantil, 1903.

Díaz Quiñones, Arcadio. *Once tesis sobre un crimen de 1899*. San Juan: Luscinia C. E., 2019.

Echevarría, M. (Moisés). *La pena de muerte (1935)*. Prólogo por C. Martínez Acosta. 2.ª ed. corr. y aum. Ponce: La Tribuna, 1938.

Eslava, Juan. *Verdugos y torturadores (1990)*. Madrid: Temas de Hoy, 1993.

España. Ministerio de Gracia y Justicia. *Estadística de la administración de justicia en lo criminal durante el año 1898 en la península e islas adyacentes*. Madrid: Imprenta y Fundición de los Hijos de J. A. García, 1900.

Estades Font, María E. *La presencia militar de Estados Unidos en Puerto Rico 1898–1918: intereses estratégicos y dominación colonial* (1988). 2.ª ed. Río Piedras: Ediciones Huracán, 1999.

Galera, Andrés. «La antropología criminal española de fin de siglo». En *Investigaciones Psicológicas 4: Los orígenes de la psicología científica en España: el doctor Simarro*, editado por J. Javier Campos y Luis Llavona, 155–61. Madrid: Universidad Complutense, 1987.

Gómez de la Serna, Pedro, y Juan M. Montalbán. *Elementos del Derecho civil y penal de España: precedidos de una reseña histórica* (1843). 6.ª ed.; 3 tomos. Madrid: Imprenta de D. F. Sánchez, 1861.

González Nandín, Sebastián. *Estudios sobre la pena de muerte*. Madrid: Imprenta de la «Revista de Legislación», 1872.

González Vales, Luis E. «Apuntes para una historia del proceso de adopción del Código Penal luego del cambio de soberanía». *Revista de la Academia Puertorriqueña de Jurisprudencia y Legislación* 1, n.º 1 (1989): 141–75.

Hostos, Eugenio M. «La estadística criminal de Puerto Rico». *Las Antillas*, 25 de enero de 1867: 97–103.

——. *Lecciones de Derecho constitucional* (1887). París: Sociedad de Ediciones Literarias y Artísticas, 1908.

Juliá Marín, Ramón. *Tierra adentro*. Edición de Fernando Feliú Matilla. Río Piedras: La Editorial, Universidad de Puerto Rico, 2006.

Kant, Immanuel. *Principios metafísicos del Derecho*. Traducción de G. Lizárraga. Madrid: Imprenta de José María Pérez, 1873.

——. *La metafísica de las costumbres*. 4.ª ed. Traducción de Adela Cortina Orts y Jesús Conill Sancho. Madrid: Tecnos, 2005. Reimpr., 2008.

Lluch Negroni, Francisco R., ed. y dir. *Álbum histórico de Yauco (Puerto Rico)*. España: s. e., 1960.

López Landrón, Rafael. *Apuntes sobre la pena de muerte*. Madrid: Imprenta de Enrique Teodoro, 1885.

Maristany, Luis. «Lombroso y España: nuevas consideraciones». *Anales de Literatura Española* 2 (1983): 361–81.

Melusky, Joseph A., y Keith Alan Pesto. *Capital Punishment*. Santa Bárbara: Greenwood, 2011.

Ministerio de Ultramar. *Ley de enjuiciamiento criminal para las islas de Cuba y Puerto Rico. Edición oficial*. Madrid: Imprenta de Ramón Moreno y Ricardo Rojas, 1888.

Miranda Salcedo, Dalín. «La familia en la historiografía puertorriqueña». *Anuario Colombiano de Historia Social y de la Cultura* 39, n.º 1 (2012): 289–314.

Moscoco, Abelardo A. *Para la historia de mi patria*. Ponce: Tipografía de La Libertad, 1896.

Negrón Portillo, Mariano. *El autonomismo puertorriqueño: su transformación ideológica (1895–1914)*. Río Piedras: Ediciones Huracán, 1981.

——. *Cuadrillas anexionistas y revueltas campesinas en Puerto Rico, 1898–1899*. Río Piedras: Centro de Investigaciones Sociales de la Universidad de Puerto Rico, 1987.

——. «Comentarios sobre el libro *1898: la guerra después de la guerra*, de Fernando Picó». *Revista de Ciencias Sociales* 27, n.º 3–4 (1988): 173–78.

——. *Las turbas republicanas, 1900–1904*. Río Piedras: Ediciones Huracán, 1990.

Negroni, Héctor A. *Historia de Yauco*. Yauco: s. e., 2006.

Neuman, Elías. *Pena de muerte: la crueldad legislada*. Buenos Aires: Editorial Universidad, 2004.

Neumann, Eduardo. *Benefactores y hombres notables de Puerto Rico: bocetos biográficos-críticos con un estudio sobre nuestros gobernadores generales*. 2 vols. Ponce: Establecimiento tipográfico La Libertad, 1896.

——. *Verdadera y auténtica historia de la ciudad de Ponce: desde sus primitivos tiempos hasta la época contemporánea* (1913). San Juan: Instituto de Cultura Puertorriqueña, 1987. Reimpr.

Nieves-Rivera, Ángel M. «¿Un asesinato por "encargo" de las partidas sediciosas, o un evento aislado?: el caso de don José Gervasio Maíz Andújar en el Mayagüez de 1898». *Hereditas* 17, n.º 2 (2016): 72–98.

Novoa M., Carlos. «Castigo de Dios y pena de muerte». *Theologica Xaveriana* 141 (2002): 81–100.

Olivares, José de. *Our Islands and Their People as Seen with Camera and Pencil*. Editado por William S. Bryan; fotografías por Walter B. Townsend; introducción por Joseph Wheeler. 2 vols. San Luis: N. D. Thompson Publishing, 1899.

Ordelin Font, Jorge L., y Raúl J. Vega Cardona. «Los verdugos en Santiago de Cuba: pobres, presos y negros». *Revista de Historia del Derecho* 44 (2012): 149–76.

Pacheco, Joaquín Francisco. *El Código penal concordado y comentado, comentado por Joaquín Francisco Pacheco* (1848). 3.ª ed.; 3 tomos. Madrid: Imprenta de Manuel Tello, 1867.

Pagán, Bolívar. *Historia de los partidos políticos puertorriqueños (1898–1956)*. 2 tomos. San Juan: Librería Campos, 1959.

Pedreira, Antonio S. *El periodismo en Puerto Rico (1941)*. Río Piedras: Editorial Edil, 1982.

Pensado Leglise, María P. «Reseña del libro: 1898: *la guerra después de la guerra*, Picó, Fernando». *Secuencia* 11 (1988): 158–60.

Picó, Fernando. *Al filo del poder: subalternos y dominantes en Puerto Rico, 1739–1910 (1993)*. Editorial de la Universidad de Puerto Rico, 1996.

——. *1898: la guerra después de la guerra*. San Juan: Ediciones Huracán, 1987.

——. «La necesidad de investigar el 1898». Ponencia, Universidad Interamericana de Puerto Rico, San Germán, 22 de octubre de 1987.

——. «Alcaldes, militares, "tiznaos" y periodistas: desencuentros en el Ponce de 1898». En *Cien años de sociedad: los 98 del Gran Caribe*, editado por Antonio Gaztambide, Juan González Mendoza y Mario R. Cancel, 86–95. San Juan: Ediciones Callejón, 2000.

Real Decreto sobre organización del juicio oral y público. Puerto Rico: Imprenta de El Clamor, 1888.

Rivero, Ángel. *Crónica de la guerra hispanoamericana en Puerto Rico*. Madrid: Sucesores de Rivadeneyra, 1922.

Rosario Natal, Carmelo. *Los pobres del 98 puertorriqueño: lo que le pasó a la gente*. San Juan: Producciones Históricas, 1998.

Sued Badillo, Jalil. *La pena de muerte en Puerto Rico: retrospectiva histórica para una reflexión contemporánea (2000)*. 2.ª ed. Puerto Rico: Publicaciones Gaviota, 2011.

——, y Ángel López Cantos. *Puerto Rico negro*. Río Piedras: Editorial Cultural, 1986.

——, y Carmelo Campos Ruiz; con Ángel Collado Schwarz. «La pena de muerte en Puerto Rico». *La Voz del Centro* #543, 19 de mayo de 2013, http://www.vozdelcentro.org/2013/05/19/543-la-pena-de-muerte-en-puerto-rico/.

Tarrida del Mármol, F. «L'Inquisition á Porto-Rico». *La Revue blanche* 13 (1897): 59–60. Reimpr., 1968.

Thacher, John H. «The "Black Hand" in Puerto Rico». *Harper's Weekly*, 12 de noviembre de 1898: 1100, 1102.

Thompson, Lanny. *Nuestra Isla y su gente: la construcción del «otro» puertorriqueño en Our Islands and Their People (1995)*. 2.ª ed. Río Piedras: Centro de Investigaciones Sociales, Universidad de Puerto Rico, 2017.

Tomás y Valiente, Francisco. «El Derecho Penal como instrumento de gobierno». *Estudis* 22 (1996): 249–62.

Torres, Eulalio A. «The Puerto Rico Penal Code of 1902–1975: A Case Study of American Legal Imperialism». *Revista Jurídica de la Universidad de Puerto Rico* 45, n.º 3–4 (1876): 1–83.

Torres Campos, Manuel. *La pena de muerte y su aplicación en España.* Madrid: F. Góngora, 1879.

Trask, David F. *The War with Spain in 1898.* Lincoln: University of Nebraska, 1996.

United States. House. *Report of the Commission to Revise and Compile the Laws of Porto Rico.* Tomo 1, ptes. I, II, III. Washington: Government Printing Office, 1901.

United States. Senate. Committee on Pacific Islands and Porto Rico, Joseph Benson Foraker. *Industrial and Other Conditions of the Island of Puerto Rico, and the Form of Government Which Should Be Adopted for It: Hearings before the Committee on Pacific Islands and Puerto Rico of the United States Senate on Senate Bill 2264, to Provide a Government for the Island of Puerto Rico, and for Other Purposes, February 5, 1900, Presented by Mr. Foraker and Ordered to Be Printed.* Washington: Government Printing Office, 1900.

——. ——. 56th Congress, 1st sess. *Elihu Root Collection of United States Documents: Ser. A.–F.* Washington: Government Printing Office, 1895.

Valle Atiles, Francisco del. *El campesino puertorriqueño: sus condiciones físicas, intelectuales y morales, causas que la determinan y medios para mejorarlas.* Puerto Rico: Tipografía de José González Font, 1887.

Velázquez, José J. «La pena de muerte y sus resultados». *Revista de Derecho Puertorriqueño* 23, n.º 88–89 (1983–1984): 131–60.

Vicente y Caravantes, José. *Código penal reformado; comentado novísimamente, precedido de una breve reseña histórica del Derecho penal de España.* Madrid: Imprenta de Alejandro Gómez Fuentenegro, 1851.

Varela Zequeira, Eduardo, y Arturo Mora y Varona. *Los bandidos de Cuba (primera serie).* 2.ª ed. La Habana: Establecimiento tipográfico de La Lucha, 1891.

Índice

Made in United States
Orlando, FL
28 January 2022

14150467R00188